技術人たちとの語らい

町田輝史

東京図書出版

はしがき

夜明け前に窓際にたたずみ、徐々に家並みが現像されてくる窓外を眺めていると、今日も一所懸命に悲喜こもごもの生を営む人々の姿が心に浮かび感傷的になる。夕暮れ時（黄昏）には、一日の業を果たし終えた人が家路を急ぐ。たそがれ（黄昏）は、歩んでいる人影を見て「誰そ彼（あれは誰？）」と気にする時間帯から生まれた温かな触れ合いの言葉という。夜明けもたそがれも、人を懐かしく優しくさせます。

かつて研究生資格として、材料加工に興味があって「学業優秀、健康優良、性格良好」のどれか一つが良ければよしとした。自らをよく識別して動けという呼びかけと、知それも私利私欲のためだけの知が目立ち過ぎの俗世で、せめて学生たちには汚染されず、互いの存在を認め合い助け合って欲しかった。内なるもう一人の自分に「誰そ彼」と問うて欲しかったからです。

教育研究の傍らでの学界活動や技術アドバイザー・技術相談などは、疲れましたが、多くの技術人たちと出会い、様々のことを考えさせるよい機会でした。その時、技術人ごとに一般に下請けと呼ばれる部品供給業に勤しむ人々の健気さに心打たれました。高性能の工業製品や高度複雑化したシステムはハイテクによる成果。しかし背後にそれを支えるローテクの人々の額を伝う汗と油にまみれた手がある。1銭1秒1ミクロンをも削減するために工夫を凝らす。せめて心の内で共に在りたいと願いました。人々は文明の便利を享受するとき、たまには作り上げている人たちを誰そ彼と気にかけ、応援して欲しいと思います。

いつの時代も憂き世なのでしょうか。近年、新型コロナウイルスをはじめ自然災厄が多く、それに伴って社会に苛立ち・憎悪、困窮や邪悪事が増え私利むき出しの人災も増えた感があり哀しくなります。人間界は、技術の進歩を素直に喜べず、まるで調和（cosmos、宇宙）でなくカオス（chaos、混沌）に向かっているかのようです。人は自然を上手に怖れて、不変の共助を誓い、知恵を出し合って技量を高め、物事に賢く当たりたい。技術人たちは災厄を恐れ環境に責任を転嫁せず自らの使命を果たすべく今日も現場で勇気を奮います。

依頼に応じて浅学を省みず無謀にも、折々の話題や考えてみたいことなどを専門誌などに発表しました。技術科学論文などとは違い、時には自問自答で自傷しました。また本意ではなくとも稚拙な表現法のゆえに、他人を傷つけはしないかと悩むこともありました。

このたび代表的作品を東京図書出版のご厚意で本書にまとめました。初出掲載誌の編集部の皆さんとの交流が鮮やかに浮かんできます。例えば『工業材料』誌の中野正義編集長（故人）は昼夜を分かたぬ仕事ぶりと優しさを見せて当初、振り返って材料加工学への思いをとの有難いお話。それを現役の人たちの自由を損ねたくないからとお断りしたら、その代わりにと「談話室」を開設して下さいました。連載が十余年にもわたるとは思いもしませんでしたが、やはり編集部だけでなく読者からの声（読後感）にいつも元気をもらいました。

『徒然草』に「まめやかの心の友には、はるかに隔たる所のありぬべきぞ、わびしきや」、また『論語』・学而に「朋あり遠方より来たる、また楽しからずや」とあります。真の友と語り合えば、過度の心の揺れも避けられ元気づけられる。お暇な時にどの章節からでもどの章句でも拾い読みして、仲間との語り合いの種にし、筆者を友人の一人に加えて頂ければ望外の幸せです。諸姉諸兄の未来に幸多かれと願います。

著者記す

２０２３年９月

技術人たちとの語らい ◇ 目次

一、談話コーナー「天体のメロディ」

1 天体のメロディ

直角三角形の定理で知られるピタゴラスは、紀元前六世紀ごろ活躍したギリシャの哲学者であり数学者です。約200年間存続したピタゴラス学派の人々は、「数」を万物の根源と考え天文学や音楽にも通じていました。その「宇宙論」の一節が、大学の倫理学の講義で聴いて以来20年後の今も、心から離れません。

「天体は整然と周期的に運行するとき、すばらしい音楽を誕生させる。しかし、人間は生まれたときから聞いているので、そのうるわしい天界の音楽を聞くことができない」というのです。奏でられるメロディは聴く人すべての心を豊かにする名状しがたいものにちがいありません。この壮大で美しい秩序と調和（コスモスの語源）の世界は、それ自体ロマンチックで人を魅きつけます。と同時に、別な何かを気付かせます。

私達は、ふだんあまりに多くの騒音の中で暮らしています。目前の満足を充足するために忙しすぎることもあります。そのため、私達の耳は、悲しいことに、天体の音曲だけでなく、いろいろの事の本質が発する調べや真実の呼び声を聴く能力も失ったのではないかと寂しくなります。

とくに教育・研究の場では、ともすれば聴覚の外乱因子となる現実を離れて、心穏やかに偉大な何かに聴き入ることによって、誤りを防ぎ成果を挙げられる場合も少なくないのではないでしょうか。反省の多い人間だからかもしれませんが、科学的事実関係は別として、私には共感できる世界観です。

② 先端技術のあそび心

三月末、所用のため新幹線で二度九州へ出向きました。さすが世界に誇る日本の鉄道技術。快適な乗り心地のうちに、東京からわずか約六時間で小倉に達します。折から春休みで、家族旅行も目立ち幾分混んでいましたが、どうやら座ることができ、コーヒーやうなぎ弁当、あれこれの思いを楽しみました。旅は、いつの場合も新しい明日に気付かせてくれるので、私が大切にするものの一つです。

とくに窓外に展開する様々の風景。手を振る子供達。畝の幾何学的模様。取り残された一本の木。雑多な看板。威風堂々のビル。負けじと走る自動車。牛や馬。古い集落。橋と川。朽ちた垣根等々。どれもがそれ自身の過ぎこし方、そしてこれからを持っており、いつの間にか物想いの世界に引き込まれてしまう。空想は、楽しい場合も悲しい場合も、それなりに心を生き返らせるものです。

それが、今度は少しだけですが、興ざめがありました。前方の景色が見えないように設置された後ろ向き座席のせいです。一車両に百座席あるのですが、三人掛けの後部半分、つまり30％が、否応なしに過ぎてゆく風景か、次席の背もたれだけを見るように強制するのです。もちろん椅子や背もたれを回転して向きを変えることも不可能でした。

単なる移動の手段としては、要は最少時間で目的地に着くことが出来ればよく、そのため、車両の生産コストが最も安くなるように設計するのが合理的です。最新エレクトロニクスを駆使した先端技術にその辺の抜かりがあるはずはありません。結果として、乗客から見て背後だろうと前方だろうと、とにかく列車は高速で「前」進することになります。

しかし、新しい時を迎えて自らのものとして送り出し、行く手に夢見て今に別れを惜しむのが、私達の自然の姿です。また、人は後ろに引かれることによって、心身ともに平衡を失って不安定になりやすい。このことは、後ずさりしてみるとよくわかります。情緒的言い方ですが、人間が本来保有している自然を、出来るだけそっとしておくという視点もほしかった。そんな気がするのは、欲張りすぎで、あそび心が強すぎるからでしょうか。

文明が高度化するほど、それを支える諸科学は、一層それぞれの合理を追究します。しかし、その合理は、人の感性を忘れた一瞬、不合理では決してないのですが、非合理に陥ってしまう。

この隠れた恐さをよく認識し、時には語ることも大切ではないかと、ふと気付いたことでした。

3 すずめ型とめだか型

三人のわらべがスイスイ／チュンチュン／ニャンニャンと踊りながら歌う童謡が、いま子供達ばかりか大人にも受けています。詞も曲も歌手とそのしぐさも、非常にわかりやすく可愛らしい。聞くものを楽しく和やかにさせるところが、気に入られた主因でしょう。

テレビから流れるそのメロディを聞くともなしに、ふと昔から愛唱された二つの童謡をなつかしく思い出し、そして考えがあらぬ方に行ってしまいました。

『すずめの学校』（清水かつら・作詞）の一節「ちいちいぱっぱ　ちいぱっぱ　雀の学校の先生はむちを振り振り　ちいぱっぱ」。そして、『めだかの学校』（茶木滋・作詞）の一節「めだかの学校の　めだかたち　だれが生徒か先生か　みんなでげんきにあそんでる」。

この二つの童謡には、まったく対照的に教師の姿が描かれています。前者は、何者をも寄せつけない権威を持って後進の指導をする姿であり、後者は、生徒と同じ位置で自らも一緒に学びながら、やさしく教導する姿です。作詞者には、すずめやめだかの動物的習性を表現しようとしたり、教育の場はかくあるべしと主張したりする意図は、おそらくなく、ただ小さく可愛らしい動物の動きを通して、幼児・児童に感動の心を持ってほしいと願ったのでしょう。

しかし、現実の教育の場においては、このどちらの型を選ぶべきかが、常に問題となるような気がします。距離をおいて立つべきか、共に在って手を引くべきか。崇高な学問をどんなに権威をもって述べても、冷たく近寄りがたい印象を持たれ逃避される。平易が過ぎて下世話になり、かえって真理の神秘性へのあこがれや魅力を失わせてしまう。いずれも多く見られる失敗です。

どちらの型をとるべきかについての明確な解答は、おそらくない。幼児・児童・生徒・学生・社会人。対象はいろいろですが、いずれにも、その時通用した同じテクニックが、次の機会にも最大限有効だという保証は一般には、ないといえるでしょう。とすれば、その人のその一瞬のために、最もふさわしい方法を、懊悩の中から創造し、何の制約もなく具体化できることが、教師の条件ということになります。つまり、教師のまず大切な資質は、いつも、ひそかに悩めることなのではないでしょうか。

4 もう一つのかくし味

いつものとまり木に掴まって、仲間と仰むけまでジョッキを干し、横目でテレビを眺めて、嘆きあったことがあります。選手達が、上品で見目麗しくなった。それに反比例して、プロ野球に何かもう一つ面白さが不足してきたようだと。

高度の文明・管理社会で、日頃否応なしに厳しく束縛されている私達人間は、いつかは動物に回帰し野性を発揮したいという本能的願望を持っているように思えます。この野性の血は、騒がされてこそ充足されます。そのため、スター達は観衆一人ひとりの毛髪を抜いて作った自己の分身、その持つ道具は如意棒そして駆ける砂ぼこりのグラウンドは觔斗雲《きんとうん》なのでした。ところが、今や選手達は、身心とも精密に調教されたスマートな高性能体に進化し、野性回帰願望の化身でなくなりつつあるようです。

かつては、野武士・八時半の男・ザトペック投法・七色の変化球・切込隊長・怪童・剛腕・物干竿・猛牛・職人・鉄人・魔球・韋駄天・塀際の魔術師等々と、競って異名をつけられた絵になる男達が何人も居て、ちょっと姿を現すだけでビールの泡まで玉酒に感じるくらい、観る者を魅了し満足させてくれました。

料理にかくし味という言葉があります。決して味つけの主役ではないのですが、ひとさじでその料理に生命を与え、あくまで奥床しくひそやかに存在し、それ故にまた、食する者にたまらない幸福をもたらします。

期待の中に登場した男のバットが、快音を発します。誰もが外野の芝生を転々とする打球を予想し、欣喜と悲嘆の大合奏をまさに始めようとする。その時、あらかじめひそかに落下地点で待機し、何の苦もなげに補球できるのは、かくし味を持った野手で、皆を痺れさせます。その結果、大観衆の沸いた野性の血も静められ、明日のため健康な心を持った人間が再生するのです。先の絵になる選手達は、可愛い優等生ではなかったかもしれませんが、そんな風でした。

さて、少年少女達。このところ一時的にさえ野生の血を騒がしてもよい機会が減り、また、人生の定められた枠を敏感に察知し、未来に夢を見るのも難しい。他に術を持たない未熟な彼等が、自分でも分からない血の騒ぎを、種々の暴走的行為で解消しようとしても、不思議ではないでしょう。したがって、その処方箋は、10万気圧の圧力でも100万言の道徳でもない。案外、身近に接する大人達が、大事な一瞬に見事に決められる、それぞれのかくし味を含んだプロのプレーを、まず示すことなのかもしれません。

かくし味は、いつどんな場面でも決して自己の存在を声高く主張しませんが、静かに柔らかな感動をもたらし、人々にあるべき人の心を教え、そしてその中に長く生き続けます。

5 教養セールスマン

ある人の好いガンコな田舎のお爺さん。いまだに空を飛べる乗物、つまり飛行機を信じません。孫達の顔を見に上京したくて仕方がないのですが、寄る年波に二日間にもなる陸上移動もままならず、送られてきた写真を眺めてはため息をついています。

東京は何と言っても日本の中心だと、大方の人が言います。権力機構の中枢、官庁があり、常時多数の文化的催しがあり、いろいろの物を入手しやすい。日本列島のほぼ中心に位置し、交通網が高度に発達していることもそれを支えています。ビジネスの遂行や知識欲の充足というような現実的利益を追求するのには、きわめて便利です。しかし、このような考え方に重大な陥穽があることも、意識しなければなりません。

私は、この夏、論文発表のためストックホルム（スウェーデン）の国際会議に出席します。それで世界地図を眺めてはどの程度離れているか、どのような旅にするかを楽しく思い悩んでいるのですが、いつものように再発見したことがあります。私達が日常持っている感覚では、東京と北海道や沖縄はずいぶん遠い。しかし、その距離は日本とスウェーデンのそれには全く及ぶべくもなく、むしろネグリジブル・スモールになるという当たり前のことです。

物事の価値判断について考えてみます。現実の世界で生きる私達は、つい時間的にも空間的にも身近の範囲で手っ取り早く物事の見通しをつけがちではないでしょうか。日本国内の距離感の範囲で、あまりに気楽にいろいろの事柄を判断し、ひどい場合にはそれを他人に強制してはいないでしょうか。価値判断がそのように安易に埋没している限り、誤りのない真の見通しを持つのは不可能でしょう。

「人は自らの尺度でしかものを見ない」と言われますが、自らの尺度を大きくするほど、良い評価ができるに違いありません。良い評価は洞察力とか先見力によってもたらされます。現実のしがらみに生きながら、時空を超えてものを見るためには、莫大な精神エネルギーが必要ですが、特に人を指導する立場にある者は、何としてもそれに耐えるべきではないでしょうか。

現実の限られた環境は、いつも人をそこに安住させようとします。しかしこの危険な誘惑をはねつけ、時空の遠い彼方に立って、物事を計るエネルギーを持ちたいものです。その役割が、いつも自らより幼い者を導き、常に絶対的と錯覚しやすい立場の教師。その環境は悲劇的でさえあります。しかし、冒頭の愛すべきお爺さんや子供達の単なる教養セールスマンとか正義の味方サラリーマンにはなりたくないものです。

6 一本の斜線の味

超一流のコックが特別に頼まれて腕によりをかけて作ったカレーライスを、その著名な財界の最長老は、物も言わずに大量のソースをかけて幸福そうに口に運んだそうです。それを伝え聞いた時、どちらかといえば老醜むき出しの貪欲さで事業権力の座に君臨しているこの男に、ある種の親しみを感じたものでした。

学生食堂で「またカレーですか」と笑われるくらいに、私も子供のころから大好きです。今でも帰郷した時、七十歳余りの老母に注文するのは、豚肉、形が残ったジャガイモや人参が入り、昆布と煮干しでだしを取り、甘辛の粉で作ったカレーライス。翌朝と合わせると五皿食べます。ただし、母は昔から「ライスカレ」と言い切るので、私も今でこそ世間に迎合してカレーライスと言いますが、心はライスカレです。英語の表現のBread and Butterで、主役はパン。

それなら日本の食生活の習慣から言って、Rice and Curryだと多少理屈っぽく思うのです。andが友人との共存を喜ぶのに対し、orは冷淡に別れを強制するところがあります。それで、この根本的に相反する両者が合体したand/orという語に出くわした時、大いに驚き混乱したものでした。私の印象では、英語は日本語よりも論理的ですし、まして技術文献の表現は簡明ですから大抵何とかなるのですが、この哲学的表現には参って、意味が分かったのはかなり後になってからでした。

ライスにカレーが運ばれてテーブルにソースがある。カレーとソースを使うのも、カレーまたはソースのどちらかを使うのも、お好みによる。かの無邪気な老人はソースとカレーかけライスのand型を選んだが、私はふつう単なるライスカレのor型。しかし、突然飛び込んだ食堂でいまひとつ刺激不足の時はand型になることもあります。and/orが許容する解放的選択の良さを、十分味わっているということでしょう。

共存でも別でもよいということは、どうでもよいということでも、もちろん、誠実さに欠ける輩が本質を隠すため好んで用いる政治用語とも違います。ここでは、属性の相異なる二つ以上の個を明確にし、結果を認識させながら、自由な決断を迫ります。andとorの間の斜線一本は、論理で構成された窮屈さを見事に解消する高度の合理です。対立する存在を巧みに止揚しています。

狭い時空に住まう私達は、つい急いでandかorだけの平面的選択しか許されないとして、いろいろのことに対処しがちです。しかし斜線を一本入れる余裕が、新たな余裕をつくり、物事を楽にするように思います。

7 飛行機の運転手

その兄の尊厳を、いかに犯すかで楽しむ癖を持っている妹夫婦には、生まれた時から私と仲良しの二人の男の子がいます。おむつを当てて、よたよたアヒルのように歩いていたのは、ついこの間だったのにもう二年生と幼稚園年長組。

心やさしい上の子は、今は野球選手にあこがれ暴れているのですが、もっと小さい時、「大きくなったら飛行機の運転手になって、おじちゃんを前が見える助手席に乗せてあげる」などと言っては、よく喜ばせてくれました。電車ごっこも好きで、「はやく乗ってください。チリチリチリ」。また、バスの運転手になった時「はっしゃします。つぎは、こうえんまえ。ピックピック」と楽しく可愛い。

ところが、私には最後につく擬音がどうも変に感じられました。それで、念のため後日、駅のホームで耳を澄ましてみました。そうすると確かにプラットホームの発車ベルは、「ジーン」などという常識的音色ではなかった。ベルの内部で金属同士が断続的に接触する際チリチリと鳴るのです。次はピックピックですが、とうとう分からなかった。それで、自動車は「ブゥーだろう」と注意したら、「だって、あめがふってるんだよ」。なるほど、雨滴を払うワイパーは、その時最も心に訴える響きを発するのです。その感覚のみずみずしさには驚嘆です。また少し気恥ずかしく、同時に私の五感はどこへ行ってしまったのかとみじめな気がして、ちょっとした錯乱状態に陥ったことがありました。

大好きなお兄ちゃんに釣られて、下の子も、テレビアニメのパーマンのファン。ザリガニやカブトムシを手に持って散歩に行くだけでなく、毛虫を平気で捕まえては母を震えさせる勇者でもある。夏の日曜の朝のことですが、廊下を全身で飛び回っています。マンション住まいとて、階下を気にした親が、「走っちゃ駄目だよ」と注意すると「はい」とまずは模範的返事。ところが全然効果がなく、二、三度同じことの繰り返し。ついに怒り心頭に発した父。追いかけて捕まえ、どうして言うことが聞けないのかと叱ったところ、目を一杯に見開いて不思議そうに答える。

「だってはしってなんかいないよ。とんでるんだ」。よく見ると、襟から古びたタオルが一枚ぶら下がって、確かに空飛ぶマントになっている。一瞬虚をつかれた父が目を白黒、口をパクパク、怒るに怒れず、辛うじて「飛ぶんなら足をつくな。なっ！」などと無理な注文。私が大声で笑ったら、一層悔しがったものでした。

何物にもとらわれることのない新鮮な感覚と素直な表現、そして広い大空を自由に飛べる心。重要なことだ、大切にしなければと教えられました。

8 いま同じ船の中で

物質豊かで平和に浸っている日本からは想像もできないことですが、地球上ではまだ年に一千万以上もの人々が、飢えや栄養失調とか簡単な病気で死ぬといいます。大部分は子供や幼児です。地球は、広大無限の宇宙から見れば極めて小さな船。その乗員である私達人間は、嵐があれば共に対処し運命を等しくするはず。しかし、現実にわずかの助けさえあれば救われるであろうかけがえのない命が、今も多数失われていることを知る時、ある種の後ろめたさと言い知れぬ感慨に襲われます。

いま私達は、わずかの投資や努力で、飢餓に苦しむ人達からは想像もできないであろう食事・書物・車・情報・娯楽等々を、ほぼ欲するままに自分のものにできます。貧苦の人々から見れば何不自由ないお金持ちなのですが、今年も新聞の社会面には感心できない記事が幾つも載りました。単純な欲望を充足するため極めて簡単に、物事を熟知しているはずの大人ばかりか、まだ未来を夢見るだけで十分な若者まで、ためらいなく一直線に犯罪に走ったり巻き込まれたりという情けない話。また、指導的立場にあるはずの人々が、もっと大きな権力と富を求めることにだけ、その智力の限りを尽くしているあさましい例もある。明らかに欲張り過ぎが目立ち、人間の弱さが表れていて悲しくなります。

ある時、あれば確かに具合が良いけれども、なくても生きて行くことはできるという水準で、身の回りを点検したことがあります。その折、決して富の多くない私でさえ、何と贅沢や無駄遣いが多いことかと驚きました。政府の行政改革にならうつもりも、耐乏は美徳であると主張するつもりもないのですが、私達はもっと小さな生活を心がけてよいようです。

現世の欲望に背を向けるのは極めて難しいことに違いありません。とくに、私のように誘惑に対する抵抗が人一倍小さい者には一層です。しかし、窮地の同胞に何の援助もできない後ろめたさを幾分でも解消するため、せめてそれを課したいと思います。それに、普段無邪気に遊び回っている近所のいたずら坊主でさえ、先の死んで行く子供達の話を真剣に聞いて、一杯に開いた目から大粒の涙を落としながら、何かを心に刻んでいたのですから。

9 アイスのおまけ

陽差しが強く暑い八月のストックホルムの街を、同じ国際会議に出席した日本人の学者仲間三人と見物に出かけました。誰からともなく、我々も彼等のように、アイスをなめながら歩こうということに一決。傍らのスタンドに立ち寄りました。アイスは、丸底スプーンでいろいろの種類を四個ほど積み上げるもの。

最後になった私は、その女子学生らしい売り子とまた遊びに来たらしいボーイフレンドと、お互いに片言の英語でとりとめもないことを語り合うことになり、だんだん調子（？）が出て、

「スウェーデンの若い女性は可愛く魅力的だよ」とリップサービスまで。大げさに喜んで、彼女の方はストロベリーのアイス球をおまけに上乗せしてくれました。そして、紳士一同「日本じゃできないなあ」などと言いながら、無邪気にペロペロ・キョロキョロしながら石畳の上を歩いたものです。

ことに私の気分が悪いはずはありません。ところが、好事魔多し。暑さと歩行の振動で、先のアイス球が口許から転落し、そのあげくスーツの上着にべっとり。幸い多少見栄えは悪いが、残りの予定をこなすのに支障があるほどの被害でなかったものの、その時はあわてました。誰にも言えないでいた秘密です。

外国旅行でまず遭遇するのは言葉の問題。自由に聞き語り合えたら容易に仕事が済ませられ、レジャーの楽しさも倍加することでしょう。しかし、上手に話せないと駄目かというと、そうでもないようです。日本人が日頃用いない言葉を、まれな旅行で操れなくても何の恥にもならない。英国人は子供でも英語を話すし、私達は彼らから見ると難解な日本語を立派に話すことができるのです。

確かに言葉は相互の理解を助ける有力な手段です。しかし、言葉が相手と通い合えるすべてだとするなら、母と幼子の愛情の交流も、男と女の間の恋愛感情も決して起こらないでしょう。逆に、言葉が有害であることも少なくない。例えば、侮辱する、騙す、本音を隠す、表面を飾る等々の道具にもなり、古代から現代までの歴史上でも、それが相互理解をもたらさなかった事例は幾つもあり、むしろそのやりとりが深刻な事件に発展した例さえ見出せます。

ドイツのある会社で、依頼された講演の初めに、前の晩ホテルのバーで、居合わせた客達に手伝ってもらって作成したドイツ語の挨拶や自己紹介をしました。「私は、日本語は得意なのですがドイツ語はどうも……」と結んだ途端、満座が手を叩き、机を打って大喜び。その後の講演と討論は、双方共に下手な英語を使いながらでしたが大変盛り上がり、大成功。その集まりの目的は、ほぼ完璧に果たされました。

大切なのは言葉の巧みさなどでない。むしろ、言葉を取り除いた真底から何とか友好的に交流したいと願う心のようです。機会があれば、またおまけのアイスをもらい、今度は上手になめたいと思っています。

⑩ イカロスの嘆き

かなり前ですが、早朝に出発した旅の途中で立ち寄ったある駅のトイレ。そこも公衆便所の例に違わず、古新聞・煙草の吸殻・落書き等々で騒然としていました。

普通、この種の便所は水洗式。用足しが終わった後取っ手を動かすと、勢い良く水が流れて万事が円満に終わります。ところが、そこが普通と違うのは、便器はもちろん、個室の床全体も流しになっていたこと。まるで大型便器の中に入って小型便器をまたぐ感じ。恐らく汚れのひどさに手を焼いた管理人が、最も効率的掃除方法として見出したのでしょう。

しかし、私はその時何となく気分すぐれず、いつもの壮快感をついに得ることができなかった。何かの手違いで足許の床に突如、水が流れ込んで来たら、その時もし便器のパイプが詰まっていたらと想像すると、どうして落ち着いてしゃがんでなんかいられよう。

意外にも、婦人用便所でも汚れていることがあるようです。先日の新聞の家庭欄に、老婦人の体験が載っていました。そこがあまりに汚れているので、他の人と同じように他の個室の列についた。すると若い女性がやって来て、ちょっとためらいながらもその汚れた所に入り、やがて静かに立ち去る。その後がきれいに掃除もされていた。投書は、その若い女性を称え感謝しながらも、自ら率先しなかったことを恥じ、若い女性よりも自分に相応しい仕事であったと、深く後悔して結ばれていました。若い女性も老婦人もきっと、美しい人でしょう。佳い話だと思いました。

ギリシャ神話のイカロスは、父にろうで翼を付けてもらい、大空を自由に飛ぶ能力を得るのですが、太陽に向かって進むうち、熱でろうが溶けて翼がとれ、墜ちて死んでしまいます。夢を誘いますが、同時に物悲しさも含む、そんな話を思い出しました。技術の進歩は、私達に不可能はないのではないかとさえ思わせます。しかしその成果は、時に行き過ぎた用い方、例えば心のあり方で解決すべき問題にまで安直に使われるようで残念です。伝うべきあるがままの姿を無造作に汚すことはもちろん、その汚れを除去するための小細工も、人の不遜を示す所作。

私は嫌いです。

技術や法律に代表される知恵の産物・文明は、人にその自然性とか徳性とかを、知らずのうちに失わせてしまう魔力も秘めているようです。取って付けた能力を信じて、得意になって太陽に向かったイカロス。彼が、あまりに安易に高く望んで、やり過ぎたことに気付いたのは、その身が滅びる墜落の際で、遅すぎた嘆きと同時だったでしょう。

11 未来人との連帯

その時泣き叫んだ大声。肉体の苦痛だけでなく、挫折に傷ついた心をも訴えていたのでしょう。でも立ち上がってほしいのです。

マスク、バッジそしてマント。念願かないようやく入手したパーマン扮装も華々しく、その子は台から水平に飛び出した。しかし壮図も空しく、夕闇の中を救急車が走り、打ち所が悪くその扮装を外すことも出来ぬまま医者へ担ぎ込まれ、幼稚園を十日間休む羽目に。そして、それに立ち会って「アハハ。ドジパーマン」と笑っていたお兄ちゃんは、駆けつけた母にしたたかにぶたれ、挙句過去の不出来のテストまで遡って叱られることになった。

後日の会話。「あれはマンガの話なんだよ。人間はそのままじゃ飛べないんだよ」と私。「少し飛んだんだけど……」といかにも意外、無念そうな実験者。「すぐ墜ちた。50センチも飛んでない」と立会人の兄。傍らで、大事なく済んで一安心の大人達が、もう痛いことはやらないだろうと含み笑いをしています。しかし「小鳥はこうして飛ぶんだよね」と、腕を上下に揺らす時の目の輝き。今度はベランダから飛びたつ気ではないかと、心配です。

今は完璧にマスターしたドジという語を使って、その子まで「オとドを換えるとおじちゃんもドジちゃんだ。アハハ」と笑う。そう言えば、私にも額、腕、腰、膝、足、それぞれに武功の跡があるし、親に気付かれずに済んだ幸運を含めると数えきれない。これまで体験した幾つもの失敗を思い出してただ苦笑いです。もっとも「どうして零点つけられたの」と不機嫌な母に、待ってましたとばかりに「テスト中に隣の子と取り換えっこしちゃいけないって」と答えるや否や、先生に叱られた原因のその小さな消しゴム人形を持ってきて、机をトントンたたいてそれに相撲させ、火に油を注ぐほどでもなかった。

伝説を信じた夢想家のシュリーマン、頭が空っぽと馬鹿にされたエジソン、工場爆発を乗り越えたノーベル、さぼりの天才シューベルト等々。歴史上の多くの天才達もドジ。決して何か言われるのだけを待っているお利口な良い子なんかではなく、いつも夢多い実践家でした。さあ、子供達、大人が作る無気力と分裂症気味の雰囲気に負けずに、死なない程度にドジを重ね、やがて来る新しい世界を巧みに回せるようになってほしい。

きらきら楽しく生きる妹夫婦の子供達。間もなく三年生と小学校入学。いま傷心の子は「ほうら飛べたでしょう」と話しかけながら大きなスヌーピーを頭上に支えて走る。それには、あの空飛ぶ衣裳が作法通り着けられている。

⑫ 名言のあとさき

「諸君、僕は本当に嬉しい。嬉しいことがあった。それは君達の……」と言ったきり。込み上げるものを必死に抑えるために真っ赤になった顔、そして滂沱の涙をせき止めるために使ったくしゃくしゃのハンカチ。あの時が、突然鮮やかに私の脳裏に浮かんできました。もの憂い日曜の朝のことです。

高校時代の担任で皆から兄貴と慕われ、現代国語を担当し、バスケットボールの名手。その若い情熱家の先生が、教壇の下で何かを語ろうとして結局目的を果たせなかった。しかしそれゆえに、一層生徒達に大きな感銘を与えた。義侠心から町の与太者相手に大立ち回りをやって停学を食らった連中も、保健衛生の若い女教師に体のしくみか何かを執拗に質問して泣かせるのを得意とした連中も、ただじっと見守るばかり。一同を襲った身震いするほどの緊迫感や心の深奥での連帯感は、その授業時間を完璧に充実させたのです。

のろのろ書棚を見て、たまたま手にした雑本が思い出の始まり。日蓮が語った言葉。「今生《こんじょう》には貧窮下賤《びんぐげせん》の者と生まれ、せんだらが家より出たり」、「身は人身に似て畜身なり」が目に飛び込んだからです。私は、弱者には無限にいたわりと救いを分かりやすく与えながら、自らは常に身体的にも精神的にも苦難の道を選び、気迫と烈火の生涯を終えた教祖とその教義の根源を、この言葉に読みます。そしてもう一つ。「知者は惑わず、仁者は憂えず、勇者は懼れず」とは、『論語』に見られる有名な一節。しかし、孔子はそれに先立って「どれ一つ私には出来ない」と断る。もちろん弟子達には、その君子の理想像は師その人にしか見えないのです。

二人の偉人に共通している姿勢は、いつも決して自己を飾り立て崇高な存在などとせずに教えを述べる点です。実はこれこそ最高の教えと思います。

名言とか名著は、私達に喜びにつけ悲しみにつけ、いろいろの形で人生の方向を適切に示唆してくれますが、そのあまりに完全な立派さのゆえに、つい鑑賞・玩味の対象で終わらせてしまうことも少なくない。むしろ私は、それを生み出した材料やプロセスに親近感を持ち、新たな今日の過ごし方を発見することが少なくありません。名言は酔わせます。これに対して、その背後は隠された名言で、身近く寄ってきてはっきり覚醒させます。

さて、前途遼遠な一般人。気の利いたことを何一つ言えなくても、喜怒哀楽を共にして涙することくらいはできそうです。あの時、それで十分だったことは確かです。

13 フェニックスの誕生

青い空が喚声を吸い取り、大地が躍動をしっかり支える運動会。単なる通りすがりの観客にも、大らかに健康を分かち与えてくれるのですが、その雰囲気は、太陽がようやく一日の役割を果たそうかというころに行われるリレー競走で、最高潮に達します。その意外性を含んだドラマの数々の展開。必死の走者そして栄光の行方は、知らずのうちに大観衆を興奮に引き込みます。

私はバトンを渡して役目を終えた走者の表情に、特に魅かれます。力つきてそのままよろよろ転倒する者、四つん這いや仰向けになり肩で呼吸をする者、更に動き回って声援を送る者等々。たったいま全力を尽くして充実の一瞬を刻んだ者だけが示すことのできる美しさが溢れています。

伝説のフェニックスは、朱・紫・青・金色などに輝く美しい大きな鳥。この霊鳥は、不死鳥と言われるくらい長い寿命を持ち、死んでもまた蘇ると、古代から語られています。死期が近づいてきたのを知ると、どこからか得も言われぬ芳しい香りを放つ木の枝を集めては積み上げ、その中に自ら静かに身を横たえ、七色の炎の中に焼け死にます。しかし、このひそやかで荘厳な葬儀の地から、やがて、灰を払って、新しいフェニックスが飛び立つ。誕生したこの霊鳥は、一層鮮やかな姿形を備えており、やがて、上空をゆっくり旋回しながら、醸成されたさまざまの霊気を吸収した後、何処ともなく飛び去るという。私の好きな伝説の一つです。

多忙で万事急がなければならない私達現代人。どうせすぐ蘇るのなら、なぜ一度死ぬという手続きが必要なのかと、あるいは思うかもしれません。しかし、フェニックスでさえ不老不死の存在ではあり得ず、またそれゆえに新しいフェニックスが誕生できるのです。私はむしろ、このことにこそ永遠に美しいフェニックスを感じました。また、この限られた区間に、すべてを燃焼し尽くすことが出来た者の表情は美しく、バトンを引き継いで疾走する者は、その蘇りの姿。前者の一切は後者に継がれ更に高められる。リレーはフェニックスのひとつの現れと見えないこともありません。

人は種々な状況に置かれて生きます。その中で、果たして上手に、時を知り、地を選び、香木を探し集め、そして自ら灰になれるものか。その跡から、より大きなものを誕生させられるか、そもそもフェニックスとは何なのか。自戒を含んで思いはつきません。

⑭ 反対語さがし

意外なことに「以外なことに」と書く人達が結構多く、先日も学生リポートを評価していて、自信がぐらつき辞書で再確認したほど。それで、子供のころ、田舎の小学校であった反対語ゲームを思い出しました。

いくつかの遊びの後で、先生の設問は夕刊。「夕の反対は朝だから朝刊だ」に対し、「朝刊なんて聞いたことない、朝の新聞にも小さな字で記されているように日刊だ」と反対意見。初め五分五分だった論争も、ついに朝刊派の私達が数名にまで減り、敗北を認め渋々ながら多数派の主張を受け容れようとしました。その瞬間、一部始終を黙って聞いていた先生が発言された。「朝刊が正しい、世の中には間違えさせようとすることも多いのでしっかり学ばなければならない」

あれから随分経ちましたが、まだまだ勉強不足のようで残念です。ところで、どの世界でも必ず多数を集めて主流が形成される。主流派は権力を手中にし、地位も実力も備え、現実のさまざまな事柄に大きな影響力を持つ。それゆえ、その主流の何たるかを考えもしないでおこぼれを期待する輩までが群がり、得意気な顔をする大勢力となる宿命を負っています。

これに一歩乗り遅れているのが不主流で、待遇その他に不満で反発しているのは反主流。これらは主流のもたらす利益を期待するという点で共通ですから、本当は未主流と言うべきかもしれません。いずれにしても、おこぼれ派と同様に尊敬に値する対象ではありません。

一方、ただ理想や理念のため主流に対峙するのは非主流。現実においては、無冠でいつも腹八分目。権力よりは権威と見識、具体より抽象を尊び、現実的妥協よりも絶対価値を選び、しばしば形而上に遊ぶのを喜び、要領の悪い生き方をする。また影響力を行使したり感化したりすることにもこだわらない。しかし、十年先には必ず大きな動きをもたらす完全少数派。私は憧れ、貴重なものとします。

非主流は、主流の向上心を刺激するというだけでも価値あるものですが、周りに有形無形の誘惑が多くなるにつれ、ますますその存在が難しくなったようです。まさに、いまや非主流を追求する者は現代の英雄とも言える状況。しかし、無限の可能性を含む幼い者を導かなければならないがゆえに、安直な生き方や道に外れた行いを自己規制すべき教職。自己の姿勢をいつも過ちのないものとし、信頼を得るために、時には意識的に非主流を観ることも大切な気がします。

⑮ コンピュータの学力

研究室を出て廊下を歩きながら中庭を眺めると、三本に枝分かれした先端にいつも青々としている大きな尖った葉をいくつもつけた千年木が、陽光の恵みをいっぱいに受けてまばゆいくらいに立っています。ああ、この木の下には、長く黒髪を垂らした少女が似合うと思った途端、頭の中に、南海の黒潮、夏、ビール、枝豆……と次々浮かんできました。

いつかコンピュータ健康診断で正直に状況をマークしたら病人と認定されました。懇意にしている医者なら、疲労やストレスのためだから休養しろと一言で片付けるし、私も、不調なのは多忙・寝不足・不節制のためで梅干を食べて二日間海老のような格好で眠ると回復することを、経験で知っているのです。

またポケットコンピュータ。どれも初歩の数学力もない。9から始めて平方根のボタンを次々押すと、四機種とも無理に計算し、挙句20、22、23そして30回で1になった。同じメーカーのものなのに表示桁数で回数が違うのも気に入らないが、1を何乗しようとも決して9にならないという初歩の教えに反するのだから、始末に困る。こんなことで誰かに、平方根を繰り返し求めるとすべての数は1に帰結するなどという定理を導かれたらどうするというのか。

やがてセンサーの助けを借り大抵の状況を精確に認識し、それを長年月にわたって記憶し、分析や膨大な計算を巧みにこなし、結果をもっと要領よく表せるようになります。しかしこの文明の新たな利器は、必ずしも優れた学力を保持しているわけでなく、いまやろうとすることを思い浮かべることも出来ず、いろいろの状況を総合判断したり将来役立つような構想を示したりする能力も持ち合わせていません。結局のところ、パソコンその他コンピュータ群は極めて便利になった道具。それも居心地よい環境を整えた時にやっと機能できる手間のかかる道具にすぎないのです。

同じ中庭の木でも、私ならいろいろと連想の鎖が発展して、調子が良ければ将来性のある研究テーマに到達でき、悪くても後でゆっくり楽しめるようにもう少し頑張ろうという気力が湧いてくる。しかし彼は、ただ既存の状況を同じ強さで永久に記憶に留めるだけで、片思いさえ出来ません。

テストの時、計算機の使用を認めないと言うと、講義室が怪訝と困惑の表情にあふれる。そこでこのことを語るとき、ニヤリとしてうなずく者がいると嬉しい。どんなに役立つ便利な道具でも、安易に埋没すると危険であり、私達はもっとかけがえのないものを持ち合わせているのだという違いが分かっている。彼らは将来それを巧みに操り、大きな成果を挙げるだろう。そろそろ一年一回のルート9の話をする時期。あの吃驚顔が楽しい。

16 脆弱思考シンドローム

こどもの日の朝、寝床で広げた新聞に「子供人口さらに減る・高齢化社会へ拍車」という大見出しが躍っていました。子供数が人口比22・3%まで下がり、反面高齢者の占める割合がますます増えてきた。何か夢が少なくなる気がします。

過日都内で聞かれた、材料加工に関係のさる調査部会で、昼食を取りながら「しかし、このごろ釘を打ったことのない学生が増えて衝撃応力の説明に苦労する」と言う私の言を発端に、部会長でN大のM副学長、Y大のN教授、N大のK教授、国立K研のMさんなど十数人のメンバーによる一大雑談が始まった。まず「遊んでいてすぐ骨折し、足長で格好よいが体力はない」若者像が定まり、次いで「脊椎が傷んでいたりして弱いので、電車の中で席を譲って立つことなど出来ない」、「幼時からのテレビ習慣で白内障とかの眼病患者も多い」、「食生活の変化で小腸が短くて済むので胴が短い」等と推論。更に「世の中全体に薄情になったうえ、老人病を抱え込んだ若者達は四十歳くらいで寝たきり老人になる」、「その時年金は誰が支えるだろう」と暗い未来の展望。その座は、最長老のM部会長に「先生の時は間に合いますが、我々は絶望的です」と誰かが言い、大爆笑のうちに幕となった。

「お母さん休め」は、オムレツ・カレーライス・アイス・サンドイッチ・焼きそば（めし）・スパゲティ・目玉焼き。「母危篤」は、ハンバーグ・ハムエッグ・餃子・トースト・クリームスープを表すという。現代っ子の好きな食品は、いずれも簡単に揃えられるものだが肉や穀類が主になっていて、ビタミンやカルシウムに欠けコレステロールを増すと、安易な食事の習慣を戒めてあるのを何かで読みました。あの雑談には、さらに高血圧症、脳溢血、心臓病の若者のことも加えるべきだったのでしょうか。若さの数が少なくなるうえ、質も変わってきつつあるのです。

因果は、何も身体的特徴に限って現れるだけではないはずです。むしろ重要なのは精神的特徴で、将来人の種々な思考作用に脆弱さが出るとすれば一大事でしょう。刻一刻とその危険が迫っているような気がします。しかし、私達が全人格をかけて献身的に彼らに対峙できた時だけ、その将来の危機は避けられると食生活と基礎体力の因果関係の現実が示唆しているようです。

昔「ハハキトク」は親元を離れて働く子らに帰郷を叫ぶ緊急電報でしたが、子供達が先に寝たきり老人になっていては、それもかなわないでしょう。今「お母さん休むな、母危篤でも子らは動けなくなる」と、緊急信号が大人達すべてに発せられている。

17 サバトの来客たち

さあ私の番と思った途端、隣の列の男性が割り込んできて手を打ち脱兎のごとく立ち去る。現代人は、ここでも忙しいよう。久し振りに郷里の函館で迎えた今年の正月のことです。元日の早朝、雪道を急いで神社へ初詣。私は信頼を祈願し、守矢を求め、暫く人々と火にたき木をくべながら温まり、以前と変わったいろいろを感じる。神様も早いもの勝ちかなどと可笑しい帰り途には、初日の出。その光り輝きに向かって、邪心が生じないよう念じました。

昼間は、日がな一日ソファに寝そべって、庭を眺める。海の代わりに今は道路越しに家並み。夏の繁茂の面影もない木々。松の綿帽子。微かにそよぐ枝。通りを急ぐ女性が吐き出す白い息も面白い。ピンクの膨みは女の子で、青は男の子達。ソリを操って元気。

朝日が昇ると、松の枝の一カ所から、美しい七色の輝きが目を射る。吃驚して目を開いているうちに、それが陽光を集めた氷柱のレンズ効果だとわかる。一枝の雪が解け落ちると、松の樹全体が音もなく悠然と揺れる。その動きが止まると、何処からか、紫・赤・青・灰色などの羽毛で着飾った一羽の大きな鳥が訪ねて来て、暫し老松や老梅の枝々を飛び移って見せる。名も知らない珍客の落ち着いた所作が、たまらなく嬉しい。

夜は老母と二人の話。母は、仏前から句集を持って来て、ページを繰っては何やかやと。それは私が、俳句が好きだった父のため知人に懇望して作ってもらったもの。確か以前は、母が父のそんな趣味に関心を示したことなどなかった。また、あれもこれもと、やがての時に備えて縁の物は持って行くようにと淡々とした口調。テレビが水道の凍結注意を伝える厳しいしばれの中、今年の記録的大雪のことやら、庭や屋根の雪除けに、今年もすぐ駆けつけてくれた市役所の清掃課を退職した人が、重労働なのに「死んだ人の頼みだからと、謝礼を絶対受け取ってくれない」と嘆く。それは、おそらく病の父との間で交した、ちょっとした挨拶だったはずなのです。

さて、目まぐるしく動き回らざるを得ない日々の慣性を、意識的に断ってみた束の間。身体的休養だけでなく、哀しいまでに静かで深い自然の営みに、心も静養し回復できました。新しい考えや意欲も生まれました。Sabbath や sabbatical year などの安息の習慣は、私達にはありません。しかし、忙しすぎる現代なればこそ、時には無為に委ねることが大切かもしれません。本当のサバトなら、わずかでも大きなものを与えてくれそうな気がします。

⑱ 魔性への招待状

明るさとざわめきが収まる夕刻。リポート用紙の束をテーブルに持ち出し、書棚から洋酒を出して一息いれるのが近年の私の習慣。こうして元気づけて処理しないと、仕事が山積して身動きできなくなり、挙句多くの人達に迷惑をかけるようになるからです。口に含んで昼間の神経の疲れをほぐした後で点検するのが、いつも再生のひと時になります。

書かれている感想。「体育を終え昼食後の講義なのに、眠くなさそうな顔を見せる苦しさを理解してもらいたい」には吹き出し、「リポートは死ぬほど辛いが、大学生は自ら鼓舞し学ぶべきだとの言が分かった」、「調べるほど広く深い」、「日常考えるくせが出来て技術者に一歩近づいた気がする」等々には乾杯を叫んで立ち上がる。「軽いようでいて重い響きを持つ独特の講義で印象深く残るだろう」とあり、気分よく飲み干すと鼻に氷がぶつかる。「材料学の世界に誘い込む魔術を持っているようだ」には、感きわまり、ソファから転げ落ちて、勿体なくも夢への誘い水までこぼしてしまう。「厳しい先生と聞いていたが、プロらしいものを持てという姿勢だと分かった」で、うん、まあネとゴクリ。しかし「それにしても面白くないジョークがやけに面白い」と考えさせ、絶望から立ち直るため何度も注ぐはめになる。

「教科書を離れて、先端技術を語り創造意欲を刺激してくれたのは幸いだった」、「未知への挑戦姿勢と熱意に感激した」、「僕もスポンサーがつくようなニュースバリューのある研究成果を出したい」、「工場を経営する父が新聞で名を知っていて自分も聴講したいといったので、父に教えている。将来は父を超える」には、カットバセ・カットバセと応援し、作戦奏功に自ら感激しグラス片手に踊り回る。

「デッドボールの衝撃吸収材はないか」、「スペースシャトルに乗ってきて体験談を聞かせろ」では、思わず飛び上がって向こう脛を打つ。宇宙ではぶつけてもこんなに痛くはないだろうし、きっと酔いも速いし、浮かんで寝そべると気分いいだろうなあと、足を撫でながら痛みに耐えて思うのです。

一方本文には真摯に学んだ跡が明らかな、素晴らしい成果がある。更に稚いが何物にも代えがたい見解や専門の討論、また学園や社会の矛盾を質すなどの内容も多い。しかし十分に応えるには、あまりに時間的余裕や先端の知識等が不足であることを痛感します。結局いつも力及ばざるを詫び、自ら解決し大きく成長せよと願うのみです。窓外がすっかり暗くなる頃、自責の念を幾分でも麻痺させながら明日の教壇の演技を期す私のためにボトルとグラスも幾度かとくとくと泣いてくれる。

⑲ 女の子からの決闘状

久し振りに団地の中をぶらぶら歩く機会に恵まれた日曜の昼下がり。小学生の女の子達が至るところに、元気におしゃべりをし、駆け回り、ブランコに揺られ、木登りをしている。確か昔は、女の子がこんなに陽気で活発に遊びまわることなどなかったはず。その木登りの姿は、人類の祖先はやっぱり猿だと確信させるくらい巧みで余裕がある。

それに比べ男の子達は、何か意気上がらず、お行儀よく優雅にお話し合いなんかしている。そのうち、ままごとか、はないちもんめを始めそう。平塚らいてうが見たら、女性は病人のような青白い顔をした月から再び太陽に戻れたと随喜の涙をこぼし、ボーヴォワールなら、女性は女に生まれ強い人間になると書き直しそうな事態です。

「けっとうじょう　こうたへ。大宮こうえんのしーそのところでまってる。だからおまえもこい。きょういまから。みゆき、みち、もとこ」。しかも、こうたが泣いてママを呼び、三人の女の子が勝ち誇っている漫画入り。親戚の小学校二年の男の子に、近所の女の子達が玄関に置いていった紙片は果たし状なのです。

「ようし行ってやろうじゃない」とはやる子に、母は「やめなさい。体も大きい女の子が三人がかりじゃ、かないっこないでしょ」、「大丈夫だよ。女の子なんて。ペチャクチャ面白いこと言うだけで、駆けっこも遅いし、いざとなったらキックするから」。押し問答の間、亭主は黙ってビールを注ぎ、客は、数を恐れたら一乗寺下り松の武蔵はどうなる、不十分な体調をいうなら病弱の身で男を立てたドク・ホリデイはどうなるなどと言いたいのを一緒に飲み込む。下手な口出しは、予定されている特製の肉野菜炒めを取り止めにし、日ごろの極楽トンボの振る舞いを厳しく追及されるので、ここはひたすら洞ヶ峠。結局「つまんない」、「もうすぐ晩御飯だから」、「少しだけ」、「いけません。じゃテレビ見せてあげる」、「うん」で幕。客は幾分空しさと物悲しさを感じながら、次の肴を待つ。

ある大会社の重役さんと雑談して見解が一致しました。最近の新人は、具体的に言われたことだけはどうやらこなすが、自発性に欠け上役に喧嘩も仕掛けられないような指示待ち人間ばかりで、将来を託せるか心配だ。どうも、今やどこでも輝ける太陽になった女性達が、男性を幼いころから自分好みの青白い月に仕上げているからららしい。

腕白や粗暴、抵抗や批判は、時として気迫・チャレンジ精神・創造性等々前向きの精神の源泉となり、それは、ついには組織や社会を発展させる力を生む。少しは許容し上手に振り向けたいと思います。未来展望が非常にむずかしい時です。せめて男の子達は、明るい星くらいに成長してほしい。

20 星空を仰ぐ芸術家

今夏、新プラスチック材料設計・加工プロセスの調査で北米を旅行した折、知人の案内でニューヨーク市街を車で走る機会に恵まれました。幾つかの名所・五番街・ハーレムその他種々見て回り、環境・人種・教養・貧富の多様性と大きな差異に驚くと同時に深く考えさせられることも少なくありませんでした。

セントラルパークの野外音楽堂では美しいオペラ。ここは誰もがいつでも自由に歌いそして踊り、客も気ままに集まり、腰かけて観たり聴いたりできる。一方、街の所々に、壁に入念に描かれた色彩豊かな絵。誰かが自由に自身の宇宙を表現した落書きです。そういえば、ヨーロッパの街角でも、音楽を奏でる人々、街路に絵を描く若者、それを取り囲んで楽しむ人々の群れをよく見かける。旅人には心なごむ風景でした。

知人によると、このようなひと時の歌唱・演技・絵画が著名な芸術家やスポンサーの目にとまり、一躍栄光の道を歩む幸運な者の例も時にあるとのこと。ある種の感銘を受け強い願いを持ちました。

私は、いま会員約三千八百名の工学系学会で、常務理事と事業・行事を総括する企画委員長に就いていています。時に苦痛も伴います。しかし、幾分でも技術水準向上のため、また皆さんのためお役に立てたら幸いです。そのためベストを尽くしたいと念願し、幾つか心がけている。例えば、何事も公平に対処する。義務を第一に果たす。責任は一切回避しない。委員の方々を全面的に信頼する。委員の方々が積極的に活動でき、気持ちよく真価を発揮できるような楽しい環境をつくる。なるべく新人を発掘し後進を引き上げ、力を貸す。もっと有能な人材を後継に見出し、彼がやり易い条件を整えて速やかに辞す等々です。実はかなり難しいことばかりですが、かなわぬまでもとの決意です。またこれにより、おのずと意図する成果も上がると信じています。

役不足とは、職務が軽微に過ぎて実力が充分に発揮されずに残る状態を示します。どんなに難しく重い役務であっても、余裕を残して果たしたい。そんな役不足願望を私は持っています。更に役不足であれば、学問・技術・職業その他どんな分野でも、自らよりもその水準を高められる者を、何のこだわりもなく登用して託すことができる。そして自らは、新たな夢多い道を楽しく散策できるでしょう。

教室・校庭・研究室・学会・近所等々で見る隣人達や将来出会う友人達。できれば、私もニューヨークの街々を余裕の中で散策し、深遠な愛情を秘めて、未熟さの中にも可能性を見出し援助し、その芸を完成させてやろうとする偉大な芸術家の心と眼を持って接したいものだと思います。真の役不足は夢を与え、夢を取れる。

21 消えるニュートン

香港は巨大な岩の上にそそり立つ。有史以来地震を感じたことのないこの都市は、狭い土地を有効に利用するため造られた高層建築が多数競い合い、そのわずかな隙間を坂道が海岸から頂上まで曲がりくねっている。かつては存在したであろう自然そのものの景観よりも、今は文明の粋を象徴するかのような美しい夜景が人を魅きつけます。

以前、滞在中の親戚に遊びに行ったのですが、盛大なクリスマスの名残のイルミネーションや人なつこい晴れ着の人々が、温暖な気候と共に、旅を一層和ませてくれたのを記憶していいます。当時はまだ幼稚園に通っていたその無邪気な子とのタクシーの中での会話。「柿に似たきれいな実だなあ」、「たくさんなっていておいしそうだね」、「まだ早いよ。熟れて落ちてくる前がおいしい」、「しぜんにおちてくる?」、「物はみんな落ちるさ。目に見えないけど、引力という力で地面が引っ張っているからね」、「ふーん。そういえばそうだね。タクシーのドアやホテルのドアもいんりょく？」。一瞬少しく衝撃を受け絶句しました。答えに窮したからではなく、別のあることに気付かされたからです。

後で聞いた話ですが、「お母さん、どうして車は坂道に止めていられるの？」とも尋ねたそうです。玩具の自動車や三輪車の動きと坂道との関係を、遊びの中で体験的に知っている子供が抱く素朴な疑問だったのでしょう。学生の頃物理が苦手だったというその子の母は、とりあえず「ブレーキがついているから」と答えて難を逃れたと笑う。その複雑な原理と機構を直ちに正確に分かりやすく説明することなど無理でしょうから、百科辞典などを開いて一緒に考える姿勢だけあれば、とりあえず十分だったでしょう。

まっすぐに不思議に気付きそれを真剣に追求する姿勢は、大人達がとうの昔に忘れたもので本当に素晴らしい。最後まで失わず、真実を見極めて、充実した人生を持ってほしいと思います。それにしても、子供達にとって、現代は試練の時代なのかもしれません。いま文明の種々な産物が、彼らの目をまやかすためにも機能している面があるのではないかと、がく然としま す。きっと、生来素質十分の者にも、人類の種々な発明が作り出した世界と自然の本来の姿を区別して認識することは難しいだろうと感じます。

文明の進歩は、実は新たな真実に到達する道のりをますます遠くしつつあるようです。非自然と自然の違いをよく語る作業が、子らの正常感覚と真理への眼を保つために、私達に新たに課されました。

22 失われた学園

近年、森林浴がにぎにぎしく宣伝されていますが、それが単なるレクリエーションにとどまらず、為政者が森林を増やすための一歩なら大変結構なことです。この頃病気とは言わないまでも不調を訴える半健康人が多いというのも、幾分独断的ですが、森林・山野・田畑が減少してきたことと無関係とは思いません。田舎育ちの私の場合も、山が見え太陽と緑と大地が身近にないと、心身がどうも安定を失う気がします。

樹木や草花等植物に殺菌力のある物質が含まれていることは、昔からよく知られ、切り傷、出来物、打撲、下痢、痛み等々に利用されてきました。ただ森の中にいるだけでも効果があることも、ソ連のトーキン博士が樹木の発散するテルペンの中のフィトンチッドという殺菌作用のある微細物質を発見したことにより、科学的に裏づけられました。つまり医学的に見ても、森林浴は良いということです。

いま森の小径を歩いてみます。酸素に富んだ空気のシャワーが全身を柔らかく包み、皮膚に染み込んだ様々の生活の汚れを取り去り清浄化してくれる。軽い皮膚病などは飛ばし去る。口を開けて大きく息を吸い込むと、口腔、咽喉そして肺の内壁に形成された世俗的営みの名残も、新鮮な層に置換される。風邪や軽い呼吸器系の病なども治る。小鳥のさえずりは耳に心地よい音楽。日常の雑音で疲労した器官の休息です。緑が隆盛でも紅葉が混ざってもよい。多過ぎる情報や周囲を知覚して疲弊した目が安らぎ、曇りも取れてくる。また、森がかもし出す雰囲気は、躁鬱病や自閉症などを自然に抑え情緒を安定させそうだし、前向きの思索をも促す。踏む枯れ葉の感触と音は、重い足をやがて軽快にする。私なりの森の効用です。

デリケートで複雑で高度の生活を強いられる人間には、緑の森で表される環境が必要。特にこれからの人間、感受性豊かな児童・生徒には一層大切でしょう。

昔は、すぐ傍に容易に親しめる山河や野原があり、木や土があった。道端の蟻の動き、蜘蛛の営み、小魚の影、落葉の紋様等々が、どれほど私達の心身の成長に有益だったか。ところが今は、それから隔離されている。例えばある都心の学校は、数階建ての校舎と狭く舗装されたグラウンドを持ち、団地の子等はバスや電車で遠くから通う。立派な校舎や尊敬されるべき教師があっても、緑の森に触れる機会がない。

こんな時代なればこそ、学校の大部分の敷地に、緑豊かな自然を持つ学園がつくられなければと思います。そこでは、幼い若い人達が健康な心身を育て、自然に打たれ、静寂の中で思索できる。彼らはきっと、よい未来社会をつくって応えるに違いない。

23 キメラの光と影

鵺《ぬえ》というわが国の化け物は、頭は猿、胴は狸、四肢は虎、尾は蛇、鳴き声は虎鶫《とらつぐみ》。そんな得体が知れない人物は、近づけない方が平穏を保てるのに決まっています。これに似たギリシャ神話の怪獣は、頭がライオンで体がヒツジ。キメラといいますが、いま専門家の間でその名がもてはやされていると聞きます。

デオキシリボ核酸（ＤＮＡ）分子は、二重らせん構造の中に四種の遺伝暗号文字がすき間なく配列されており、あらゆる生物に共通の遺伝子の本体。人間の細胞に含まれるそれは、4.8$\times 10^{-12}$グラムと極微で、引き伸ばすと長さ１８０cm程度とのこと。そのような遺伝子やその他生命活動機構を、巧みに人為的に操作して、人類に寄与する何かを得ようとする先端技術があります。生命工学、遺伝子工学、バイオテクノロジーなどと呼ばれるそれは、いま急速に進歩し、期待の目で眺められています。

例えば遺伝子組換え技術。有益な遺伝子を取り出して大腸菌に組み込んで増殖させ、癌に効くインターフェロンや糖尿病のヒトインシュリンなどの医薬品を得る。クローンの核移植技術でマンモスを甦らせたり、大きなネズミを得たり、チョウセンニンジンを安価に生産するなど。細胞融合技術によって、卵子の融合だけの赤ちゃんを誕生させるとか、実がトマトで根が芋というポマトやコマツナ葉ダイコンなどの混成野菜の生産など。その他肥料不要の根粒菌を持つ作物、微生物により鉱物を溶かしたり濃縮したりして行う金属の製練、古新聞からのアルコール また石灰石からの石油の抽出、石油・プラスチック・廃液の処理、増殖力が大きい大腸菌を利用して、大豆や凝乳酵素により極上チーズを生産する植物工場などが具体化しつつある。

また遺伝病や癌がＤＮＡの狂いで生ずるとして、その治療にも熱い目が向けられています。受精や交配のプロセスを経ないで、新しい生物が誕生できるようになったのです。キメラが現れ、やがて植物の光合成方式によって牛肉が得られるという可能性があります。外国では、ヒトとタバコや人参の新生物の創作が試みられました。

ところで思い出します。火薬や原子核融合が、かつて大きな不幸も人類にもたらしたことを。技術や科学は、悲しいかな、それ自身ただひたすら進歩を続けるだけ。使用可否の判断は人に委ねられます。例えばヒトと植物の合いの子とは何なのでしょう。核融合が与えた不幸は破壊でしたが、これは新たな何かを作り出すだけ危険な要素も含んでいます。研究者・技術者は、早く大自然の調和を司る絶対者を観るべきでしょう。また周囲の人々は、人間本性のままの常識で、いつも注視を怠らないようにする。それによって、危険や過ちを確実に防止したいものです。

24 燃える墓碑銘

四月の初講義には、教師も学生もある種の期待を抱いて出席します。学生の側からすれば、どんな教師で、面白く単位の取り易い講義かときっと考えるだろう。教師の側は、どんな学生達が集まり、うまく話に乗って一所懸命聴講してくれるかどうかを占う。緊張の時であり、彼我の間で今後の帰すうを決める緒戦の場でもある。

ここ数年、私は自己紹介そして科目概要の説明のあとで、四つのお願いをすることにしています。

その一。大学にいる間は教師だが、夕方ふらふらしている時は別だ。先生などと呼びかけられると、酔いがさめる。店内だと周りの客達まで一斉に振り向き、その場の雰囲気が壊れる。挙句君達に一杯おごらなければならない羽目になり大損害だ――。彼等は遠慮なく笑う。

その二。僕はきわめてぐうたらな性を持っていて、お饅頭を食べながら寝そべってテレビを見たいし、毎日デートもしたい。四六時中緊張して勉強するなんて、君達同様考えただけでも蕁麻疹が出る。お互いこの時間内だけにしよう。短いがベストを尽くして学ぼうではないか。その姿勢が出来るとやさしい試験で単位は簡単に出す――。彼らは顔を見合わせながら喜ぶ。

その三。遊ぶことでも学ぶことでも、その一瞬に、持っている全情熱を傾けようではないか。宇宙の尺度からすれば、個人の生涯なんて問題にならないくらい短い。その許された時間内に精一杯生命エネルギーを燃焼させよう。若いうちは、疲れもたまらないし血を躍らせて生きるほうが面白い——。彼らは幾分緊張しながら目を輝かす。

その四。僕のほうが年寄りだから、今は門の前まで案内する役割を果たす。しかし、なるべく早く僕の頭を踏み台にして、自分で大きく進んでもらいたい。十分気をつけるが、人間は哀しい存在だ。やがて君達が立派に成長して僕の前に現れる時、僕は自分の大脳の衰えに気付くことも出来ずに、依然君臨しようとする過ちを犯すかもしれない。その時は退くべき時期であることを、今度は君達が必ず教えてほしい——。彼らは不審顔をしながら聴く。

話を変えます。アメリカやヨーロッパの墓には、姓名、官職、生存期間等の公式記録のほか、エピグラムその他生涯を彩る言葉を刻んだ墓碑銘が見られる。わが国にも法名というものがあり、これはお坊さんが故人の生涯を代表するにふさわしい言葉を経文等から拾って名付けるようです。

しかし本当は、むしろ生前のために、その人の生き方のためにこそ、シェークスピアのように、自身でその言葉を選ぶほうが良いのではないでしょうか。人はいま心惑い身騒ぐ。時には静かに内省し、明日の方向を思索する必要がある。その創作は、一層充実した人生を約束するように思います。私の現在の設定は「楽しさも苦しさも精一杯甘受し結局何事も為さず」です。

必死になったところで、大したことは出来ない。まして無為に過ごして、面白く実り多い人生はないように思う。とにかく死ぬ時自分を肯定できるように、お互い何でも頑張っていこうではないか。初講義はこのように結ぶのですが、彼らはもはやニコリともしません。

25 明日を待つ魚

夕刊を広げてテレビ欄の番組を探す作業は、その日の様々な疲れを解消するとともに、ある種の幸福感も与える。その時の自分の精神状態にふさわしい番組を選択して好きな姿勢で眺められる状況は、私達の生活が既に十分充足されていることを表しています。

かつてアメリカ、オーストラリア、ヨーロッパ、香港を旅した時、ホテルでテレビをつけようとして、番組の数が少ないのに驚きました。東京では昼夜を問わず八種が併映され、どれも見ない場合を含めると選択範囲は九つ。あちらではたかだか四チャンネル。しかも昼間は大抵一、二チャンネルに減らしていて合理的です。

その内容は、暴力や性的描写を抑え、はるかに健全。彼の国々は、勿論先進国なのですが、この種のことについては、わが国は選択の自由度が行き過ぎではないかと疑わせるほど先進状態にあるようです。

ある事柄に関して最適なものを選び出すという作業は、最も人間らしい精神活動ではないかと思います。社会の成熟、文明の発達また文化の成長は、人類がその自由意志によって、選択できる余地をどれだけ創ったかの歴史とも言えるのではないでしょうか。例えばまだ貧しい発展途上国。選択の範囲が極めて狭く、おそらく人々は物心とも満ち足りていない。人々の選択に不自由を感じさせる国や社会は、未成熟といえます。

しかし、選択行為が許されていても辛く悲しいときがある。むしろ、それ自身が存在することにより、一層絶望に陥らせることもあるのが、選択というものなのかもしれません。同じ値段で、芳香豊かで美味な品が別のところにあることを知っていても、古くて不味いリンゴを買わざるを得ないことが、私達の身の回りでしばしば生じます。誰しも、すぐ幾つかの事例を思い起こすことができるでしょう。

いま仮に、直ちに希望を与えることのない選択であっても、目を逸らしたり自暴自棄になったり棄権したりしてはいけない。最善を探して、見出せなければ次善に決める。善なるものが全く存在しない場合でも、それは悲しく残念な状況ですが、最悪の次を見つける。次悪の選択です。それでも、選択の自由が許されている幸運を感謝すべきでしょう。それがエンジニアリングでは最適の追究で正しい姿勢なのですが、それに限らず、私達はいかなる場合にも、あきらめてはならないようです。

近年「都心の川にも魚が帰る」等々の記事がよく載ります。まだまだ不十分ですが、ともあれ決してあきらめなかった河川浄化への願望、そして努力が実を結びつつあるのを素直に喜びたいと思います。そう、百年河清を俟つというくらいの気になれば、どんな選択も夢多いし、その結果私達は希望の未来へ一歩近づける。

26 新米女教諭の体験

「あなたぁ好きょう」と迫ってくるので、私は吃驚して逃げだした。「おい止めてくれ」叫ぶのに「愛してるぅ」「もう離さないわぁ」などと、二人はゲラゲラ笑いながらどこまでも追いかけてくる。ようやく母親の制止の声がはいり、悪夢が去った。

親類の小学校低学年の兄弟が、友人である私に仕掛けてきた悪戯です。「変なテレビなんか見せるな」と、親に文句を言ったら、「学習雑誌のマンガにも出ているし、小学校で覚えてくるんだからしようがないでしょ」と答える。夫婦とも文科系で口が達者。挙句「若い女性が決して言ってくれないだろうから、うちの子どもが代わって言ってあげているのにねぇ」などと笑い合っている。

なるほど、少年雑誌には、お父さんの鑑賞にも耐えられるグラビアやマンガが満載です。逃げ出す姿が面白かったに違いないと反省して、新たな来襲に備えていると、予想どおりまた「あなたぁ」と、両側から攻めてきた。直ちに二人を床に押さえつけ全身をくすぐり、大声で「ボクも離さないよ。ブチュ」とやった。ブチュとは、マンガの接吻の音なのです。以後は平和。二人は警戒して、相撲・野球・将棋などの遊びを求めることに切り替えた。

子ども達は、しばしば親愛やあこがれを、大人が理解できない表現で示すようです。大学出たての新米女教諭などは、格好の対象です。まず悪童どもが様々のいたずらをしては困らせ、気を引こうとする。ある田舎の中学校の出来事。

その先生、授業中あまりに度が過ぎたので、ガキ大将に一発張り手をかまし、「なめるなよ」とやった。また「先生、処女け？」とはやされ「何歳の女に言ってんだ。第一どういうこと聞いてんだ、言ってみな」と逆襲。これらが受けた。以来、中学一年クラスの男子全員が「先生、高校のときスケバンだったんけ？」と心服し、授業は勿論便所掃除まで命令一下喜々と従うという。

女生徒の場合は、そーっと傍に寄ってきて胸や腰を撫でては、振り向いてくれるのを喜び騒ぐ者がいる。また早く先生のような大人の女性になって、いろいろの願いを果たしたいと、うっとり夢に夢見る子もいる。

音楽教室で皆が退出した後、一人の男子生徒が近寄ってくる。何事かなと思ったら、もじもじしながら「先生、オレとつき合ってけろ。一所懸命勉強すっから」とプロポーズ。その先生ちょっと間を置き「いいよ。でも先生に年が追いついてからね」と。彼は、一瞬大喜びの表情を浮かべたが、しばらく考えて気付いた。「そんだら、いつまでも駄目でないけぇ」

いま彼女も彼らも、健康的な学校生活を送っている。子ども達の様々な表情をよく見て、その意味を、余裕を持ってやさしく受け止め適切に対応する。教師には、やはり単なる知識の伝導者以上の能力が要るようです。

27 危険な平均値

右手は吊り革、左手に折りたたんだ週刊誌を持って、私は一心に「かい人二十一面相」を推理していた。然るに何たることか、その上に漫画の本をちらちら差し出して妨害する。全く失礼千万な男だ。電車が揺れるたびに重なってくる。腹が立ち左に首を向け、一言しようと思ったが、すぐその気も失せた。そのおじさん、人の良さそうな童顔で赤い顔。ちょっと何処かで一杯やったらしく、身体がぐらぐらして定まっていない。その劇画は、網棚から拾ったものではなく、息子の土産に買ったらしいのです。

多分少しでも内容を知っておいて、子供と話を合わせようとするのでしょう。その敢闘精神は立派。短い腕をいっぱいに伸ばして、人の迷惑を顧みず読みふけっている。だが、老眼になったら、人前で漫画なんか見てニヤニヤしないでほしい。当方も威張れるほどではないが、お蔭で「明智大五郎」になりそこねてしまったではないですか。

さて、いつの頃からか、私達の社会では、人々は何でも皆と同じであることを期待し、平均的人間になるため一所懸命努力しようとする傾向が強くなりました。皆と一緒であることに、大きな安らぎを見出せるからでしょう。家具、家族構成、経済、教育、時には食事や趣味嗜好まで似ようとする。個人的次元にとどまらない。例えば学校は画一化し、地方都市は東京を目指し、方言は消滅間近く、旅館は皆ホテルに変わり、鄙にはまれな美人など死語と化して久しい。

平均化の主役は、何と言ってもテレビだったでしょう。万人が同時に同じものを観られるという幸福感が、人々の平均化願望に火をつけ、画面に映される様々が努力の指針を与えた。かくて日本全国同じ都会になってきた。次に、日本列島を縦断する航空網や新幹線の影響。観るだけでは満足できず、臨場感を得るため、移動し自らも演じることができなければ心が充足されないまでに至った。そして日本国中の人々がドラマの登場人物となり、現実はステージにすぎなくなったのです。

全地域に豊かさを広げ、ある種の夢を与えた効用は大きい。しかし、この平均化傾向は、そろそろ危険な兆しを見せています。例えば個性や能力差の存在をも認めないという、悪弊の一つの温床としての役割も果たしている。最も警戒すべきは、世代を超えてつまり大人も子供も、また男も女も、すべて同じ体験をして喜び、同じ期待を抱いて生きるようになりつつあることでしょう。

この種の平均化は、早晩希望がなく混乱の多い破綻の社会そして自滅の社会に帰結することでしょう。私達は、違いを演出しようという願望も持つべきだと思います。

28 都会人達の祭典

村祭のとき、農繁期のとき、そしてまた子供達が遊び道具に苦労しているとき、どこからかにこにこ恵比寿さまのような顔をして現れた。様々の事柄に、おせっかいなほど労を惜しまず手伝ってくれる。皆から愛され、子供達にも堅苦しくなくいろいろ実地に教えてくれた。あのおじさんは今もいるのでしょうか。

嬉しいとき苦しいとき楽しいとき悲しいとき、その人が来てくれると、場に急速に和やかな雰囲気が出る。どんな手伝い仕事にも嬉々として汗水流し、人々から重宝された。子供達は、大工仕事を見習い、草笛の作り方を教わり、山車を引くとき誘われ、一緒に遊んでもらえたので、大好きだった。この頃、あのおじさんを見かけないのが寂しい。

周囲の人達も、その人には特別親愛の情を持ってつき合った。ちょっとしたことにも声をかけ、手伝ってもらい、そして精一杯好意を込めて、駄賃、珍しい物、食べ物などをお礼に差し上げる。二、三日見かけないと、村中が心配して見舞った。子供達は遊びで困ったことがあると、すぐに駆けつけ、それを作ってもらったりルールを教わったりした。時には一緒にお菓子を食べながら、大人の世界や自然界のいろいろを、尊敬の中に目を輝かせて聞いた。あのおじさんが死んでしまってから、何か本当に憂き世が来たような気がします。

今風に言うと、おじさんは無能で愚図な落ちこぼれだったのです。しかし、信じられないほど無償の供与ができ、温かな心の世界を演出できた、実に偉大な存在でした。人そのものだったのです。

いま、政治屋は老醜むき出しで権力闘争をやり、経営屋は利益と地位保全のため汲々として管理し、文学屋は売名のため底の浅い思想を開陳し、技術屋は人々を忘れて生産にあくせく働き、宗教屋は世や魂の救いを説くよりも組織拡大に意を注ぎ、先生屋は愛情を忘れて時間が経つのを待ち、年寄屋は若者を装って貪り、若者屋は出し抜く技術を追求し、父母屋は義務を放棄して子等を塾に追い立て、病院屋は診もしないで薬を出して算術し、事務屋は合理の眼と意欲を失って自らの域を守り、八百屋は誇大広告も嫌わず売ることに血道をあげる等々。

皆がいやらしい世知に長け、周囲に目もくれず、一心不乱に欲望に向けて突っ走っているかのようです。良心的人々を、騒々しい現状から探し出すのがかなり難しい作業になりました。ついぞ強いて求めることなくして、心身とも満ち足りていたあのおじさん。私達の心の片隅に、いつまでもおじさんを居させてください。そうでないと間違えてしまう。

29 耳たぶの反撃

決して後顧の憂いをみるような所業をしていないと確信しても、現地の衛生水準や空気汚染状況から、きっと何か悪性の風土病にでも罹ったのではないかと、随分心配しました。

数年前、小旅行を終えて香港から帰国した冬のことです。何故か、手の甲と耳たぶがだんだんむず痒くなった。税関のカードでは、帰国後発病したら当局に届け出よとあったことなどを思い出し、しかし重大な病気だったら困るなどと、ひたすら悶々の日々を送った。

その時、風土病なら現地の薬のほうが効くはず、あの万金油を塗ったら良いに違いないと閃めいたアイデアは、我ながら素晴らしいものでした。早速取り出して見た漢語の効能書。よく効きそうです。何しろ頭痛、腹痛、切り傷、咽喉痛その他何にでも効くという万能薬なのです。

この塗り薬は、虎の像が立ち、毒々しい原色の地獄図や建造物・岩壁がやたらに目立つタイガーバーム公園で売っていたもの。公園自体は必ずしも趣味に合わなかったものの、政府公認の本家本元の薬はここだけにしかない、などという売り子の口車に、いそいそと乗って十個も買って帰ったのです。

それはともかく、心も軽く、だが日ごろの慎重さも忘れず、まず耳たぶで試すことにした。耳たぶを先にしたのは、熱いものに触った指先も、それをつまむと冷やされ回復するという経験則から、きっと神経の鈍い下等な部分だろう、それにそれほど重要な役割をしていそうもないので、万一処方が間違った場合でも大丈夫と考えたからです。とにかく、塗るとスーッとして大変気持ちがよい。凱歌の一瞬でした。二日目あたりじくじくした感じが広がったが、ただ真面目にそれをつけ続ける。

しかし、だんだん悪化しやがてリンパ液が滲出するまでになりました。それでも耳帯なるものを買って、ガーゼで押さえながら、ひたすら塗った。もう必死でしたが、ますますひどくなるばかり。遂に絶望的な気持ちで、医者を訪ねざるを得ませんでした。

とは言え、原因に関する情報を私は伝えにくい。彼は首をひねりながら、誠意をもっていろいろ薬を変えたりして努力します。しかし治るどころかズキンズキン頭痛までして、夜も眠れないまでに。その間、脳に近いから危険だと脅す者がある。好きな飲食を慎めと言う者や何かやってきただろうと攻め立てる者等。誠に暗たんたる気持ちの約一カ月。

そんなある日、滲出液、薬、天花粉などによるかさぶたがあまりに重苦しく汚らしいので、湯で洗浄することにした。その結果は、非常に軽く気持ちよい。そこではっと気付いた。私はよく食物によってもまた水が変わっても、湿診が出るし薬負けもする。皮膚が比較的弱い体質だったことを。以後まったく何もしないことにした。そして3日過ぎたら、きれいに治っていました。指の方は、とっくに何でもなくなっている。要するに、常夏の国から寒い国へ戻って、部分的に軽い凍傷に罹ったらしいのでした。

日頃、合理を説き冷静な対処を諭す割には情けない話なのですが、間違いの多かった事件から、様々な教訓を得ました。あるいは、普段無視している小さな存在からの、強烈なしっぺ返しであったかもしれません。

30 渡航の機内で

渡航のたびに悩まされるものに、時差ボケがある。時差があると、例えば朝に成田の新東京国際空港を飛び立ち、機中で十余時間過ごしたはずなのに、シカゴのオヘア空港はまだ午前中だったりする。帰りはその逆に短い一日になるのです。

韓国、香港、オーストラリアなどは、ほぼ同時に生活が進行していますが、ヨーロッパ諸国は八時間ほど未来を進んでいる。現地時間に腕時計を調整して旅を続けるのですが、最初は何と面倒なことだと内心舌打ちし、時差なんか作らないほうが、科学の時代にふさわしいとさえ思っていた。しかし今は、どこの国の人々だろうと、朝日が昇る時に朝食をとり一日を始めたいのだなあと納得しています。

時差があると、移動直後に生活のリズムが乱されます。それまでの生活時計が突如変更を強いられるのですから、心身とも不整状態に陥る。これが時差ボケで、昼に眠かったり、夜に頭が冴えて腹がすいたりという具合。腕時計はすぐ現地に順応できたとしても、身体に刻み込まれた生活時計が、新しい時代に容易になじみません。それで大脳や五臓六腑が葛藤する。長旅の疲れ、緊張感、生活環境の変化などが、それを倍加させます。その程度は人によって違う。また大体気楽な旅では軽く済み、重責を担ってあまり遊びのない日程の場合には重症で、わずか二週間の旅行でさえ帰国後半年間も完全な社会復帰ができない人もいる。

さて、似て全く非なるものは爺さんボケ。自宅前の通りで、自分の娘かよその奥さんかも識別できないくらい大脳が機能せず、娘に何度も丁寧にお辞儀したりする。ご愛敬と言えなくもない。しかし、不思議にかつての栄光や都合のよい権利的事柄だけをしっかり覚えていて、その割には社会的、自己規制的また義務的事柄を完全に放念し、いい年をして突っ張ってひんしゅくを買うなど、いただけません。当人は、過去と現在の時差に気付かないほどの時差ボケで、恍惚だから幸せなのですが。

ボケた爺さんも、外国旅行の地域的時差ボケにかかるだろうか。すべての認識機能が衰えたとすれば安全なはず。しかし私には昔、青函連絡船で先に酒酔いしてから乗船したが、荒海でやっぱり船酔いした体験がある。逆に二乗で効いたら大変です。明確な答えは分かりませんが、一般に人の環境適応や当事者能力は、年齢とともに衰えるようです。

それを教えてくれた大先輩は、いつも好奇心旺盛で、無遠慮な若者達を可愛がってもくれ、激務の要職を停年になるのを待ち、その後各地を遊び回ると、宣言しておられる。こういう人は両ボケとも縁がないか、あったとしても極めて軽度に違いないと、確信します。

31 May I help you?

「ハーイ！ TERUFUMI」などと呼びかけられて、初めの頃は大いにとまどった。しかし無礼でも何でもない。親愛・友情を感じた相手には、ファーストネームを呼ぶ。これに対して「Professor Machida」とか「Doctor Machida」の場合、公式に意見を求められる時か、まだ心が許せる段階にない時です。

私が今滞在しているニューヨーク州のレンセラー大学（RPI）は、約160年の伝統を誇る有数の工科系大学。全世界から様々の人種・経歴の男女学生が集まる。単位が取れないと即追放だし、何よりもここの卒業生であることが今後の人生に有益だから、必死で勉強する。しかし、遊びもエネルギッシュ。教授達も全世界から集まっていて多彩。一切のこだわりや偏見もなく、学問的業績だけで選ばれるので、必然的にそうなるわけです。

直訳すると「お手伝いしてもよろしいですか」でしょうか。何時でもどこでも声をかけてくれる。「他に何か」とつけ加えることも忘れません。当地の人々は非常に親切。しかも本物。日本では、一般にこんなに明るくは事が運ばないような気がします。例えば、本当に手伝ってもらったら「図々しい奴だ」「義理で言っただけだ」から、ついには「彼は能力がない」とエスカレートするまでの不評を買う。また「日頃酒が嫌いだ」と語っている上役に、宴席で遠慮して酒を注がなかった正直な社員は「挨拶の仕方も知らない男」として、翌朝から苦難の道を歩む。何しろ建前と本音は別なのです。

私に付いたアメリカ人学生は、好奇心旺盛で実によく学ぶ。「台湾人女子学生のガールフレンドは、それ程美しくはないが魅力的だ」などと明るく話しながら、忠実に有能な実験助手を務めてくれる。スペイン人の修士課程学生や、アメリカ人、イラン人、中国人の博士課程学生も、何か頼まれるのを喜んでくれる。

実験装置作りを担当する機械工場の二人の指導員には、ビールを飲ませてもらった。電機主任には、難しい部品調査を手伝ってもらった後二人でクロスワードパズルを解いて「コングラチュレーション！」と叫んで握手した。もちろん教授連中や事務スタッフは、皆一様に協力を申し出てくれる。

しかし、「お手伝いしましょう」の声の背後には「早く片付けて次の価値あることに取りかかれ。能力を最大限に発揮し、偉大な未来建設に参画せよ。それが私達の社会の希望であり務めだ」という、幼い頃から培われた偉大な思想があることに気付きました。無用の警戒心、一族郎党意識また自己権威化等々が、何らの利益ももたらさないことを、強く心身に刻み込んでいる。例えば、私が「言葉が不十分だから、まだ」と逃げるのに、プロフェッサーは「それは問題ではない。一日も早くその立派な業績を語るべきだ」と引かない。そんなわけで、今夜は明日の大学院講義の準備です。

三週間滞在しただけですが、沢山の人達と気軽に挨拶できるようになりました。また、相手を認め合ってのいろいろの交流は快適です。私もなるべく早く、素直に、この親切語を使えるようになりたいと思います。

32 哀しい軌道

アメリカ東北部の夏。九時ごろまで明るい戸外で遊べ、大学構内にあるリトルリーグの球場も、毎夕歓声に包まれる。どのチームも、ヨーロッパ系、アジア系、アフリカ系等々といろいろの髪や皮膚の色の子等が同じユニフォームを着けて元気に硬球を追う。そして、はしゃぎころげる家族席、緑の芝生、広い青空、輝く太陽。健康的雰囲気が何とも言えず美しい。

その日は、顔も身体もコロコロし、ニコニコと笑みをたたえたいかにもアメリカ娘らしい可愛い女の子を見ました。少年の剛速球に小さな手に余るミットを差し出すのですが、時には弾かれ、その都度長く垂らした金髪が忙しく翻る。ゲームは、その子の頑張りも家族応援席に紛れ込んでの私の願いも全く空しく、格が違った相手に惨敗。しかし、その少女をはじめとする子供達、監督、家族連れは、今日は本当に楽しいひと時を持ったと満足気に帰路についた。

この国には、相変わらず世界中から人々が集まる。一般のアメリカ人はそれを実に快く受け入れ、良い成績を挙げ成功することを喜ぶ。嫉妬や意地悪な人々から見ると、他所者が来て自分達を超えても何とも感じない不思議な人種です。建国以来培われた伝統とはいえ、私は彼等の未来へ向けての強い精神力を感じます。

人々の根底に、誰にも機会は均等に与えられるべきだという思想がある。何かの目標に対し挑戦意欲を持ち努力せんとする者に、未来の一切は何の障害もなく開かれるべきであり、その結果社会全体も必ず進歩するはずだの信念です。そこから様々の思想・規則・モットー・交際術等が派生している。

例えば差別の撤廃。少女も硬球に挑み、女性が重量挙げで鍛え、婦人がダンプの運転手でも奇異の目は全くない。弱者へのいたわりは当然。身障者を助け、子供を大切にし、再受験を歓迎する。

決して施しや恵みではない。未来建設への参加を促し助力を求めるのです。婦人を家事から解放するための託児所その他諸設備をはじめ、数多くの制度もある。意欲的で能力ある者が活躍の場を持つことは、本人にとっても周囲にとっても、権利であり義務であり、機会均等化の精神に合致する最高の美徳。これに反して例えば学閥・血縁・地縁等の特殊な繋がりを重んじたり、偏見を持つ者などは、途端に軽蔑され不公平かつ未来建設に仇なすとして、怒りを買い、その組織ともども社会的に葬られるのです。

一方、努力する者には、ふさわしい評価が確実に速やかに来る。その最も明確なものは、増収であり昇進また転職です。勿論、怠惰な者は直ちに切り捨てられる。その際正確かつ正当な判断を下せなければ、評価者自身の資質が問われる。万人に機会均等を保証するために、非情の掟が厳然とある。また、幸運にも成功を収めた者は、大きな余力を社会建設、特に奉仕活動や後進の育成に能力を割かなければなりません。そうでなければ、機会均等化の理念に抗う反社会的、不公平また不正な行為と見なされ、軋轢・摩擦から逃れられないようです。

いつでも何にでも親切で協力的。しかしアメリカ人の隣人愛や公正・正義は、決して日本式情緒的次元にとどまるものではなく、多くの場合厳しい機会均等化の精神に源を発しています。この根源の精神は、哀しいほどに崇高で強い。きっと未来世界の建設に遁進する人々の英知です。私達ももっと耐えて取り入れなければ……と感じます。

33 交流への序章

久し振りの再会。かねてマスターしておいた「ハーイ！　ハウ・ユウ？」と言うと、主任教授も「ハーイ！」と右手を強く握り返す。そして、今後は自分をファーストネームの「ニック」と呼んでくれ、お前はどう呼ぶとよいかと問う。私は少年時代の呼び名の中から「テル」を取った。8月から滞在のローエル大学の初日です。

出会う人々は皆気さく。素晴らしい研究室を貸してくれた土木科の主任教授は、どことなくアヒルに似てやさしく、スコッシュというキュウリとカボチャの合いの子のような野菜をくれて料理の仕方を教えてくれる。その名はドナルドで通称ドン。アパートの管理人は感じが死んだ父に似ている。七十七歳で間もなく39と40番目の孫が生まれる。ジョンと呼べと言って、街のいろいろを教えてくれる。今朝も同じ服装で同じ路を散歩に行った。4分の3マイル先の消火栓に触って、Uターンするのが日課なのです。それ以上一歩も進まない。

いつも大学近くの食堂のカウンターに座る健康的な女子学生は、キャサリンでキャシー。隣に座って大きなサブをほおばりながら聞くと、この店が好きだと答える。しかし私は知っている。お目あては、アルバイトしている細身でインテリ風の男子学生。それが証拠に、早くから来て無理にコークをお代わりし、彼と話したがっている。彼も満更でない。

誰もが苗字よりは名を呼び捨てされるのを好む。親愛の表明です。ニックやジョンは本名ですが、一般にニックネームや略名を一層好みます。ロバートはロブ、デヴィッドはデブ、サンドラはサン、アルバートはアル、ウィリアムはビルといった具合。老幼、男女、職位を問わず楽しげに呼び合う。また「ハーイ！」も明るい。美人女子学生が通りで、笑顔で声をかけてくれる。はて彼女は同じ研究室にいたかな？　それとも……などと懸念に及ばない。単なる挨拶。知らない子供も胸を張って言ってくれる。強いていうなら「害意なし・友達ですよ」の証明。

アメリカ人は他人と打ち解け合う名人のようです。気取ったり飾ったりすることに価値をおきません。一緒にハッピーになりましょうといつも友達を求めているところがある。

例によって談笑しながらの昼食の合間に教授連が愉快そうに「これまで出会った日本人教授は皆シリアス。そして何を考えているかうかがい知れない。しかしお前は冗談を解し陽性で親切でよい」と言う。野次馬根性で何処にでも出入りし、取るに足らないことを話し合い、お節介をやく特性は、確かに診しいかもしれないと苦笑い。

日本人の沈黙、不動、苦悩の表情、気真面目さは、時には「思慮深く知識も多い権威ある重厚な人物」を自作自演せんがための必要な小道具にすぎないことも少なくないような気がします。その場はとりあえず「仕事を離れた時は違う。皆快活ですよ」と応じておきました。しかし、これからの一層の国際交流・親善のためには、分かりにくさ・不気味さを印象づけるのは損。武装を解いた気軽な親愛の表現がまず大切のように思われます。

さて「ハーイ。ハウ・ユウ?」と先に言われて「やぁ!」の次に滑らかに何か応じられるほど、まだ同じになっていないのが少し残念です。

34 遠すぎる敬具

ヨーロッパやアメリカの人達とのやり取りは、大抵単刀直入に事を始められ、余計な神経を使う必要がありません。これは助かりまた少しうらやましい。

例えば手紙。「親愛なるハム君。ご親切ありがとう。貴君のことは部長にも伝えてある。何か他にしてもらいたいことがあれば、知らせて下さい。お会いする日を待っています。敬具」で終わり。簡単明瞭。しかし十分に用は足りる。休暇を楽しむ人が親しい間柄に送る絵葉書は、もっと安易。「ハーイ!　トム。湖もヨットもこたえられない!」と、それだけ。他人のことなんか知ったことか、俺は楽しいんだとばかり。

これに対して私達が普段読み書きする手紙は、きっと何十倍もの労作といえるでしょう。拝啓のあと、時候の挨拶、そして相手の状況を慮る言葉をまず記す。次に自らの近況を説明し、そして感謝の言葉を述べる。それから事の次第・背景を縷々説明し、ようやく用件を切り出す。最後にまた謝辞を書き、相手の未来を慮ってみせて、ようやく敬具。

用件は実は全文の10分の1程度しか書かれないことも珍しくはない。更に、季節、相手との関係、相手との位置・地位の違いによって、様々の言葉から注意深く適当なものを探し出す作業も加わっている。上手に出来なければ教養を疑われ、信頼に足らないと見なされて用件を果たすどころでない。運悪く気に障る表現や誤字などが含まれようものなら、全人格を否定されかねないのです。

以前、本当に心配したことがあります。皆様お変わりなくと書いて、相手が仕事に大失敗していたり、検診で重病が発見されたりしていたら。暑中お見舞い……と書いて、相手の場所が寒かったら。元気でやっている云々と書いて、相手が別のことを望んでいたら……。それはともかくとして、余計なことに神経を使い時間と労力を割くなどは、忙しく進みつつある現代には、虚礼と言わないまでも無駄でもったいないような気がします。

少なくとも公的または仕事がらみの手紙は、たとえ単調であっても、友情に「有難う」、用向きに「……してください」、慮りと親切を込めて「何か他にあればお知らせを」と、定式化して簡単明瞭にした方が効率的でしょう。用向きを要領よく整理して相手が素早く応答できるようにすることこそ、多言の慮りや丁重さよりもはるかに親切。どんなに達筆の名文であっても、大切な用件への導入に手間取るとすれば、現実離れの自己陶酔でしょう。

一般に伝統や美徳というものは、長い歴史の間に、本来の意図や欲求に至るまでの道程を複雑化する面も含んでしまいました。例えば、事大主義、形式の重視、身分意識、組織の縄張り、幾重もの取り巻き、煩雑な手続き、高価な道具等々のように本質と無関係に成長した部分も少なくありません。これらの多くは、外界から閉ざされがちで自己陶酔型の社会でよく現れがちの特徴と一致するようです。私達は、時に冷静に本質を見つめて取捨選択し、また現実との調和をはかることも必要です。

切符を買うために過大の修辞・装飾を弄びすぎ、その結果、美しい未来への列車を捕らえそこなうなどの愚は、避けなければなりません。

35 尖った曲線

「先生、両手の指で円を作って顔の前に持ってきて……」と、小学生から高校生までの子供達。その通りにしたら、ギター教室は「モオー」の大合唱となった。見事に牛になった先生が、生徒達のきらめきを楽し気に語る。それはいつも私を再生させる。しかし、その中の「何故か尖ったものが好きな子が居る」の一言。あまりに印象的で、今も思い出すたびに情緒が不安定になる。

また「一世代前まではプラスチックは悪いイメージがつきまとっていた。色鮮やかで安価なその製品は、また簡単に壊れもし、安っぽいとか規準以下とかと同義語——あたかも日本製のと言うがごとく——でもあった。しかしこの二十年間は、日本の驚異的工業の発展だけでなく、プラスチックにも一大革命をもたらした」。私が今滞在している米国マサチューセッツ州立ローエル大学のプラスチック工学科に関する大学新聞の一節。その後に、西独アーヘン工大のプラスチック加工研究所と二つだけというユニークな学科の発展を高らかに謳うのですが、これにも心にかかるものが残りました。

私が当地で買ったテレビはマレーシア製で画像も申し分ない。日本製品の品質は定評あるが、どれも高価。玩具、飾り、衣料、菓子、小物の類は、台湾、香港、中国、タイ、フィリピン等々アジア諸国が市場を席巻している。追う者は強い。代表的な工業製品の鉄鋼も既に韓国に追いつかれ、最近今を盛りと誇る自動車もカナダ市場で一敗地にまみれてしまった。安価で高品質の製品の輸出・高度経済成長と繁栄・アジアにおける先進工業等を誇る日本。幾分その前途が陰ってきた。資源に乏しい我が国は、とくに、次への何かを急いで見出す必要があります。

さて、直線と曲線のどちらが美しいか。技術者系の人はきちんと定規を使った前者で、芸術家系の人はフリーハンドで描いた後者を好むに違いありません。とにかく一応健全な常識人は、両者の差異を明確に認識している。しかし、その知覚は、実はあくまでも変形しない剛い紙の上のことです。描いた面が、伸縮自在のゴム製の膜とすれば、わずかの力で直線はいろいろの曲線に作り変えられ、曲線は真っ直ぐも鋭くもなる。ゴム膜の下が液体や気体なら、波打ち捩れ複雑な線となり、両端を閉じることも可能となる。更に、その系全体も何らかの動きをしているとすれば……等と考えていくと、最初の確固とした認識もだんだん頼りなくなる。

線を見ても現実の線を超えた存在に思いを巡らし、その過程で何かを鋭く感知する人がいます。年齢が少ないほど数は多く、また触発は遠く飛ぶ。しかし、私達周囲の目は、大抵そのような特異な感覚的思考や見方に慣れていないので、「ちょっと変わっている」として済ますか、彼を回避し、結局潰してしまっているような気がします。

今日「理解あるいは納得できなければ認めない」の硬直した姿勢は、早急に改めなければならない。かなわぬまでも彼らを理解すべく努力し、むしろ支持すべきでしょう。とくに、若芽や若木のそれを大切にしたい。もはや、単なる学習で豊かになれる時代は過ぎつつあるからです。

36 学部長逮捕事件

精力的な顔で豪快に笑う学長ウィリアム・ホーガン氏。屈強な警官数人に逮捕され、手錠姿で悄然とパトカーに連行される工学部長アルド・クルグノラ氏。松葉杖で身を支え、複雑な表情の主任教授ニック・ショット氏。それを見て周囲の教職員や学生達が笑っている。マサチューセッツ州立ローエル大学の掲示板に貼られたスナップ写真集。しかし、これは悪事露見でも、権力闘争の結果でもありません。

キャンパス・ポリスは、拳銃も携行し警察権を持つ本物の大学自治の象徴です。その力を借りて、人気者のアルドは、パーティの後に引かれ者を演じた。ニックの足の複雑骨折は、スキーで転倒した結果。落書きによると、そこは単純なスロープ。本人に言わせると、前任者も足を折ったし、自分はもっと若いはずだったんだ――。ここでは、学長のビルをはじめ権威・権力者が率先してユーモアを作り、皆が楽しんでいる。

ところで一般に、児童・生徒・学生が学校あるいは学問を好きになる最大の要因は、教師の姿勢にあるようです。アメリカの児童達にとっても、好きな科目は好きな先生と同義語で、学生達がテーマを選びスマートと評価するのは好きな教授です。彼等を学校に魅きつける先生は、例えば、正義と公平を守り、自己研鑽ができ、幼い者と共に在り理解しようとする。反対に、彼等の学校離れを引き起こす先生は、例えば、口先だけで怠惰、感情過多で自己弁護型、政治・権力指向が強く威厳過剰演出型、また監視・管理が教育であると錯覚したりする特質を持つ。

昔から教師の言動によって、傷つき絶望しまた不信に陥り、学校や勉強が嫌いになる児童・生徒や学生が案外少なくない。それだけでなく、時には彼等は簡単に自ら堕落や非行に走り、また虚無主義を見て社会から落ちこぼれてしまう。残念ながら力不足で彼等を支えきれなかったのですが、私は多数目撃してきました。いや、今でこそ志を温め、時を待つ術を多少覚えたものの、私自身も、その醜悪な姿に耳目をふさぎ、憤怒や人間不信と絶望に自失寸前の時がこれまで幾度かあった。反社会的行動に走らなかったのは、多分決定的勇気に欠け、またその都度ささやかな抵抗の機会を作れたこと、周囲に尊敬できる先生もみえたし、いつも有力な支持者が居てくれたことなどの幸運が重なった結果にすぎません。

幼少の澄んだ目は、教師の一瞬のスキも見逃しません。若く純粋で真摯な者ほど、本来尊敬さるべき者の情けない姿を見た時の失望・落胆は衝撃的にこたえる。法に触れ警察に捕らえられるなどは論外。不道徳・不行跡も非難されて当然。更にもし彼が恥じらいのない行動によって、何らかの形で幼少の学校離れや社会逃避等のドロップアウトに関与したとすれば、その教師はまさしく学園殺人事件の犯人であり、また未来の破壊者ともいえる。

あらゆる職業のうちで、特に教師は、幼少の鋭敏で美しすぎる五感を常に意識しなければいけないようです。特別あつらえの重い手錠を、自らのため自ら用意できる者だけが、学園の庭に立つことが許されるのではないでしょうか。苛酷な条件だが、踏みとどまらなければならないのでしょう。学部長逮捕事件の遊びは、たくまずしてそれを示しているようでした。

37 なぞの深編笠

まだ少年のころ、大きくなったら本屋になろうと密かに決意していました。買わなくても、好きな本を飽きるまで読むことができると思ったのです。その時期には、家にある全集や友達の雑誌などの種々雑多な本を、多少背伸びしながらも貪り読んでいた。手伝いや勉強をしないと怒られるし、小遣い銭も少なくてそれなりに苦労もあった。しかし胸躍らせながら、様々の見知らぬ世界を夢想できて楽しかったことをなつかしく思い出します。

時代小説もよく読みました。とくに、何とか頭巾とか忍術使いが登場するものは大好きで、その姿や形を想像しながら真似したりした。ちょっと成長してからは好みも変化して何故か深編笠。いわくあり気な武士が、顔を隠して街道を急ぐ。堅い志を胸に目的へ向かう者、義のため国を捨てた者、追っ手のかかっている者等。その面前に様々の災厄が降りかかる。例えば、悪い雲助や無法浪人から助けを求めるお姫様を、結局身の危険も顧みずに保護したりして、新しい運命に誘い込まれる。そして物語はますます佳境に入るのです。

何故好きだったのか、今はよく分からないところもあります。多分、なるべく目立たないようにして道を急ぎながらも、避けられない事態には正義と侠気によって敢然と立ち向かい、そして多数の難関・難問を突破し悪を退治するからでしょう。何しろ本当は学問も修め剣も免許皆伝ですから、颯爽として決まっている。したがって大抵の物語の中で、由緒正しい美貌の姫君に惚れられたり、義賊に弟子入りを志願されたり、子供や多くの弱く正しい者に慕い寄られ、時には愛馬にさえもその意を汲もうと駆け寄られることになる。

さて、現代。能ある鷹は爪を隠すなどの言葉の示唆するところは、はたして健在なのでしょうか。例えば、テレビ。ある時は個性的、またある時は親しみ易い等々の理由で、まずい顔して出ずっぱりの役者もどき。芸が未熟なことの償いか、露出過多や珍奇衣装の発展途上人。老若を問わず空虚な言葉や恥じらいのない仕種を注ぎ込む、目立ちたがり善男善女。実は、いまその他いろいろの分野で似た状況が見られます。そういう要領の必要な時代なのかもしれません。しかし何も全部さらけ出して売り込まなくてもよい。あの胸を熱くさせる深編笠のように、高い志と技量を秘めて奥床しく振る舞うことはできないか。もしそれが、もはや完全に損失だけしかもたらさないものとすれば、あまりに悲しい。

38 そして未来には

すれ違ってかなりたってから、ようやく思い出し、振り向いたがもはやその溌剌とした姿は見えませんでした。

あれは、もう一昔前になります。何の用事だったかすっかり忘れてしまったのですが、その日は何故か気も沈んで交通量の激しい幹線の道端を歩み、重い足を歩道橋の階段に運んだ。蒸し暑く空はどんよりとした夕刻。ポツリと一滴の雨が落ちてくる。急いで歩を進め、渡り終えて下り口に差し掛かり、ふと気になって右を見たら、その少女が寂しそうにたたずんでいた。小学四年生くらいのか細い感じの女の子で、おけいこ帰りでしたでしょうか。

二段ほど戻って聞くと「あの子たちが危ないんです」と、今にも泣き出しそうに指さす。見ると三人の幼稚園児たちが、橋の中央部で、欄干から身を乗り出して「あれはスーパーカーだ」、「カッコいい」などと叫んで元気よく遊んでいる。通った時は、目にも耳にもまったく入らなかったのです。戻って「もう遅いし雨も来る。それにあのお姉ちゃんが心配でいつまでも帰れないから、もう家へ帰りなよ」と声をかけた。

その子達は、一瞬不思議そうに目をいっぱいに開き辺りを見回したが、すぐに事態を察して、口々に「ありがとう」と大声でその少女に礼を言いながら、駆け去ってくれた。それを見とどけて、少女も嬉しそうに、自分の帰りの階段を急いで下りて去った。

たったそれだけだったのですが、あの時の私には、心身とも再生の一瞬でした。今の学生三人を率いた女子学生は、確かにあの少女の成長した姿。年齢も大体合うし、感じが似ていた。幾分縦の寸法より横の寸法のほうに成長が優った分だけ健康的で、談笑しながらスカートを翻して、さっそうとキャンパスを闊歩している。もちろん一瞥だにもらえなかったが、何となく、心楽しくなってきました。

そうだ。もう少したったら、並みいる学生の中から一番の働き者を選び、どっしりと尻に敷くがよい。買物の帰りは、前の子に大根を持たせて先導させ、左右の子にもおやつなどを持たせ、背中の子を時折揺すり、買物籠をふくらませて歩むとよい。後ろの子が道に座り込んで、買ったばかりの本を読み付録を組み立てはじめるかもしれないから、油断してはならない。五人の残りの子達も、もう学校から帰って空腹をかかえているし、急がないと夕立がくる。何しろ野球チームを結成できるくらいの大家族だ。

こういう殺伐とした時代です。あのやさしさを持ち合わせているだけで、まさしく人間。繁栄する権利がある。いや義務も負ってほしい。きっと何物にも毒されず、潰されず、大きく花咲くに違いない。そう信じたら、私の気持ちも再び陽性に変えられました。

39 チャレンジャーたち

青空高くもくもくと力強く積み上がる白煙の上に、突如橙色の炎が噴き出し、歓喜は一転衝撃に。スペースシャトル爆発。それには、少年少女達と一般市民に、人類の英知と大いなる夢を、その宇宙体験を通じて最も適切に語ることができるとして選ばれた先生も乗っていた。

神は時折とんでもない残酷なことをしでかす。ただ理想のために幾多の忍苦を克服した夢多いフロンティアに、晴れやかな成功の瞬間を確信させておきながら、名状しがたい無惨な結末を与え打ちのめす。

辛い光景でした。冷静を装うアナウンサー達も湧く涙を抑えようがなく、街角の至る所で大人達が大粒の涙を流し、少年少女達が声をあげて泣く。普段あちこちで高く誇らしげにはためいている大型の星条旗も下りてうなだれ、ふだん陽性きわまりないアメリカが悲しみに沈んだ。

しかし、身が震えるほどの感動的夕方が来た。黙とうで始まった学会では、科学者・技術者達が集まっては「子供達の見ている前で……。しかし徹底的に原因を究明し、必ず前進してみせる」と唇を噛む。大統領がテレビで「悲しみを乗り越えてパイオニアは行く。英雄達の死を無駄にしないためにも、なお宇宙へ向かおうではないか……」と呼びかける。全国民が悲しみを共感し、次の瞬間再起の決意を燃え立たせていた——。いま復讐を誓った大人達は早晩問題を解明し、傷心の少年少女達は、近い将来更に高性能の機を操って往来し、また宇宙ステーションから次へ飛び立つことを考えるだろう。その成功を願います。

ひるがえって、このところ世の中が慌ただしくなり、私達は願望を持つことが下手になっているような気がします。多くの人が、ただ他人と同等以上であることを確かめるために日夜心を奪われている。それは時に過度の競争意識を生み、遂には勝者たるため、あるいは自己保身のため、様々の不善を為すことさえ厭わなくなる。この種の相対的願望は現実の利益をもたらすのですが、これのみに価値をおきすぎると、人として余裕がなくなり寂しい。

一方、他人と直接関わりない絶対的願望もある。例えば、偉人は心やさしく、その抱いた種々な夢はもっと素朴で壮大。空を飛びたい、病を根絶したい、現象をはっきりさせたい等々。

そのため自己犠牲をも恐れぬ不屈の信念を持ち、苦難と薄幸の人生を踏み越えていく。個の利よりも人類の理想を設定して自らの役割を自覚し、時には生命を賭して挑む。常に自然や人文に共感し、より良い未来を思い、深い知識を飽くことなく蓄え、自ら掲げた大いなる願望を果たすため、勇気ある挑戦を続ける。やさしい心は真の願望をつかみやすく、そして驚くほど強い。そして人類に多大の貢献をする。人間の理性は、この種の絶対的願望に対して最高最善の輝きを示すのでしょう。

人間の社会のため、私達は上手な願望の持つ大切さをよく認識し、とくに多くの可能性を秘めた年若い人達に、よく語り、そしてそれを形成しやすい風土をつくるべく、もっと意識的であった方がよい。人類は、手近な願いだけで生きるのは多分まだまだ早い。為さなければならないことが地球上そして宇宙にたくさん残っていて、ひっそりと英知と勇気を待っている。行かねばならない。次に続けるために……。

40 ボストンコモン

大人達の拍手と声援に合わせて、子らは遊びを中断して立ち上がり、両手を挙げ、足を踏み、踊り回る。演者の話が高潮し群集がどよめくたびに、何度でも繰り返す。

ニューイングランド地方では、州をコモンウェルス（共有財産）、公園をコモン（共有地）

と美しく呼ぶ。有名なボストンコモンは、イギリスを逃れた清教徒達がマサチューセッツに入植して、アメリカを築き始めた初期の１６３４年に定めた伝統ある広大な一画。隣接の庭園、通りと合わせ、いつも樹木、芝生、水が落ち着きを与え、小鳥、リス、花が心を和ませる。そこは、歴代大統領達も弁じた劇場でもある。その日は「南アフリカに自由と正義を！」の声がこだまし、まだ意味が分からぬ可愛い子供達も、全身で唱和している。ふと小四の甥を思い出しました。

幼稚園のころ、泣き虫の子をかばって小さな体で立ち向かっていた。昨年の運動会では「先生もヤッくんもちょっと僕が速かったと言ったけど、結局一位を譲ったんだ。練習の時だってヤッくんが速かったんだからいいんだ」とすまし顔だった。また二年前のある日、抱かれて絵本を読んでもらうなど可愛がられた下の甥が突然本を置いて「やさしいお爺ちゃんだった！」と素頓狂に叫び、彼も「ああ、いろいろ遊んでくれたしなぁ」と応じる。私が、昔は結構こわく、小五の習字の時間に代講で校長の父が来て、まず私の頭をぶってから、いたずらっ子を叱りに行ったこと、げんこつは痛かったことなどの思い出を話した。それに対し「たとえ下手だったとしても、悪いことをしないのに殴るなんてお爺ちゃんが悪い」と、どう説明しても取り合わないで怒った。

もっとも、私もあの日の晩ご飯で無言のうちにもおかずを取ってくれるなど、滅多にないやさしい目をしていた姿と共に、その事の意味、その他にも多くの事柄を教えてくれていたことが分かり始めたのは、父の死後それも最近のことで、無理もない。

その純粋な心の甥に、先日の国際電話で、お婆ちゃんが良い子に育ったと喜んでいたよと言うと「でも……。お母さんは見方が違うんだ」と嘆く。全く邪気のない素心に少し蔭りが生じ始めた。

黒と青の違いはあっても、子らの瞳はみな透き通るほど澄んでいる。そして、楽しく夢見て輝いている。悲しいくらい清らかで、歓びが湛えられている。その瞳に、人間社会の様々の営みや業は、どのように映ってゆくのだろうか。

人間社会。本来は、その構成員は、何人といえども自分達の社会の現在と未来に悪影響を及ぼす一切の行為を避け、理想の実現へ向けて理性的に働かなければならないとする、大約束が根底にあってこそ成り立つ。法律はその一部を具体的に表したもので、道徳はその一部の指標といえるでしょう。現在この大約束を最も厳しく考え忠実たらんと努力しているのは、建国の理念が今に脈打つアメリカかもしれません。正義・公平を守るためにはおとり捜査も必要とし、他国への抗議行動も辞さない。裁判はしばしば、法の条文を窮屈に解釈するよりは人間社会の理想に照らして決着をつける。

しかし、残念ながら、一般にはこの大約束は、きわめて頼りなげです。時には、それの背後へ回って利を得んとする人々も少なからず。そのような現実は、子らの瞳を大人達の色褪せまた濁りを含んだ目へ急速に変える。出来れば見て欲しくないのですが、見ても強く対処し、決して負けないで欲しいと願います。

コモンは大約束の姿。民主主義の響き。理想社会への道標。人のぬくもりの場所。いや何よりも、人の子らの澄んだ瞳が向かうべき、またその鑑賞に耐えられる、美しい明日を表した芸術作品のおもむきがある。

【「玉川通信」談話コーナー（1983年5月〜1986年8月）】

二、大学図書館にて

1 遊園発学園行悠久号

キャンパスに嬌声、蛮声、その他いろいろ響くとしても、学園は決して遊園ではない。それが証拠に図書館がある。しかし、それをよく見ずして、真実の楽しさや面白さを人はどうして発見できようか。タイムスリップを楽しみながら覗いてみよう。

1 草木も眠る

丑三つ時の閲覧室はいつも面白い。ニュートン、紫式部、ボーヴォワール、ソクラテス、マルクス、徳川家康等々の諸賢が毎夜白熱の議論を重ねている。テーマは「人類の将来のために我等いかに生くべきか」。

普段あまり忙しくない者また長老ほど、雄弁にその独特の世界観を語る。カント議長が再三にわたり発言時間厳守や不規則発言を注意しても効果がない。百家争鳴。会議は踊り、小田原評定。

夜が白み始める頃、ゲーテが「もう光が」と隣のベートーベンに話しかけ窓を見やる。ニーチェが珍しく優等生的に、しかも吐き棄てるように「生きている人間を欲する者と共にあらねばならぬ。我々は完全に死のう」と。彼方から「左様。必ず訪ね来る者ある。楽しかろうぞ」と孔子が応じる。

途端、遠くから声帯の疲れた一番鶏のケッコーと叫ぶ声。それを合図に一斉に全員が居場所へ戻った。ややあって「これでよいのか悪いのか……」とシェークスピアが呟いたが、もはや誰も応えない。始業のざわめきが来るまで、今朝も束の間の平穏が返る。

2 先進そして一流ほど

雰囲気は明るく、活動は能動的で、日夜賑わっているものだ。今から思うと昔のわが国の大学は一般に、先進図書館を持っていなかったと言えるだろう。

しかし、そこに巣喰う人達は面白かった。館長はその道の大家。そのうえ理工系出身であっても、ルソーだろうと『十八史略』だろうと何でも知っている学識豊かな、大抵は老教授。大学の最高善として尊敬され権威を持って君臨し、学長の最もよい補佐役として存在する。

時おり学内で生じた葛藤に対して求められる見解。さすがのうるさ型教授連も唸らざるを得ない。たまに当を得ていないことがあっても、語らせると「そもそも……」で始まり、延々と続くことを知っているし、聖なる学問・良識の象徴をいかなる場合も侵さないという不文律のため、黙ることになっている。かくて大学は安泰・平穏を保つことができた。

職員・司書連。どういうわけか、たいてい不景気で不健康な顔。全身にこの世の不幸を一身に負ったごとき苦悩と孤独の影を宿していた。彼は学生が書を借り出しに行くと、提示した身分証明書と交互に顔を睨みつける。本当に学生か、お前でも本を読むのか、どこか破り取る気だろうと疑り深い。

鑑識が済むと、やおら書庫へ行って、分厚く重く、そして埃っぽい書を持って来てくれる。学生は、手続きがかかるだけ、その書に入魂しなければならなかった。今は様変わりである。

3 一人ぽつんと

読書する少女の姿は絵になる。高校生の頃からの個人的好みを言えば、ミニスカートやマニキュアをしていなくても、よく梳かれたセミロングの緑の黒髪から白い横顔が垣間見られるほどが、もっとも胸がときめく。黒髪がなぜ緑かと疑う読者が居るなら、そんな美しい姿に出会えない自分の人生にこそ懐疑的であるべきだろう。

そんなとき間違っても「彼女、さぁ、お茶しない?」などと、軽薄気味の大脳や短小気味の舌を動かして寄って行ってはいけない。少しだけ近寄って、しかし距離をおいた席で、こちらも静かに読む。至福の時が来るだろう。

稀に教授にも遇う。その場は目礼だけでも、真摯な姿はそれだけで感激させる。人々は書に親しむ者の凛々しさと頼もしさに感動的になる。ついでだが、図書館で得た友人は、浜辺やゲレンデと違い永続するようだ。

4 海賊は

先進諸国に学ぶことが多かった時代に、わが国の学問や技術の水準にかなり貢献した。外国の出版物をそのままコピーして通信販売の闇ルートでかなり安価に流されてくる。海賊版の連絡先は、翌年には途絶えてしまう。その行為は、著作権や版権を侵害するもので勧められないが、貧しく知識に飢え喝く研究者・学徒にとって、まさしく義賊だった筈だ。

高度経済成長期から、棚にいろいろの書籍が実に多く並ぶ。そして開架式が採り入れられる。「文明開化」の香りがした。本を直接手にとり探す楽しみを持てるようになり、勉強の効率もぐんと増した。

天井から床まで蔵書がいっぱいになっている書庫。独りで梯子を昇降して調べるのも充実感があって、しかも専門家気取りも出来て気分は上々。

古い本が、薄暗くやや蒸し暑い中で、一種異様な臭いを発しているのも悪くない。どうも酸性紙の風化の臭いと温度らしいが、あれを嗅ぐと不思議に便意を催すという人が案外いる。気分爽快にして学べという思し召しだろうか。やがて空調が完璧になる。しかしそれを惜しむ人もきっと出るだろう。

今の金持ちの学生は、本当は可哀想なのかもしれない。かつての筆者の学生時代。「お金がないので買えない本」「お金があれば買いたい本」のリストを作っていた。しかしラーメンライスの御馳走を耐えても、ウォントとニーズを満足させられないほど、出版は乏しく特に専門書は高価だった。

今はあらゆる種類の書物が氾濫し、内容が立派なものも比較的安く入手でき、何不自由ない。仮に買えなくても図書館に備えられていて、比較的気軽に読める。幸せな時代だ。不幸なのは、その幸運を上手に自らの側に引き寄せることができない人々が増えていることだろうか。

5 思索の小径

雑事を流す水、道を問う森等々もあるのが、よい学園だろう。それに、ひときわ落ち着いた一隅に佇立する図書館。その場で、全大学人が有史以前からの人類の英知の蓄積に身を没し自己を確かめる。

風格と落ち着きある建物。古色蒼然として窓に葛などが見えると最高だ。もちろん館内は、先人の言がよく聴けるように静寂が、そして業がよく観えるように透明が、まず保証されなければならない。精神の高揚をはかり、余人を交えず独りで先人と対峙する神聖な場に、一切の華美は不要だ。

人々も物心両面でもっと豊かでありたい。蔵書を汚したり、破いたり線を引いたり、書き込んだり、持ち出したりする不心得は完全にない。またグループ学習や友達との駄弁で周囲を煩わせてはいけない。清潔、整理、静寂のルールが自主的に守られる時、書を手にするのに関門や手続きは一切不要となるに違いない。その時は「真の文明開花」だろう。

万一規律に違背する時は、出入差止め。それはつまるところ学問の府の徒とは認められないことで、限りない不名誉。自ら学園を去らねばならない。管理者が信を持ってして、利用者が信で応える。「民主主義」の理想だろうか。不自由を知っているので、一層かくありたいものだと思う。いや私達は、必ずそれが出来るだろう。

6 勉学なんて

そんな程度のもの……。「遊んでいたいけど、出来たとき嬉しいし、お母さんが喜ぶから」と小六の甥が塾で頑張る。今回模試の成績が良かった小四の弟の方が電話で、「誉められて嬉しい。お母さん、お兄ちゃんが誘ってくれて、一緒にお祝いしようとレストランへ行った。だけど結局、僕のお小遣いを3200円も使わせたんだよ」と嘆く。たまに良い点をとるからだ、今度ロッテリアでファミリーセットを丸ごと食べさせてあげると慰めた。

かくのごとく、勉強に目前の利益はない。将来にしても直接役立つかどうか分からない。それどころか現実に遊ばれず損失や痛みさえ伴う。それは学問が本来、卑近な目標のためよりも、無目的に究めようと単純に情熱を燃やすべき対象であるからだろう。

恋の至極は忍ぶるにありと人は言う。遊興の楽しさも、幾分それを忍んで学を進めた後が最高かもしれない。それに、青春の貴重な一刻を割けばこそ、先人の英知は効果的にわがものに変わり、時にはそれ自体が楽しくなる。また志を失わない充実の人生は、書との触れ合いがその始まりで終わりでもあるらしいと、この頃少し哀しく分かるようになってきた。

＊＊＊

混濁・喧噪・錯乱の場を離れ、しばし図書館の静寂の中に身を置く。そして書の中を散策し、今昔の群像に触れ、自己を識別し、果てはきっと空想したりする。この良さを上手に知っている人の美しさは、人工の及ぶものではない。

【『玉川大学図書館報』No.13（1987）】

2 野生鎮魂未来帰還号

キャンパスに華やかな看板、声高のイベント、楽しい食堂、談話コーナー、便利な売店、その他いろいろ見えたとしても、学園は決して劇場ではない。それが証拠に図書館がある。しかし、それをよく見ずして、過ぎ越した、現実の、そして未来の美しい景色を、人はどうして脳裏に納められようか。

1 古人は

四季を色で表し、人生を四季にたとえた。青（緑）、赤、白、黒の移ろいで、青春、朱夏、白秋、それに玄冬となる。春には生命が萌え出で青葉が輝き花も咲く、夏には実がつき情熱的に赤く燃え立ち育つ、秋には天地人の恵みを糧に果実がたわわに実る、冬には次世代のために枯れ葉を散らして身を滅ぼし土の養分とし、種を殻の中で温める。

古今東西の識者は語る。青春には、身体とともに精神の成長速度も大きく、最も効率よく知識技能を吸収できると言う。筆者も体験からしみじみそう思う。かつては学生にも負けないものもあった運動能力の劣化を自覚したのは白秋か。次いで、明るい灯火の下でないと辞書などの細かな文字が見えなくなり、細かな道具を精確に扱えなくなった。最も情けなかったのは数年前、講義中に教卓にあるテキスト――それも自著――の添え字が見えないことに気づいた時。自分の著作の改訂・校正作業で、なぜ天眼鏡を当てなければならないのか腹立たしい。知人たちは、やっとお前も来たかと嬉しそうに慰めるが、玄冬はやっぱり寒い。

生きてきた長さ分の知識量で誤魔化しているけれど、きっと脳の働きも低下しているに違いない。この頃、もの覚えも悪くなった――愉快なことを除く――のは、その証拠だろう。

手あたり次第だったけれど、学生時代の読書はいつも想像の輪が遠くまで広がり、機会があれば試してみよう・そこへ行ってみようと、幾つもの夢が生まれた。渇いた喉に清水が入り、吸収効率がよかった。今は読むのに、拡大鏡、隔離空間、根気とか、それなりに覚悟と手続きがいる。読書でも、格言「鉄は熱いうちに打て」が正しかった。

2 学士力とは

伝統的日本語にない言葉だし、学士はある分野の高度学術を修めたものに対して与えられる称号だ。それに「……ができる能力」と続けるのは、明らかに屋上屋を重ねている。そもそも材料力学や塑性力学では、力の概念は明確に定義されていて、それを専門とする筆者には安易に使えない語だ。

国民教育の大綱を審議する文科省の諮問機関・中央教育審議会（大学分科会）の提言「学士

課程教育の再構築に向けて」（二〇〇七年九月）の中で、学士課程学生の学習成果の指針「学士力（仮称）」として使われた。

気に入らない用法だが、このところ高等教育修了生（大学卒業生）のレベルが低下したことを憂いて、学士が備えるべき能力という意味で出された指針だ。もちろん、学士（工学）にも当てはまる。次のような内容。

(ア) 知識・理解（専攻する特定の学問分野における基本的な知識を体系的に理解するとともに、その知識体系の意味と自己の存在を歴史・社会・自然と関連づけて理解する）

①多文化・異文化に関する知識の理解

②人類の文化、社会と自然に関する知識の理解

(イ) 汎用的技能（知的活動でも職業生活や社会生活でも必要な技能）

①コミュニケーション・スキル（日本語と特定の外国語を用いて、読み、書き、聞き、話すことができる）

②数量的スキル（自然や社会的事象について、シンボルを活用して分析し、理解し、表現することができる）

③情報リテラシー（多様な情報を適正に判断し、効果的に活用することができる）

④論理的思考力（情報や知識を複眼的、論理的に分析し、表現できる）

⑤問題解決力（問題を発見し、解決に必要な情報を収集・分析・整理し、その問題を確実に解決できる）

(ウ)　態度・志向性

①自己管理力（自らを律して行動できる）

②チームワーク、リーダーシップ（他者と協調・協働して行動できる。また、他者に方向性を示し、目標の実現のために動員できる）

③倫理観（自己の良心と社会の規範やルールに従って行動できる）

④市民としての責任感（社会の一員としての意識を持ち義務と権利を適正に行使しつつ、社会の発展のために積極的に関与できる）

⑤生涯学習力（卒業後も自律・自立して学習できる）

(エ)　統合的な学習経験と創造的思考力（これまでに獲得した知識・技能・態度等を総合的に活用し、自らが立てた新たな課題にそれらを適用し、その課題を解決する能力）

3　一読すると

至極もっともな項目ばかり。大学全入時代に、少し気張りすぎのきらいがあるが、高等教育を修めたものは皆、諸々の分野で働ける必要十分な能力を身につけてほしい、世界の学士に伍した実力を備えてほしいとの期待だから、誰も異議を差し挟むことはできない。

しかし、すべてを授業時間内だけで獲得するのは不可能だろう。授業では、学術的知識・文化的技芸を高めるための基礎的素養・姿勢を身につけるのを基本とする。高等教育は、学生が将来どの道かへ向かう時に必要な、現時点で最も過ちの少ないと考えられている科学的思考法を伝授する場。時代の先端を語るものではないし、未来を予測するものでもない。

ゆえに、授業を超えてさらに向上したい学生は自ら、すこしでも早く、すこしでも多く、キャンパスの図書館を見たほうがよい。それは、遊園にも劇場にもない、「大学の象徴」施設だ。そこでは、多くの歴史に輝く人たちの足跡に触れられる。筆者は、生まれつきの天才よりも、むしろ人間らしい苦労を経た親しみやすい偉人に出会い勇気をもらった。

不運悲運を克服したヘレン・ケラー、好きな数学以外は落第ばかりの変人で相対性原理のアインシュタイン、生活保護世帯の虚弱児で独学のノーベル、小学校で頭が空っぽといわれて落ちこぼれてしまった無学歴の天才発明家エジソン、実は高校の物理の成績が不出来だったニュートンなど、おなじみの人たちをはじめ多くの偉大な人々が微笑みを浮かべて待っている。

4 誠実・明朗・勤勉

これは古めかしい処世訓のようにも映る。さまざまに解釈できるだろうが、とりあえず、誠実は自他に偽らないこと、明朗は不快を与えないこと、勤勉は安易に時間を費やさないこと、としてよいだろう。技術者育成の基本的目標であり姿勢。技術者だけでなく人格の普遍的基本要素でもある。

しかし、とくに若人には、実生活で守るのは極めて難しい。昨今あまりに誘惑が多いからで、それに打ち勝てる強さで裏打ちしなければ達成できない。精神的に強くなるには、低俗性をその中に微塵も持たないだろう図書館に入ること。如何に生きるべきか、何を学ぶべきかなどについて、先人たちの知恵の蓄積（失敗も成功も）がある。やがて、「右の頬を打たれたら左の頬を出せ」に匹敵するような強さを迫る、すごいモットーだと気付く。

5 カラオケボックス

今は、気の合った数人が青春の歌声を響かせる狭い空間だ。これが流行するずっと前、やはり若者たちは誰彼となく歌いに集った。一杯のコーヒーよりも、知らないもの同士が肩を組んでロシア民謡の『カチューシャ』などを歌うことが嬉しかった。伴奏はなく、せいぜいハモニカだ。誰かの音頭で手拍子を取り、5㎝×8㎝くらいの小冊子の歌詞を見て合唱し、触れ合った。

学生寮では、多数が車座になって蛮声を張り上げていた。コンプライアンスも今ほどうるさくなく、大学生は何事にも大人扱いされた。一年生から四年生まで一緒に集って、共に笑い泣いた。先輩は後輩に、教官の扱い、単位の取り方、遊び方、酒の飲み方、若い娘への声のかけ方、など人生を伝授した。必ずしも正鵠を得ていなくても、他に情報もないので、皆がそれに目を輝かし、耳をそばだて、疑うことはしなかった。

貧しく腹を空かせていたので、田舎出身の学生は、ある者は米を、ある者は芋を、ある者は野菜などを実家に送らせて、待ちかねた恩恵を皆で煮焼きして食べた。

知人には、北海道、東北、九州など地方から片道切符だけで悲壮な決意で上京し、何とか学費を工面（奨学金や土木アルバイト）して学んだ苦学生が多い。長男でないので家業も継げないので、戻れない。多くの若者は、中学だけで、運のよいものでも高校へ行かせてもらえただけで、親に感謝し、都会の企業に集団就職し工員・女工になった時代だった。本は、一種のぜいたく品で、容易に買えないので、手拍子で歌声（蛮声）を張り上げるのが、最も安価な楽しみだった。

ちなみに当時、機械や金属の専門の便覧は、一カ月の生活費や国立大の学費半期分とほぼ同じ。専門書は、家庭教師の謝金一カ月分くらい。需要と供給の関係で書籍は高かった。筆者もアルバイトをし、食費を切り詰めるなど必死の思いで、四年かけて理化学辞典、金属便覧、数表などを買いそろえ、これで専門技術者になれそうだと嬉しく誇らしかった。

皆、それだけ書物に対する愛着は深く、その内容を吸収せずにおくものかとの執念があったように思う。今は、裕福な世で他の情報媒体も多くなった分、愛着も熱中もない読者が多いと、本たちは嘆いているだろう。

6 デカンショ

「デカンショで半年暮らす（ヨイヨイ）、あとの半年ゃ寝て暮らす（ヨーイ　ヨーイ　デッカンショ！）」

その調子が、飢えていながらも、ほとばしり出る若さの勢いを発散させた。節は篠山市のものが正統らしいが、旧制高校から引き継いだ学生歌の一つ。囃子は、西洋哲学の巨人、デカルト・カント・ショーペンハウエルを重ねて略したとの説もあるが、定かでない。

その何番かに、面白い歌詞があり一層受けた。

「先生、先生とぉ威張るな、先生（ヨイヨイ）、先生、生徒のぉなれの果て（ヨーイ　ヨーイデッカンショイ）」。単位を落とした学生でも作ったのか。替え歌には才のある学生が多かった。

確かに、先生は生徒のなれの果てにもなる。教授たちは、常に知識経験に乏しい若者に講じる。よほど意志が強くない限り、つい偉いと錯覚し勉強を怠り、愚図になる危険がいっぱいだ。

とはいえ、立派な人が多く、時に、近くに住む教授は食い物などを持ってきてくれて、車座に加わった。楽しげに一緒に手拍子をとり、声を張り上げるのだから世話はない。それ故に、生意気な学生たちにいっそう敬愛された。

7 リーダーとボス

上に立つ人にはこの二通りある。組織の長は、必ずしもリーダーの必要はなくボスであってもおかしくない。リーダーは人に向かうべき道を示す先導者で、ボスは人を束ねる組長。たぶん前者になるには、人間に恵まれた意識を強く持ち学ぶことが必要だろう。後者になるには、猿山のボスのように、動物的本能の並み外れた強さが必要だろう。国家機構の三権でいえば、司法府の最高裁判所長官や立法府の国会議長はリーダー性が問われる。大学の学長や牧師などもそうだろう。これに対して、行政府の長・首相はボス性が必要だろう。世界を冷徹に見据えて国を思い権謀術数をもって戦略し、現実主義で戦術を確かめ行動しなければならない。もちろん、どちらももう一方の性をほどほどに備えなければならない。

政治家は公人だから、人々にいつも注視されるのは当然だ。まして首相は、わが国にあっては政治家中の政治家で、国の権力が最も顕著に表れやすい行政の長。誤読・誤用は直ちに新聞に出る。就任間もない答弁で誤読を連発するのは、重責をわきまえない不注意だろう。「……談話を踏襲《ふしゅう》する」、「株式の前場《まえば》……」、「未曾有《みぞゆう》の災害」、「往来が頻繁《はんざつ》に」などと読み間違えた。また、「景気が低迷《ていまい》している」と言って、あわてて訂正した。正月には、書き初めの落款や年賀状に、平成廿一年とすべきところを廿十一年と記してあきれられた。

日頃、若者に受けるためか、マンガ好きと公言していたから、「漫画ばかり読んでいるとあのようになる」と、飢えたマスコミの格好の餌食になり、支持率低下の一因になった。立派なことを数多く話しても、皆が尊敬の念を失うようなミスを連発してはいけない。

そういえば昔、大学受験に失敗しても平然としていて親を怒らせた甥が「おじちゃんよ、マンガ世界史だけではやっぱり大学受験は受からないことが分かったぜ」には笑ったものだった。彼は一浪して、有名大学の商学部に合格した。「漫画をまだ読みたくてまた小学か」とからかったら本気で否定した。

実は、それ以前だって、多かれ少なかれ政治家の発言ミスはあった。「……の意図《いず》で」と読んだ首相もいれば、「このIT《いっと》は何か」と側近に尋ね、情報技術だと教えられてことなきを得た首相もいた。だが今回の悲劇は、前任の二人の自民党首相が途中で政権を投げ出し、不況、金融危機、年金問題など国民が夢を持つどころか、不平不安不満で怒りの真っ只中、笑って許せる状況にないことだった。

時間がなかったか習慣がなかったか知らないが、基本的に日本語の読み書きに必要な読書の量が足りなかったのだろう。庶民の願いは、できれば政治は最高の哲学を表現し、首相は最高の権威であってほしい……なのに。

8 本屋になりたい

戦後の貧しい時代に子供だった筆者の夢。夏は仲間と冒険好き悪ガキを実践しても、冬は吹雪いて数日間家に蟄居せざるを得ないことがしばしば。家にあった漫画や絵物語、時代小説を全部眺め、やっと買ってもらえた雑誌『少年』を友達の『少年クラブ』と貸し借りした。本は、少年少女たちのめくるめく夢の詰まった宝物だった。

父の書棚の世界文学全集の小さい漢字の多い文章を拾い読みした。ほとんど意味が分からなかったが、子供なりに想像をたくましくした。『鉄仮面』や『レ・ミゼラブル』はなんとなく面白く、『緋文字』は皆目分からなかった。だがどれもよかった。

現在のように、テレビやパソコンなどなかったので、本に触れることしか楽しみがなく、活字に飢えていた。本がたくさんあって、好きなだけタダで読めるだろうから本屋さんになりたかった（何という愚かさだろう）。

いま市町村などが運営する図書館は嘆いている。とくに貸出本たちが悲しみに沈んでいる。鍋敷き、お茶・水ぬれ、ひっかき傷の跡、落書き・傍線・クロスワードや数独の書き込み、チョコレート屑・髪の毛つきもザラ。陳列棚でも窃盗、切り取りなどで油断できないという。

いつの時代にも不心得者はいるが、その割合が多くなったらしい。躾や公徳心は子供の時代に備えるものだが、意外に成人の方がマナーを守らないという。物質的繁栄の一方で、人々の精神が荒廃したのか。こんな情けない状況は、大学の図書館では断じてあってはならない。

愛書家でなくとも、本は大事に接したい。めくるときは紙端を親指でやさしく繰る。それで読書にも集中しやすいはずだ。つばをつけてしゃくりあげる、開いたまま伏せるなどもっての外。刹那的楽しみのものを除けば、本は感謝しつつ最初の姿のまま残した方がよい。よい知識が、確実に身についた自分を発見できる。

9 テーブルマナー

ちゃぶ台（テーブル）を囲む伝統的日本の食事は、家長以下定められた位置に皆が正座して「いただきます」で始まり「ごちそうさまでした」の唱和で終わる。行儀にうるさかったので、その間、みな黙々と箸を口に運ぶ。それでも、個食ではないから、わが国が得意とする伝達形式「以心伝心」で、互いの思いは伝わっていた。そんな風景は、現代日本からほぼ完全に消えた。

欧米では古来、家庭であれ職場会食であれ、食事の機会は基本的に、マナーと交流が求められる社交場。椅子に座り、なるべく同じテーブルの人に共通する様々のことを上品に話しつつ、笑いを交えて愉快に食べる。

欧米に留学した日本人教授が最初に戸惑うのは、何を談笑しているのか分からないこと。中学から習って一応英文を読み書きでき、テープで英会話を勉強してきても、実際の場では聴き取れない。それなのに突然「……どう思う」、「……日本はどうなっている」などと振られるので、恐怖で味など分からない。ついには自信を喪失して研究室に引きこもりパンをかじりがちになる。

筆者の場合には、知人の教授が常に誘ってくれたので、めげずに参加し、三カ月ほどたって、様々の興味深い話が耳に入るようになった。そうなればしめたもの。grass（草）とglass（眼鏡）が一緒に話題になることもないから、微妙な発音を気にかけることもないし、中学程度の単語を並べるだけだが意思も伝えられ、面白おかしく交流できる。ステーキもサラダもビールも美味しくなった。

彼らに悪気はなく、みんなで楽しく食事しましょうとの親切心から話しかけてくる。座興の共同演出だから、「沈黙は金」というわけにはいかない。また、専門学術の成果を開陳する場でもない。

ものを言うのは、様々の知識を咀嚼して、考えを伝える能力、格好よく言えば幅広い教養。その時の雰囲気に合わせて何かしゃべる種を持っていることが大切。

神道と宗教、免罪符、天皇と政体、日本国憲法、漢字とかな、俳句と和歌、『枕草子』、産業構造、相撲と野球、座椅子式とウエスタンスタイル（便所）、歌舞伎とバレエ、能力の性差、人種差別、女子大生亡国論、『荒野の決闘』、鎖国と黒船、自衛隊と軍隊、騎士と武士、コロンブス、『government of the people, by the people, for the people』、奴隷解放、ナチズム・真珠湾・原爆、共産主義と自由主義、ダビンチ、コペルニクス的転回、魔女狩り、アンシャンレジーム、『To Be or Not To be, That Is Question』……など。

ほどほどの知識で冗談を交えて会話できたときに、専門分野でも信頼できる教養ある技術科学者として、また心を許せる面白い友人として、新たな場に誘われるようになる。

このような雑学的知識は、授業科目内で教わるものではない。単位とは無関係に、余暇に心の赴くまま乱読し、想像力を働かせて、それなりに解釈し、ふだんは頭脳の奥底に沈めておくべきこと。

単位を取るための勉強だけに書を見ようとするのは志が低い。自分を見つめ自己を確かめに行き、何がいつどこで役立つか分からないものをぼんやり吸収する。その不確実のよさもまた図書館にある。筆者は、単に読書好きだっただけだが、人生には何が役立つか分からない。

⑩ 幽霊

いまでも怖い。なじみのご住職が「死んだ人は怖くない、生きている人の方が怖い」と語るけれど、幽霊になって出てきたらやっぱり嫌。子供のとき、夜、離れた廊下を伝って一人で便所に行くのは決死の思いだった。ろくろ首や一つ目小僧、幽霊に出くわすのは嫌だから、限界まで小用を我慢した。寺の裏の墓場は昼間も怖かった。

それなのに、筆者が大学生になった頃に、児童たちがこれを恐れないので、びっくりすると同時に尊敬した。厳密にはお化けと幽霊は違うかもしれないけれど、テレビやコミック誌の漫画『おばけのQ太郎』、『ゲゲゲの鬼太郎』などに親しんだ効果だった。

大学四年のとき図書館で見た幽霊は、長く心から離れず、その後の筆者の人生を変えた。その時は、鋼の性質を勉強しなければならなかった。図書係の人が書庫から取り出して見せてくれた貴重な本は、アメリカの *Metals Handbook* のたしか第V巻。日本語のよい出版がなかったので、仕方なく辞書を片手に熱処理のことを調べているうち、ある行に幽霊が付いていたので本当にびっくりした。「……高炭素鋼部品は高周波表面焼入れをすると、顕微鏡組織変化なしに硬化する。Ghost Structure（幽霊組織）による……」とある。科学の世界でも幽霊の存在を認めるのかとおかしく、内容自体が不可思議なので「いつかやってみること」としてアイデア帳にメモした。

それから約十年の時を経て、高周波加熱装置を備えた研究室（東大生産技術研究所）で比較的自由に実験できるチャンスが来た。「それなら組織変化しえない極低炭素鋼だって焼入れ硬化するはずだ」と、無邪気に試みる。

何と本当に焼入れ硬化したのだ。これは嬉しかった。初め「幽霊組織?」などと半信半疑だった恩師たちに褒められ、強力な支持をもらい、専門の国際会議の発表で「信じられない」

と驚かれ、博士論文の中核を形成できた。

11 課題リポート

僕たちはいつも真剣にやるけど教授は本当に見ているものか……と、ひそかに聞いてきたのは、一昔前に著名大学で経済学を専攻していた甥だ。どうやら、どうせ適当にしか見ないなら手抜きする……との魂胆だ。「たくさんあるので、まず斜め読みをして出来具合で上中下に三分類する。上出来と思われるものは精読し、とくにみずみずしい感性で考えをまとめていれば、何か気の利いたコメントを返す」と、笑いをかみ殺して答えた。

自分で考えずに他を引き写して提出するリポート。学生と教師の化かし合いは、おそらく今日の大学の形ができた千年前に遡るだろう。近年は、図書館で書物をあさり要点メモを取らなくても、氾濫するネット情報（間違いも多い）を探して切り貼りすると、一応リポートの形になる。そういう器用さでは、今の学生はみんな優等生。

しかし、口頭試問しなくても、シニア教授には手抜き（頭脳抜き？）はすぐ分かる。いかんせん、ある部分だけが整いすぎる、日頃使えない言葉なのに誤字脱字がない、文体が途中で変化している、どこかで見た内容だ、確かあの著書の文章だ、講義で与えた指針と方向が違う……などの「重大な欠陥」を持っている。

かなり前だが、前期の途中で「僕は火曜サスペンス劇場も見ないで点検するのだから、リポートは内容の濃いものにせよ、せめて末尾に何か自分らしい感想を書け」と、出題時に煽ったことがある。提出リポートの傑作感想その一「先生、僕も火曜サスペンス大好きです、テーマ曲がいいですね」、その二「今はつゆ（梅雨）だに感想（乾燥）はない」。返し技で鮮やかに一本取られた。今は彼らもよいオジさんになり、時に共に昔を懐かしんでいる。

⑫ 夏休みどうするの？

大学三年の夏だったか、図書館でたまたま出会った新任の若い助手から声をかけられた。エリートらしからぬ柔和な人で、学生たちにはよい兄貴分。古い研究装置（X線回折）を解体し整備して使えるようにしたいので一緒にやらないかと誘う。独りでは気が乗らないらしい。帰省してぐずぐずするよりはと、話に乗った。

その夏は、充実した。昼間は実験室で装置をいじり（機能を回復した）、晩には宿舎にお邪魔して、ドイツ語の『科学技術入門』の小冊子を、辞書を片手に悪戦苦闘しながら二人で輪講した。小冊子は、何とか食いつけそうな平易な記述で、薄くて安価なものを図書館で見出し、書店経由で購入した。卒業後十年ほどたって、曲がりなりにも外国文献抄録づくりアルバイトや自分の博士論文のドイツ語要約ができたのは、このときの学習成果と経験からきた度胸による。

そういえば、くだんのお兄さん先生、信望厚い学科主任から「君は優秀で頑張り屋だし将来性がある、娘をもらってくれるといいが……」と言われたと、赤い顔をして、しかし、嬉しそうに告白された。尊敬する学者に声をかけられ、お褒めにあずかった。それだけで若い学徒は感激した頃、男女交際が今のように自由奔放に行われなかった遠い時代の話。

13 年の差もあったけれど

昔の教授、助教授は研究以外に興味がなく学術の権化、威厳があって近寄りがたかった。後ろに近付くのも畏れ多く、廊下で目を合わせようものなら射すくめられ、身体が硬直し縮んだ。そんな中で倫理学の教授は、折に触れて、その他のいろいろを教えてくれた。筆者も年を取ってから分かったのだが、教授は幼い学生が可愛い……。

ある日遊びに来いというので官舎に伺った。いつものように、にこやかに様々を話してくれて、夕方から五時間過ぎても終わらない。表面的な講義よりも、教授も偉人も、その裏側に優れた人間的教えがある。余談の醍醐味。古代ギリシャ思想では幾何学で有名なピタゴラス学派の音楽的宇宙調和論に夢を見、カントの杓子定規のような規律生活に驚嘆し、宗教と科学の相克を知り、ルターの宗教改革、ガリレオの「それでも地球は動いている」の呟きなどを知った。

たまりかねた奥方が、隣室から明らかに怒りを含んで、「お風呂が冷えてしまうわよ」と叫んでも止まらない。気が弱く、限りなく師を敬うことが身についている学徒としては、足のしびれもあり、座敷を立つに立てない。

面白い話は、それをきっかけにまた展開する。偉大な哲学者ソクラテスは悪法も法なりと毒杯をあおった理性の人だが、悪妻に悩まされたことでも史上に名を残した……などと、嬉しそうに語りを続ける。クレオパトラ、楊貴妃、傾城の美女、マリー・アントワネットなど、間断なく進み深更に至るのだった。

物理学の教授は、通常の講義では、相対性理論や不確定性原理などを一方的に説いた（試験は丸暗記でしのいだ）。量子力学で波動と粒子の両面性を「事物という相反概念を一語にした日本語がある」と、やっと分かった気分にさせてくれた。ある晩、何か余得があったのか、それとも奥さんを騙したのか、街へ飲みに行こうと言う。

こういうときは、明日のことなど思い煩わない。最大の尊敬の念を持って、二つ返事で従う。やがて着いた先は、まばゆい輝きのバー。えもいわれぬ美しい女性が嫣然と微笑んで迎えた。どうしていいのか分からないので、カウンターの片隅で貰ったハイボールをちびちび飲んでいる筆者に、「学生さんて、いいわねぇ夢があって」とか「お金がなくても、いつでもおいで」などと、天女は時に顔を向けてくれる。心が躍った。

それと、今も鮮やかに思い出すのは、その帰り道。教授がどこやらの暗がりで、突然立ち止まり「この一瞬が大事だ、間もなくできなくなる、一緒にやろう」と声をかける。そして、壁際に並んでした立ち小便は、心身爽快の極みであった。教授は、そこが建て掛けの交番だと知っていた……。

そんな翌日は、先生の好きな先人の業を見に図書館へ足を運んだ。だが、たいていは失望した。昔の日本の学術書は研究成果集だから、偉人たちのよく分からない業績は記されていても、エピソードを含む人間らしい活動は何も見いだせない。書店で探しても、無味乾燥な思想の紹介ばかりだった。それだけに、教授の飲食招待と研究余話は、心身とも渇いていた学生には砂漠の中のオアシスだった。

＊＊＊

大学図書館の大切な役割は、大きく情報供給源と思索空間の二つがある。前者は、不明なことに対して知識を確実にするために閲覧できる書物を集積すること。一般に学生は、この情報センター的機能を利用しつつ試験勉強やリポートづくりのため自習する。後者は、ものの見方・考え方を身につけ、今日を深く考え、明日を読み自己設定するために、余暇に独りで読書に没頭し考えをまとめる場を供給すること。分野を問わず、権威たちが吟味した、古人の名著が備えてあれば、大いに助かる。

筆者は、後者を好んだ。科学や工学だけでなく人文・社会の偉大な人の業をかじりつつ、我がレーゾンデートルを確かめようと、時に苦しい、また時には悲しい旅を取ろうとした。そして、幾つもの感動する光景や尊敬できる人々に出会えた。

現実に、図書館では、先人の英知の前に老若男女を問わず何人も謙虚になる。声をかけなくても時空を超えた友人になる。老教授でも新入学生に微笑みかけるのは、一緒に旅する友人になったからなのだと分かった。

青春には、悲喜の涙あり、世の矛盾に苦しみ、挫折と野望が交錯し、開けている未来に怖れを抱く。心身が柔軟で伸び盛りという証拠だろう。朱夏はとうに過ぎ、白秋もたぶん終わり、玄冬にある筆者は、それをうらやむ。そして、自らの可能性を信じるために、旅情豊かな時をたくさん取ってほしいと願う。

【『青塔』（日本工業大学図書館報）54（2009）】

三、学会誌巻頭言から

1　三国志とボランティア

新世紀あけましておめでとうございます。本会も、製造業の中核技術を支える学術・技術の専門集団としてほぼ四十年間大きな足跡を残し、今また世紀が求める新しい活動に邁進できることを皆様と慶びたく存じます。

二千元年になったといっても、単に時の刻みなのでしょうが、何となく新たな門出として祝いたくもなります。それに、いつもの正月気分も加えて、少しく誌面を汚すことをお許し下さい。

少年の頃、面白かった物語のひとつは『三国志』でした。たぶん吉川英治あたりの小説を物語に直したものだった。「志《し》」は志《こころざし》ではなく、史書または記録のことだということを知ったのはずっと後です。しかし、史実もおそらく数多く脚色されて、後世の権力者に都合よく、あるいは大衆に愛されるような物語になることも少なくない。筆者は歴史家でありませんので、ここでは真偽を深く検証・追求しないで話を進めることにします。

これは英雄と豪傑たちが知略と腕力をもって国を建て、国を賭して争う壮大なドラマ。その中で、蜀の誕生と登場人物の諸葛孔明に最も心を惹かれたものです。大抵は、作者の思い入れも大きく描かれています。

その頃、諸葛孔明ほど文武に傑出した人物が、英雄たち皆が狙った地位・国主（皇帝）の座に就かずに生涯を終えたのはなぜかと不思議でした。少しひねくれていたのかもしれません。

社会人になりたての頃、本屋で手にした書で「出師の表」を見るに及び、やや衝撃的に納得できた。出師は出兵、表は人民から天子に奉る文書（上奏文）のこと。つまり出陣に当たって皇帝に遺した手紙です。

関連年表を繰ります。およそ千八百年前、中国の後漢末期に遡る。倭の卑弥呼が魏に遣使した頃（２３９年）です。

１８１年　諸葛孔明。幼児期に父母を亡くし家族離散。叔父に育てられる。

１８４年　張角挙兵し黄巾の乱勃発。洪水、地震、旱魃のうえに宦官の専政、政治腐敗、軍閥混戦、地方豪族の台頭など濁流によって、後漢王朝は権威を失っている。宗教色の強い集団が、苛斂誅求で飢え疲弊した人民を糾合し革命を目指す。シンボルは黄色の頭巾。豪族たちは傭兵（義勇兵）として討伐に乗り出す。その中に若者を率いる劉備（漢皇室の一門、蜀の創立者）のほか曹操（魏の創立者）、孫権（呉の初代皇帝）、関羽なども居る。結局、革命軍は鎮圧される。これで力をつけた軍部や豪族の長が英雄・豪傑として、覇権を目指して戦いを始める。

201年　この頃、劉備は豪族間戦争で曹操に敗れ、劉表（漢皇室の正統）のもとに身を寄せて脾肉の嘆をかこつのみ、やがて周囲に疎んじられ居候もしにくくなる。

207年　劉備、漢皇室の再興を願い知略に優れた参謀の必要を痛感し、臥龍崗で晴耕雨読の諸葛亮（孔明）に「三顧の礼」をとり軍師就任を要請。「桃園の契り」で固く結ばれた義兄弟二人・関羽と張飛の豪傑を従えて、片田舎を訪れること三度目で求人活動成功。劉備47歳、孔明27歳。年齢を超えて尊敬と友情で深く結ばれた「忘年の交わり」が始まる。孔明、国際情勢を分析し「天下三分の計」を開陳。基盤がないので一気に天下統一するなどは無理なこと、まずは三つめの強国を造ろうと述べる。

208年　赤壁の戦い。長江で呉と連携し最大勢力・魏の曹操と対決し大勝。蜀の基礎を作る。この時「草船借箭の計」で敵の矢をせしめたり、「連環の計」で繋いだ船を火攻めしたり、「苦肉の計」で自身を苦しめて敵を欺いたりする。連環の計は、それ以前にも王朝内で美女を有力者で争わせて離間させた例がある。鎖の繋がりのように関連付けて、相手の動きを制限し敵を滅ぼす計略のようです。

220年　魏建国。太祖・曹操が数年前に魏王（武帝）を名乗り、息子・曹丕が漢の献帝を廃して建国（文帝）。

221年　劉備、漢室の皇統を継ぐとして蜀国を建てる（昭烈帝）。孔明を丞相に任命。丞相は今で言えば軍事・行政・立法・司法の四権を統括した大統領のようなものか。

222年　孫権（呉王）呉を建国。このあたりから三国時代が始まる。魏は北半部、呉は南東部、蜀は南西部を支配下に置いている。

223年　劉備、関羽の仇討ならず呉に大敗し失意のうちに白帝城で没す（63歳）。〝水魚の交わり〟をした孔明には、「漢朝による天下統一を……、支えるに足る人物なら息子の補佐を頼む。才能なくば君が取って代われ」と後事を託す。応えて孔明、「臣下の分を尽くし忠誠を捧げ死ぬまで尽力する」と約束。子息・劉禅（17歳、後主）には、「丞相を父と思い、ともに国事を見よ」と遺詔する。この後、無能なオーナーに代わって孔明は、国の経営に粉骨砕身。少数民族の首領を「七縦七擒」で協力者に変えるなどして南中を平定。

227年　孔明、漢中へ魏討伐に向かう。生涯のライバル魏の名将・司馬仲達と対峙。出陣に当たり孔明（47歳）が劉禅（20歳）に遺したのが「出師の表」です。原文は、誠心から皇帝と国を想う心情が皆の胸を打つ簡潔な名文。人は涙なくしてこれを読めぬといわれます。「先帝創業未だ半ばならずして、中道に崩殂す。今天下三分し、益州疲弊す。此れ誠に危急存亡の秋なり。然れども侍衛の臣、内に懈らず、忠志の士、身を外に忘るるは、蓋し先帝の殊遇を追いて、之を陛下に報いんと欲するなり……」で始まり、「……臣、恩を受け感激に勝えず、今当に遠く離るべし、表に臨みて涕零ち、言う所を知らず」で終わる。

大意は「先帝（劉備）は天下統一の道半ばで崩御された。今、天下は三分し、わが益州の国力は衰え危急存亡の時であります。しかし内にあっては文官たちが政務に励み、外にあっては武官たちが死を賭しています。これはひとえに先帝から受けた恩顧を陛下に返そうとしているのです。よって進言を良くお聞きになり、軽薄な言動で忠臣の諫言を退けてはいけません。

賞罰には不公平を排し、法を犯した者や忠義の行いの者あれば、それぞれの部署にて適当な賞罰を行わせ、陛下が厳正公平であり私情で法を曲げない存在たることを天下にお示し下さい。

先帝が抜擢し残された相談役K、H、Tたちは皆誠実で忠義の者です。宮廷のことはすべて彼らに諮り施行すれば間違いはなく公益を守れます。将軍Sは温和で軍事に通暁しています。先帝も認め皆から推されて近衛軍司令官に就きました。軍事のことは何事も彼に相談のうえ施行すれば、巧みに戦い和睦し良い結果を得ます。

前漢は賢臣を重用して興隆し、後漢は逆につまらぬ者を重用し賢臣を遠ざけて衰退しました。先帝は痛恨と嘆息しながらよく語られた。彼らは誠実で忠義の者です。信頼し重用すれば漢朝の興隆は疑いありません。

私は、ただの農夫で生涯を終えるはずが、先帝が三度までもあばら屋を訪ねご下問されました。これに感激し、軍師の大任を拝命、もう21年も経ちました。

先帝は、崩御に当たり私に天下平定を託しました。微力を尽くし、敵を討ち滅ぼし、中原を平定し漢皇室を再興します。それが陛下へ忠を尽くすことと考えます。恩を受けたこと感激に絶えません。いま出陣の時、この上奏文を前に、涙ばかりで言葉になりません」。

再び年表に戻ります。

２２８年　北伐の意図も空しく魏に敗退。〝空城の計〟で辛うじて仲達を欺き、ほうほうの体で逃げ帰る。責任を取り丞相を辞任（２階級降格）し、「泣いて馬謖を斬る」。馬謖は孔明の最愛の弟子（39歳）で、先帝の懸念も無視した孔明の抜擢人事による連隊長。才能にあふれ軍計の論客だが経験不足から諫めに従わず敗戦の因を作った。兄弟５人とも逸材で、兄・馬良は眉毛が白いことから「白眉」と呼ばれた。秀才の代名詞として今日に残る。孔明の処断に、人々はその心情を察し、ともに涙したといいます。魏の姜維（27歳、後に孔明の後継者）が帰順。同年秋、「後出師の表」を遺し、第二次北伐を決行。しかし敵城攻略に失敗。

２２９年　第三次北伐。司馬仲達率いる魏軍を破り２郡を略奪・丞相に復帰。

２３１年　第四次北伐勝利。

２３４年　嗚呼哀れ孔明、秋風五丈原に巨星となりて墜つ（第五次北伐、陣中で病没）。孔明は自らの死を伏せ、仲達の疑心暗鬼を利用し「死せる孔明仲達を走らす」で勝利。

２６３年　劉禅（後主）は全くの暗君。姜維のがんばりも空しく、宦官を信用し国政を腐敗させ、地方長官のポストを条件に、まともに戦いもせずあっさり魏に降る（蜀滅亡）。後日、側近が蜀の音楽を聴いて感傷的になり泣くのを見て笑ったほどの能天気。幼名・阿斗は後世、無能人間を意味。当人は84歳まで長生きした。

２６５年　魏帝退位、司馬炎（仲達の孫）が魏帝に退位を迫り晋を建国し帝位に就く（魏滅亡）。既に仲達がクーデターで軍政を敷き丞相に就いていた（２４９年）。

280年　晋天下統一（呉が降伏して滅亡）。ここに数十年の三国攻防史は終わりを告げます。

さて、諸葛孔明の生き方を見ます。彼は意外にも、青白きインテリではなく大男の偉丈夫らしい。食うか食われるかの国際情勢下で、智謀の限りを尽くして蜀国を建て外敵と争いつつ内政も見て国家経営に当たり、中原に駒を進めるも途中で挫折しました。普段は粗末な執務服で終日働く。人材不足ゆえに、軍・政務をとりながら武器を考案し経理や調達作業まで。あげく過労死します。

絶好のチャンスが幾度かあったのに、自ら覇者にとか、暗君を見限って他所でよい生活を……などという欲望はありません。もともと清流に属する人物で、俗世で清濁併せ呑む煩わしさを取るよりも、藁葺きの家を建てて住み、晴耕雨読の人生を好んだ。いまどきの就職試験で学生がこの姿勢だったら、意欲欠如、無気力をとがめられ不合格になるでしょう。清流は野にあって濁流に無言の抵抗をした人々。いわば勉強好きのフリーター集団です。

信頼に足る人物が自らを見込んでのたっての願いだから仕方なく立ち上がった。理念として、劉備のいう「天下統一と漢皇室再興」を立てた。その理念または目標の達成に向かって、彼はひたすら自らを追い込んで生きる。子孫に美田を残すなどの気もなく、死んだ時余財は全くなかった。息子は後に親の功績ゆえに引き立てられるが、それは彼の望んだところではない。

良心的でプラトニック。例えばその高位と弁舌ならば何とでもできただろうに、彼は大敗の責任をとり、片腕の指揮官を処刑し自らを降格したりする。悪法も法なりと毒盃をあおいだソクラテス的かもしれません。

権力よりも権威を、人治よりも法治を求めた。現世の世俗的評価の中よりも形而上に生きようと思った。必ずしも芳しくない戦績や同世代のライバル仲達などに比して血なまぐさくない行動は、彼の理念や人生の美学から来るものだったと見たい。それゆえ判官びいきもあって、世紀と国を超えて人々に愛される。

孔明は、いわば最高のボランティア精神の持ち主といえるでしょう。ボランティアは自由意志での志願や提供ですから、強制された勤労奉仕などではありません。また自らの名利や賞賛を得るためでなく、他人へ自己流を強制することもしない。時所場をよく認識し、各種のサービスを通して自己実現するために、良心に従い無償で手を汚し、汗をかく。そのような生涯を自己の理想とした……。

ことに専横・内紛・内乱などは累卵の危機で、敵に付け込まれ亡国に導く。後漢の衰退も、孔明が心血を注いだ蜀国がわずか二代で三国のうち最も早く滅んだのも、それに起因します。そして、名君や名宰相の存在が重要だと三国志は教えます。

今日、混沌と変革の時代です。国家間距離の急減と摩擦、富と人の不均衡、産業構造の激変、価値観の対立、地球規模の異変などが心を疲弊させる。学協会の役割と再編、技術者の資質と成長、工学のあり方なども問い直されている。

外界の激しい渦巻きの本質を鋭く読み、我らが集う学会がどのように対処し、新たな方向をどう取るか。読者の皆さん、楽しく世紀初夢を描こうではありませんか。

【『塑性と加工』42－480（2001）】

2 「もののあはれ」と「ものづくり」

科学技術の創造と工業の隆盛あればこそ、わが国は繁栄が続けられ世界に存在感を示すことができる。ものづくり基盤技術が、世界に最も誇れるものの一つでなければならない所以である。工業生産環境の厳しい昨今であれば改めて、ものづくり技術に携わる人々、ことに中小規模独立型企業の技術者に心から感謝し声援を送りたい。

①ものづくり基盤技術者の置かれた状況

自動車部品などの加工は、大企業の系列企業群または協力企業群が納品先企業と協働で遂行する。部品は、納品され製品に組み込まれる。主に大企業の組み立て業（製品販売業）とは違い、中小規模の部品納品企業の存在はその技術実態とともに、一般の人々のみならず製品の顧客にさえ馴染みが薄い。

同様に、鉄鋼などの素材製造工程で用いられる副資材や補助器具の供給などを主な役割とする協力企業の技術も多くの場合、地味で目立たず一般に社会認知度が低い。一子相伝的に伝承される漆器などの伝統工芸また高機能特殊機器の開発は多くの場合、小規模企業の経営者が持つ技術体験（高度専門要素技術）と未来市場への嗅覚を頼りに遂行される。これらの技術成果は斬新であるが職人芸の技術の研鑽過程や難易度など、実態は必ずしも知られてはいない。

中小規模企業のものづくり基盤技術環境は、研究組織の科学論文作りとはわけが違い、単なる賃加工をする大企業の子会社を除けば慌ただしい工夫・試作研究・技術改善・開発の連続である。一瞬たりとも気を抜けば直ちに廃業だから、その技術経営の課題は常に、いかに創造的に考え行動し、死の谷を越えてダーウィンの海を渡るか……に尽きる。決して豊かな環境とはいえない下で、際どく目標を達成し偉大な社会貢献をしている。遂行者たちは、この文明国で高い誇りを持ってよいだろう。

2 隠れた技術への声援

ことに部品供給をしている協力企業の技術およびそれを遂行する技術者の姿かたちは、一般社会に見えないのが普通である（親会社が技術を公開させせない例も数多い）。いわば「隠れた技術」である。技術者は、夢をかけ汗を流して努めた成果が人気製品の内側でひっそりと息づき、社会に役立っていることを確認するだけで十分な達成感や人生の充実感を持てるものなので、そのこと自体は、関連技術業に従事する人々にとって、さほど口惜しくはないだろう。

ただ、隠れた技術なるがゆえに、必ずしも社会的評価が高くなく困ることがある。たとえば一般に、苦労して達成した成果の割には処遇が低い、長時間の手を汚す労働が多い、後継技術者が集まりにくい、収益が限定されることが多い、「買っていただく立場」では発言力が小さくならざるを得ない……などの結果に繋がっている。

この隠れた技術を、工場見学会・展示会・映像メディア活用など一工夫して人々に知らしめ、ファンの重層化を図ることが大切である。また社会一般に報道されるような技術・技術者表彰の機会を増して、ものづくり技術に輝きを加えたい。ファン層の厚みは、社会的評価を上げ、技術志望者が増えることに繋がり、ものづくり基盤技術関係者を勇気づけ、いっそう意欲的取り組みをもたらすであろう。

3 わが国ものづくりの真の強み

ものづくりの研究開発と生産現場は今、かなり慌ただしくなっている。技術革新が激しく連日のように新しい製品が出てくる。製品寿命が月単位になっている例も珍しくない。

ものづくり技術に対する一つの評価尺度としてＱＣＦＤがある。今日、社会で高い評価の中小企業は一般に、これらのどれかまたは複数に優れている。高品質・性能（Quality）、原価低減・工程短縮・高効率生産・歩留改善（Cost）、多様な要求への対応・単純大量生産方式から変種変量方式（Flexibility）、ならびに迅速な開発・納期短縮・最適納品・ジャストインタイム方式（Delivery）である。

これを見事に実現できるのは、物事の合理を究めようとする情熱と独特の日本的心情（人々の温かさ・勤勉さ・和など）を技術者たちが持つからと言えよう。ことに、わが国固有の感性「もののあはれ」を知ればこそ、工場に所属する全員が協力して「愛する職場」を一層高めるために努め、演出し、世界に誇る不動のものづくり基盤を形成してきた。「もののあはれ」とは、本居宣長によれば「物の心、事の心を我が心で知り、それらの有り様（性質情状）に動かされるままに感じられる何か」である。定義はともかく、合理的精神や理性とは異質の、きわめて日本的心象である。

たとえば、外国人技術者の作った部品にバリ残りがあるとしても、日本人の手になるものでは仮に製品図あるいは指示書に具体的記載がなくとも、ヤスリがけなど手仕上げされてから納品されるはずである。また傍らに塵埃が目に付けば、日本人作業者は環境基準や上長指示を待たず、守備範囲外でも綺麗にするであろう。外国人であれば、自分は何と親切で賞賛に値する存在かと声高に触れ回るかもしれない。技術者資質で優劣があるということではなく、彼我で生い立ちあるいは心の持ち様が異なるのである。

このような心情は、日本固有の歴史・文化から発しており外国人には分かりにくい。たとえば、職場に働く人々が協調して自発的に行う小集団活動、品質改善活動、改善提案、5S活動（整理、整頓、清掃、清潔、躾の徹底）などの常時点検方式は、世界に類を見ないものである。このような改善の積み重ねが高度技術を生み、付加価値の高い製品や新たな技術開発に大きく寄与した。実はこの強みは世界的に認知され、かなり以前からKAIZEN（改善）の語が、世界の多くの工場で標語に用いられている。

外国人が学びたい姿勢を表現する日本語の別の例に、MOTTAINAI（勿体ない）がある。これも、「もののあはれ」の心情に通じている。茶碗についた一粒のごはんといえども、お百姓さんの仕事に思いを馳せながら丁寧に摘み口に運ぶという心情は、やはり日本人固有のものである。工場においてムリ・ムダ・ムラを排し、ZD（不良撲滅）、歩留り向上、合理的工程設計、生産性向上など、折々の改善運動に、抵抗なく反映されてきた。

すばらしい技術は「匠の技」と表現されることが多いが、事実を正確には伝えていない。伝統工芸などを除けば、わが国の現代ものづくり技術にそれ自体が引き継がれているわけではない。ほとんどは、前記の連綿と続いた日本人の心情（強いて言うなら匠の心）が、欧米先進技術の模倣を出発点として、毎日の様々の技術的発想（工夫）と改善活動の積み重ねで哀しく築かれたものである。

4 あとがき

科学技術の成果物は、必要なときに何処で用いられてもよい。ことに、わが国はその輸出を奨励することで、これまでのような豊かな未来も約束される。したがって、技術成果はグローバル化していなければならず、技術者は地球市民でなければならない。

とはいえ顧客が常に要求を明確に示してくれるとは限らないので、それを待って作るだけでは遅れをとることも多いだろう。むしろ内外広範囲に過去から未来を展望し、顧客の潜在欲求（未来市場）を察知し、これを形成して行くための備えを固める必要がある。すなわち、ものづくり基盤技術を持続的に革新することが大切で、それには日本人の心情が最も頼りになる。

英語でJapanは日本であるが、japanは漆器（漆を塗る）を意味する。世界で珍重される日本発の技術ゆえに、このように転じたものであろう。筆者は将来、ＫＡＩＺＥＮのほかにも様々の日本ものづくり技術用語が世界に広まること、またjapanの語がさらに転じて「優れたものづくり基盤技術（優れた技術を遂行する）」を意味するようになることを願っている。

【『自動車技術』技術の窓61－6（２００７）】

四、談話室　茶碗のごはん一粒

1 茶碗のごはん一粒

旧聞に属するが、2007年8月に、台北発那覇空港着陸の中華航空旅客機（ボーイング737−800型）が爆発・炎上した。幸いにも乗客157人と乗員8人は間一髪、脱出できた。事故原因は、右主翼スラットのボルトがアーム穴から抜け落ちて主翼内部の燃料タンクを突き破り、大量の燃料漏れを引き起こしたこと。ボーイング社は対策として、ナットの直径を穴よりも大きくして留めピンもつけて、ワッシャーを取り付け忘れても部品が落ちないようにした。

この報道には違和感があった。なぜボルト、ナットが通し穴から抜け落ちることができたのか。なぜボルト頭やナットの径を穴径より大きい普通の設計にしなかったのだろう、なぜ座金一体型ボルト、ナットを採用しなかったのだろう、なぜ組立技術者や検査者が穴を素通りする締め付け部品は役に立たないと気付かなかったのだろう。わが国の伝統的製造・修繕技術であれば、もしや起きなかった事故ではないか……。

わが国のものづくりは、世界に範となる美しい精神基盤の上に成り立っている。技術者たちが物事の合理を究めようとする情熱と、独特の日本的心情（人々の温かさ・思いやり・勤勉さ・和など）を持っている。ことに後者は、もののあはれを解する固有の感性に発する。これがあればこそ、皆が協力して愛する職場、愛する会社を一層価値あらしめるために努め、世界に誇る不動のものづくり技術を築いた。

例えば、外国人技術者の手になる部品では時に大きなバリなどが残ることもある。しかし、日本人技術者の手になるものであれば、仮に製品図あるいは指示書に具体的記載がなくとも、ヤスリなどで仕上げて納品される。また守備範囲外であっても、塵埃が目にとまれば、日本人作業者は環境基準や上長指示を待たずとも拾って、隣を綺麗にする。外国人であれば、何と親切なことをしてやったか、報いられるべきだと言うかもしれない。この行為は、近年流行の5S（整理、整頓、清掃、清潔、躾）活動以前にある。技術者の知識・技能の優劣や合理的考え方の問題ではなく、生い立ちあるいは心の持ち様が異なる。

このような固有の歴史・文化から発する日本的心情は、外国人には分かりにくい。例えば、職場に働く人々が協調して自発的に行う小集団活動、品質改善活動、改善提案などの常時点検方式は、世界に類を見ない。改善の積み重ねが高度技術を生み、付加価値の高い製品や新たな技術開発に大きく貢献した。そのことは、世界的に認知されており、かなり以前からＫＡＩＺＥＮ（改善）として、世界の多くの工場標語などに用いられていることからも明らか。

外国人が、分かりにくいが学ぶべき姿勢とする別の例は、MOTTAINAI（勿体ない）。茶碗にくっついた一粒といえども、お百姓さんの仕事に思いを馳せながら丁寧に口に運ぶという心情は、日本人固有のものかもしれない。それはもののあはれに通じ、ものづくり技術の場でムリ・ムダ・ムラを排し、合理的工程設計、歩留り向上、生産性向上などに、さほど抵抗感なく反映された。

わが国が世界に誇る現代ものづくり技術の多くは、連綿と続いた日本人のこのような心情、いわば「匠の心」が、さまざまな技術的発想（工夫）と欧米技術の模倣を出発点として、世界に冠たる技術改善・技術開発を促したといえよう。今これを失うのは勿体ない。

２ 金になる将棋の「歩」

将棋の歩（歩兵）は最初に戦端を開き、たいてい使い捨てされる哀れな存在。自陣では、さほど重要視されない。しかし、討ち死にせずに敵陣に入ると裏返って（裏切りではない）、赤色の「と金」になって、玉の最側近の金と同様の働きをして利をもたらす。また、歩のない将棋は負け将棋といわれるし、捕虜になって敵側につくと威力を発揮する。つまり大化けする。

昔、大企業を中心に、技術者、技術研究者にも業績評価を導入する人事管理手法がはやった。個の能力・業績を正確に調べ、人事処遇・登用の根拠にしようとした。当時は、公平を装いたい管理者と自信過剰で上昇志向の強い者には喜ばれたが、近年は人気が下降気味らしい。それ以前には一般に、上司筋の目利きが人事管理で最優先された。このとき、高知能や優秀技能の記録保持者（いわば青白きインテリ）だけが選抜されたわけではなかった。突撃隊、客先のお気に入り、宴会係、雑務係、叱られ役、空気のような存在、時に無法者も候補であった。

このところ、大学教員にも成果主義が蔓延し、個人評価が採り入れられている。競争的資金の獲得が組織や個人の評価に重要な価値になり、集団主義から個人主義へ変わろうとする社会風潮が背景にある。一見、合理的なアメリカ方式である。かの国は、多様な人々の移民の国なので、実力や成果を共通尺度とし、唯一絶対とすることで発展した。早々に任期つき教員の査定の一部にも用いられてきた。

大学教員は大ざっぱにいって、教育能力と研究能力で評価される。潜在能力は誰にも分からないから実績または成果を見ることになるが、用い方を誤るとすべてを滅ぼす劇薬になる。例えば、学生による授業評価は、学校経営者による教員の資質向上や施設・設備など教育手段の改善に効果的に用いられる。しかし、権力を背景に、これが高くないといって直截的に教育能力や個性を問題視したり、経費配分や処遇ランクに反映させたりすることはやりすぎだろう。

第一に、本来、教員の教育能力は、その学術を用いる後進がどれだけ勇気づけられたか、または弾みをつけられたかで評価されるべきということ。学生に受けがよくないと志願者が集まらないという現状もあるが、ぶっきらぼうでも厳しくても、偏屈でも反面教師でもよい。大事なことは、社会で名をなした古い卒業生たちが、彼に触れたことを受難とみるか幸運とみるかだろう。信頼に足る本当の評価には、時間がかかる。

第二に、価値を一元化してしまう偏差値に呪縛されるべきでない。さまざまの個性や専門(得意分野)の人が集まって、学科なり学部なりの力を発揮すればよい。そこでは、甘辛があり、剛柔があり、呼吸を取り合い、助け合い、相互補完しつつ協調して教育に当たる。個人の一元的評価ばかり推し進めると、無用の競争心ばかり先立って、協働しにくい雰囲気が出る。これでは逆効果だ。

人の評価は難しい。今は飛車角でなく歩のような存在だが、後世に驚かす成果を出すかもしれない。また高度複雑化した社会や技術では、個の評価が過ぎると仕事に必要な協調性がおろそかになり、組織の歯車がきしむ。厳密な分析的評価だけでない方がよいだろう。わが国には、自らは奥ゆかしく、他を認め、助ける、という美徳がある。今これを失うのは勿体ない。

3 消えてしまった豚児たち

人を魅了する演説の名手、米大統領バラク・オバマ氏が2008年夏、「口紅を塗っても豚は豚だ(lipstick on a pig)」と言い物議をかもした。アメリカ大統領選が白熱していた時期。彼の主張は「変化(change)、そう、我々はできる(Yes, we can)」だ。これに対し、対立候補の共和党ジョン・マケイン氏も新たなカードを切り、不人気の共和党政権政策からの変化を唱え、副大統領候補に「口紅をつけた闘犬になる」という清新華麗な女性を登場させて、一時は人気が沸騰した。

「豚に真珠」とは、価値の分からない者には貴重なものも何の役にも立たないという諺で、二千年以上も前にキリスト教徒が諭された（新約聖書・マタイ伝）。そういえば、かなり前に東京大学卒業式で「太った豚になるよりも痩せたソクラテスになれ」との学長訓示があった。豚は、多産系で好き嫌いなくよく食べ太りやすい体質で成長が速いので古来、食肉用に飼育されてきた。しかし、その割には称えられない。可哀相な動物だとつくづく思う。イスラム圏では卑しい不浄の動物として食用にもされず軽蔑される。

赤提灯の焼鳥屋では、豚肉を串に刺しても焼き鳥だし、引き合いに出されるときは、だいたいがトンマ、汚い、肥満など下等の象徴だ。罪もないのに損をしている。「豚もおだてりゃ木に登る」などの囃し言葉は、おだてると人は思わぬ力を出すので上手に使えとの人心掌握術のひとつにはなるかもしれないが、少し品が悪い。受験生の縁起かつぎで人気のトンカツは、例外中の例外だろう。

豚にしてみれば、真珠を首に飾ったら強欲人間どもがすぐ取り上げるくせに、本当に木に登ったらパンダのように可愛がってくれるとでもいうのか。いっそ野性を取り戻して猪突猛進の攻撃精神を見せてやろうか。そもそも世界中が飢餓状態であれば、豚は真珠と称えられただろうなどと怒っているかもしれない。それはさておき、実は住環境が変わると豚だって神経衰弱になり太れなくなる。ごまかして自らを大きく見せかけている人間より正直で、上等かもしれない。

技術者はいつも苦情に囲まれている。例えば、重要な取引先のクレームは企業の存続と信頼のために一刻も早く対処しなければならない。まず関係者全員が「大丈夫、対策できる（Yes, we can）」と受け止め、「逃げない、必ずやる（Yes, we do）」と技術者魂を燃やし、どんな苦労を経ても「これで、完璧だ（Yes, we did）」とプロセスを確認すべきものだろう。なのに、優秀人材の集う場で、少しの過失もないかのごとく他を攻撃する自己過信型や問題との関わりさえ避ける責任回避型の技術者が幅を利かし、容易には組織的対策につながらないと嘆くトップが少なくない。

高度技術では、多数の手で技術や製品が成立しているのだから、このような姿勢（他責）は卑しく、その技術成果も見せかけではないかと疑われる。たとえ無謬であったとしても人望は得られない。わが国の伝統的美徳では、所属集団で起きた悪いことはわが身の不幸、まず自分にも何か責任があるのではないか自問する（自責）、すなわち自己に厳しく他人に対して優しく……だった。人々には、人というものが小さな過ちの多い存在であることを知る奥床しさがあった。

遠い昔。優秀な息子だと思っていても、他人には豚児と言った。愚息よりもへりくだった表現だ。このような奥床しさが完全に消えてしまったのだろうか。今これを失うのは勿体ない。

4 ひたむきに躓いて得た大発明

人は、生まれながらにして弾んで飛び上がりたい。はるか遠い昔、海から陸に上がり樹上で生活することも空に飛翔することも叶わず終わった生命体の夢が、心身のどこかに組み込まれているに違いない。遊戯のゴム鞠がコロンブスの興味を引いて、欧州に紹介されることになった。二回目のアメリカ探検（１４９３〜１４９６年）に来たとき。英国で当初は、消しゴムとして使われたので擦るものの意味でラバー（rubber）となった。

ゴムは、南米先住民がその弾力性、防水性などを利用して雨合羽や長靴を作っていた。天然ゴムの原料は、アマゾン流域など熱帯に生育するゴム樹の樹液（ラテックス）で、ポリイソプレンが分散している。集めて精製し凝固乾燥させた生ゴムから、消しゴム、輪ゴムやゴム鞠などを作るが、加硫（硫黄による架橋）すると広温度域で変化しにくい弾力性、防水性、粘着性をもつ硬質の弾性材料（合成ゴム）になる。炭素粉末の含有によって更に硬さが増し黒色化する。現在、さまざまな合成ゴムが自動車タイヤをはじめ多用されている。

合成ゴムの発明者はグッドイヤー（Charles Goodyear、１８００−１８６０）。米国北東部ニューイングランドの住人だが、少年期を農場、製粉の家業を手伝い忙しく過ごす。20代後半で高品質の農具の製造販売で成功。しかし、ほどなく行き詰まり、30代は子供の教科書も売るほどの貧窮生活に陥る。負債弁済のために発明を狙って試行錯誤を重ねる。

ゴムとの出会いは、新聞の粘着性の記事。科学的背景もなく救命具の膨張用ゴムチューブの改良を手がけるが失敗。債務不履行で再三にわたって逮捕・投獄。一時は酸化マグネシウム添加ゴム製品の工場経営で小康を得て、自宅を実験室に「粘着性抑制」実験を続けるも成功せず、資金貸与者たちも手を引く。その後、生石灰と共に水で煮る方法で粘着力のない酸化マグネシウム添加ゴムを開発し、メダルと証明書を授与される。硝酸工程法（硝酸に漬けてゴム表面を改良）で、おもちゃ、ゴム布、靴カバー、傘、服などの製品を販売し、賞や時の大統領から賞賛の手紙をもらう。しかし、政府と契約して開発した郵袋が夏季に持たなくて失敗。無一文になり備品を売り払い家族を下宿屋に残し、ニューヨークの屋根裏部屋で、胃痛と痛風に悩まされながら実験を継続した。

運命の時は1839年の寒い冬。この頃、ホテル宿泊料を払えずに投獄され、子供の葬儀代もないほどの困窮。それでも実験を重ねる。あるとき不注意で蹴躓いて、硫黄の瓶とラテックスの瓶を熱いストーブの上に落とした。煙と臭気を立てながら焼け焦げる。翌朝、その周りに固い弾性体が残っていた。加硫法による合成ゴムの発見。売り込みは好評で、英特許申請では抜かったが、加硫ゴム特許を取得する。仏皇帝ナポレオン三世から勲章をもらう（1855年）。

足跡を辿ると、ただ感嘆する。まさに有為転変、人間万事塞翁が馬、七転び八起きの波乱万丈の人生であった。彼は60歳で多額の負債を残しニューヨークで客死する。その栄誉が今もGoodyear Tire and Rubber Co. の社名（経営とは当初から無関係）に残り、24歳で得た妻と多くの子供ら残された家族が特許収入で不自由しなかったことが救いだ。

彼は破天荒に生き、失敗にめげずひたむきに挑戦を続け、躓いたことで天佑を招いた。技術者のひらめきも、考えあぐね困ったときに不意に来る。これは大脳が躓いて残した架け橋なのかもしれない。とすれば、ひたむきさや躓きが必要だ。今これを失うのは勿体ない。

5 ピタゴラスに訊く明日

斜辺の長さをｃとし他の２辺の長さをａ、ｂとするとき$a^2+b^2=c^2$、直角三角形の２辺の自乗和は斜辺の自乗に等しい。おなじみの三平方の定理（ピタゴラスの定理）。ピタゴラス（Πυθαγόρας, Pythagoras）は、紀元前５００年代（ＢＣ５８２－ＢＣ４９７）の古代ギリシャの哲学・数学者。南イタリアに、一種の秘密結社・原始共産主義的宗教教団を創始した。教団は、万物が根本的に整数関係で表される秩序（調和宇宙）の下にあるとする。地球は球体で、それを中心に宇宙球体があるとし、「数は天界の調和音を封印し、宇宙を統一する」として、数学や音楽を熱心に共同研究した。霊魂の不滅と輪廻を信じ、魂の浄化のため厳しい戒律を置き、個人名で他に教えるのを禁じた。

　現代人はピタゴラス教団の生き方を受容できないが、この定理やその他の教えは、ひそかに人の生き方も示唆していて深く考えさせられる。筆者は、二つの教えをとった。まず、定理。直角三角形の一辺を自分（個人）、他辺を連帯（組織集団）とする。二辺を架橋する斜辺は社会（世界）で、三角形の面積は人間の生命活動度とたとえてみよう。このとき、頂角を90度より小さくすると斜辺は短くなり、それが０度になると斜辺長はゼロになる。頂角を90度より大きくすると斜辺は長くなり、１８０度になると斜辺は二辺の和になる。これより、斜辺を大きくし三角形の面積を大きくするには直角三角形が最も効率的と分かる。二辺による一種のシナジー効果ともいえる。

　技術者・研究者といえども憂き世に住まう存在だから実践は簡単ではないが、個人は組織集団にあまり近寄ると共に開くべき世界を小さくする、との警告にも見える。例えば、忠誠の旗の下に、ひたすら現在の職場環境内でのみ受け身の努力をしたとしても、器量の小さい上司には受けても、やがて肝心の世界を偏狭にし、人間の生命活動の充実（社会貢献）という点でさほど評価されない結果に陥り、企業衰退の元になる。念のために言えば、自分を超えるものを持たない部下には関心はないと、優れた上司は思っている。但し、逆に個人が組織集団に背を向けていくら自己研鑽をしても、その方向とかけ離れては世界が広がらない。二辺の自乗の和が斜辺の自乗に一致するという神秘的関係。二乗または自乗は、自分に自分をかけること。

乗っている技術者と乗っている組織が共同して世界を乗せる。誰もが最も好ましいと思える状況だろう。適切な角度を保ち自らにかけて進み新たな関係を提示できるとき、個人、組織、社会は、希望に満ちた未来をかち得る。定理の教えは深い。

次の教え。技術者ならずとも人は、日常的に悩み、明日のためにどう生きるべきかを探る。歴史に名を残す、どんな哲学者にもどんな偉人にも、悩みはあったはずだ。まして、一般人が形而下であれ形而上であれ、問題を抱えないはずはない。誰も答えをくれない難問に遭遇し、行くべき道を考えあぐねて悩むとき、ピタゴラスに訊くとよい。彼は「天体は地球の周りを、えもいわれぬ心地よいメロディを奏でながら悠揚迫らず回っている。哀しいことに人は、生まれ落ちた瞬間に現世のあまりの喧騒のためにそれが聞こえなくなっている。その音楽の中に安定がある」と諭す。

私たちは今、あまりに心急くことが多く周囲も騒がしい。このような時なればこそ、心静かに耳を澄まし熟慮し、よい方向付けをしたいもの。なるべく機会をもち、徐々に天体の奏でる音楽が聴ける誕生前の能力を回復したい。今これを失うのは勿体ない。

⑥「話し上手は聞き上手」へ辿りつく道

赤子を除けば、自らの意思は丁寧な言葉で伝えなければならないものだろう。基本的には、人の善意や理解力に甘えるコミュニケーション術はとるべきでない。以心伝心、魚心あれば水心、言わずもがな、などはわが生活文化だが、限られた狭い範囲だけで通用する。また、時空間を超える普遍的交流には、相手の生い立ち・状況・場面を考えて適切な言葉を選ぶことが必要になる。例えば、幼い子供に高邁な理念を説いても、人を見て法を説け、ということになる。宗教観の異なる民族にわが国伝統の警句を発しても、馬の耳に念仏ということになる。

極めて局部的話題になるけれど、筆者は中学で英語の教科書*Jack and Betty*が読めず、当てられるのが怖かった。小5の頃にＡＩＵＥＯ（あいうえお）などローマ字五十音を無理強いされ名前も書けるようになったのに、同じ英字の単語がまったく読めなかったから。例えば、Itをイットと発音するならITTOのはずだ。自らの生来の能力と不勉強を棚に上げていうが、小学校ではローマ字学習をやめて簡単な英語を教えた方がよいと思う。

ＩＴはInformation Technologyの略語だと側近に聞いて事なきを得た宰相がいたという。そういえば歴代首相の国語は多彩だった。意図をイズと読む、言語明瞭・意味不明で語る、威勢よい一文句だけで惹きつけるなど。その昔、記者の質問に答えるのに、しばらくアーウー唸って時間稼ぎをした名宰相もいて、これを阿吽の呼吸というのかと思ったほど。

今のコミュニケーション能力はおおむね国際的には英語、国内的には国語による表現だ。決して能弁である必要はない。技術者・研究者の場合、必要最小限のことを冷静に伝達すれば、むしろ信頼をかち得る。これに対して、政治家、教師、組織の幹部などは、多様な人々を引きつけるために一言一句をよく吟味して雄弁に語りかけなければならない。

なのに、政治家中の政治家、わが首相が国会で、踏襲をふしゅう、株式の前場をまえば、未曾有の災害をみぞゆう、往来が頻繁をはんざつなどと読み違えるのはいただけない。世界経済フォーラム年次総会（ダボス会議）でも、措置、育成、見地などの漢字の誤読を連発した（読書よりも耳学問が多かったのだろう）。学術論文ではないし誤読は愛嬌にもなる。だが、政治不信、不景気、金融危機、年金問題、雇用不安などのために人々が沈んでいる時代には、たとえ濃密の内容を語っても、許されない。飢えたマスコミの格好の餌食になり、支持率下落の一因にもなった。一国の宰相たるもの、単に衆を支配するボスでは足りず、衆を導くリーダーでもなければならぬなどと、ことさら厳しい反応になった。

言葉（言説）はロゴス（理性）だといわれる。地位にある者は僅かの表現ミスをしても人々を落胆させる。まして、人を引きつけ酔わせる言葉を持たず、威嚇・腕力で部下をまるで召使いか奴隷のように統治しようとする姿勢はよくない。その個人が尊敬されなくなるのは因果応報だが、やがて地位に対する信頼感を損ねてしまうので困る。とくに若い後進には、その裏に潜む粗暴・欺瞞を表に出さず、あこがれや畏怖感を持たせ、未来へ夢を抱かせなければならない。少なくとも地位を貶める罪は避けたい。指導者は、自らへの敬愛と自らの矜持を確かめる機会を持ち、ことに物いえぬ人々とよい交流をしたい。今これを失うのは勿体ない。

7 表面張力の心を求める

夕刻に赤提灯のぶら下がる明るく静かで小さな店は、疲れた心身を休めるのによい。そこには大抵、ママと学生アルバイトがいる。おしぼりで顔や手を拭いて、まず酒を頼む。仲間が少ないときはそれぞれ好みの銘柄にまっしぐらに向かう。このとき、一升瓶を傾けコップを溢れさせて、下敷きの皿や一合枡にもなみなみ注いでもらえると大変嬉しく、気分がいっそう和やかになる。

気液界面の液体は、液体分子間の引力により表面に沿って張力（表面張力）がはたらくので、その表面をなるべく小さくしようとする性質をもつ。なみなみと注がれた水がコップから盛り上がるのも、水平の固体面に垂らした一滴の液体が球形に盛り上がるのも、表面張力による現象。

このとき液固界面では、液体分子間の引力（界面張力）が小さいと固体分子に引かれて、液球は扁平になって広がり固液接触面積が増える（濡れ性がよい）。コップに入れた水が壁を少し上り、細管の中の水がかなり上る（毛細管現象）なども同類の現象。液体分子間の引力による液体の凝縮力という点で、表面張力と界面張力は同義だ。表面張力は20℃で、水銀476.00 mN/m、水72.75 mN/m、ベンゼン28.90 mN/m、エタノール22.55 mN/mなどの値をとる。温度が上がれば値は低くなる。

ガラス板に一滴たらしたとき、アルコール、水、水銀の順に球形になりやすい。同じ容積のコップに入れる液体を考えよう。いっぱいに注ぐときには、アルコールよりは水の方が表面張力分だけ量が多くなる。低い温度の方がいっそう増す。コップの中に極薄肉の細管（ストロー）を立てると毛細管効果が上積みされる。

一升瓶からコップいっぱいに注いでもらう酒は、好みを除いて量だけにこだわるのなら、熱燗よりは日向燗（ぬる燗）、それよりも常温さらに冷酒がよい。アルコールよりは水、さらに水銀の方がよい理屈だが、そんな酒はない。コップに薄肉細菅が入っていて、コップ受けの一合枡にまで溢れた液体をなみなみ注がれると、コップとの液体の膨らみ、コップ外壁と細管壁の濡れ、それに毛細管現象による増分によって得になる。木製の枡は、たぶん親水性さらに吸水性だろうから、疎水性コーティングをした方がよいだろう。ラミネートしていない紙コップも駄目だ。

男子学生だと一般に、客の深い考察などどうでもよく、とにかく勢いで溢れさせる。おだてると受け皿も溢れさせるので合格点。女子学生だと慣れるまで、緊張してコップの端まで1㎜ほど残して注ぐ。そこで「こぼしたっていいんだよ」から始まり、数度通って「溢れさせると味が増える、お父さんに聞いてごらん」まで、ゆったり構えて教育的指導をする。彼女はやがて極意を会得して、可愛い冗談を返しながら一合枡まで大らかに満たしてくれるようになる。

注ぎ手がママだと、液体が膨らむか凹むかの期待と不安を尻目に、熟練の技で微妙なコップいっぱいで止める。彼女の心理では、過ぎこしたさまざまの思いから、できればコップの端を２㎜ほど残したい。だが、なじみになると大胆に溢れさせ、次の客が入るまで、亭主の晩のおかずまでサービスしてくれて、いろいろ珍しい話を聞かせてくれる。時には、大きなコップを出してくれもする。

小さな赤提灯ワールドでさえ、居合わせた人同士の引力がはたらき癒され学べる。この頃、孤独で渇いた技術者が増えたという。独りでは形成されないなじみ。今これを失うのは勿体ない。

８ インド式「いろは」結婚の勧め

「色は匂へど散りぬるを　我が世誰ぞ常ならん　有為の奥山今日越えて　浅き夢見じ酔ひもせず（いろはにほへとちりぬるを　わかよたれそつねならむ　うゐのおくやまけふこえて　あさきゆめみしゑひもせす）」。いろは歌は、「ん」を除く四十七の平仮名を巧みに用い無常を読み込んだ。アルファベットを「ＡＢＣ……ＸＹＺ」と羅列した手習い歌より言語学習らしく美しい。

平仮名の最初の「いろは」や、英米文字の最初の「ＡＢＣ」は、転じて物事のはじめ、または初歩の段階を示す。ただし、ＡＢＣ兵器は原子（Atomic）・生物（Biological）・化学

(Chemical) の頭文字をとり、ＡＢＣＤは第二次世界大戦前のAmerica, Britain, China, Dutch の対日包囲網。こうなると、味わいどころか何やら物騒だ。

他の面白いＡＢＣ例が、古い友人のインド人教授との雑談で出てきたことがある。

両性が協力して子孫をつくるのは、地球上のほぼ全生命体に組み込まれた本能。野生動物の社会では一般に、暴力的闘争に勝った雄が腕力の強さにあこがれる雌群を独占的に獲得できる。人間は大脳が発達し、知力を手に入れ、また社会的動物として共同生活の規範（法律や倫理など社会秩序）ができたので、決着が単純ではなくなった。例えば現代日本では、結婚は一夫一妻制に何人といえども従わなければならない。かくて暴力的支配に基づく一夫多妻の状況は消え、その属性（財力、言葉、出身、外見、年齢、派閥など）を理性的に評価して、相手を平和的に選べるチャンスがきた。自らの強い特性を強調して（上手に装って）、異性の目をくらませればよい。

インドでは、最近は新聞に求婚広告をしたり、インターネット結婚サイト・出会い系サイトに登録をしたりすることも多くなったが、上流階級では伝統的に恋愛結婚はきわめて稀で、仲介結婚システムが基本だという。年頃の息子や娘をもつ親が結婚相談センターに依頼すると、占星術師が双方の希望条件を勘案しつつ最適の相手を探してくれる。

それに本人が同意すればめでたい。はるか遠方から探し出される場合、結婚式前のデートなどほとんどない。結婚生活は不満でも自分や相手が悪いのでなく、占星術師が悪いのだと諦めるので大抵は問題なくいく……と冗談で返す。その同意の基準は一般にＡＢＣＤＥＦで表され、ほどほどで妥協することになる。Age（年齢や若さなど）、Beauty（色白や身長など）、Culture（風習や信仰など）、Dowry（持参金や経済力など）、Education（学歴や知的水準など）、Family（親族や出自など）の意味。

何事にも自分なりの基準をもち、チェックリストにしておくと便利になる。思い出し笑いをしながら満員電車で、試しに技術開発の心得を6項目あげてみたが、どんなものだろう。Aim（目的）、Boundary（与条件）、Circumference（時、所、状況）、Decoration（飾りや魅力）、Economy & Ecology（経済性や地球環境）、Future（将来性）。

座興の他愛のない話でも、それをヒントに面白おかしく何かに展開してみる。慌ただしい日常だからこそ、公私にかかわらず行動改善の第一歩として、自分だけの「ＡＢＣ」、または「いろは」をひそかに練るのは、少なくとも無為な暇つぶしにはならず、楽しめる。忙中閑の演出。今これを失うのは勿体ない。

9 インフルエンザに怯える危ない隣人

グローバリゼーションは、物事の動きを地球規模の基準で考えようとする近年の力強い思潮だが、本家のアメリカが発信源になった世界同時不況あたりから輝きが失われてきた。加えて今春、メキシコ発の新型インフルエンザ（豚インフルエンザ、H1N1）が一時期、世界を怯えさせた。ウイルスがまたたく間に豚⇓人、人⇓人の感染可能型に変異した。弱毒性で致死率は高くなく治療薬もあるが、感染性が強い。日本でも地域によって、学校や市民生活に大きな影響を与えた。

この間、エジプト政府が国中の豚全頭の殺処分を始めた。中近東では、強毒性で致死率が60％強といわれる鳥インフルエンザ（H5N1）の感染者が多く、そのウイルスが人⇓人感染型に変異することを恐れてきた。特に住居に近接した家畜飼育（飼育環境の不衛生）に対する懸念が強かった。国民の大部分を占めるイスラム教徒は豚を忌み嫌うが、人口の約９％のコプト教徒（キリスト教）は生ゴミでこれを飼育し、生計の足しにしているので豚殲滅政策に対して反発した。そんな新聞コラムを見て考えさせられた。この対立は表面的出来事で、実は背後に大きな問題が潜んでいる……。

インフルエンザに罹った養鶏や直接危害を与える狂犬の殺処分、人間生活を脅かす増えすぎた鹿、猿、カラス、鳩などを調節するのは許されよう。だが、どんな動物でも人間が自己都合で勝手に生殺与奪権を行使して、その種を地上から抹殺しようとするのは正当防衛の範囲を超える。地球倫理に適わない許されざる所業ではないか。そもそも生命への畏怖感がなくおぞましい。

ジェノサイドは、国家権力による特定の集団・異種存在の否定・排除・抹消行為。トルコのアルメニア人虐殺（1920年頃）、ドイツのホロコースト（1940年頃）、ルワンダの大虐殺（1994年）などの忌まわしい例がある。わが国の歴史でも強者が異民族、対立者、意に沿わない者などの抹殺、追放、隔離などを計った例は少なくない。異なる存在に対する寛容さがないという点で類似する。

ちなみに国連条約では、これを人道に対する罪として規定している。特定人種の抹殺行為のほか、異民族の国外退去による民族浄化、異文化・異宗教の強制排除による同化、断種手術や強制隔離などの行為も含まれる。異種を根絶やしにする合理や正義は、地球上に存在しないだろうに。

さて、どこの世界でもある派閥抗争。自らの側でなければ功を評価せず、非をあげつらって貶め、徹底的に排除し、対立陣営を殲滅する。要するに、気に入らない、自分に都合が悪ければ皆殺しにせよ……のジェノサイドと同根の行為で、地球倫理的でない。しかも、科学・技術にかかわるものの心構え「合理の追求」精神にも違背している。ライバルは次の機会により優れた見識で皆を導くかもしれないのだから、都合が悪くても根絶やしにする卑怯を避けて、君子の争いといきたい。

もう三昔前にもなるが、金属粉末の恒温静水圧成形機（ＨＩＰ）の開発を先駆け、声価が高かったさる大企業の技術トップの車に乗せてもらった。大規模生産方式でもなく、先行き不透明な段階での巨額の開発投資は先見の明でしたか……と問うと、「先のことなんかいつも分からない。実は昔、生意気な若い二人の部下がいた。止めろという命令にも退かないので仕方なく、本務ではないぞと駄目を押して目をつぶった。私の功績はただ、それだけ」という。述懐は嬉しそうだった。ジェノサイドを排した心が、技術者魂をさらに揺さぶったに違いない。今これを失うのは勿体ない。

⑩ トラベルミステリー　プラスマイナスゼロ

先日の出張先で見た設計図（製作図）で、ある部品の寸法にΦ62.50+0−0.02と記されていた。＋－は寸法公差で、部品を直径62・48～62・50内で仕上げよという指示。この数字がないと、例えばノギスなど通常の測長器具の精度でよいから62・45～62・55の範囲で納品される。+0は、例えば円形軸を穴にはめ込む場合などに用いられるもので、与えられた寸法を超えてはいけないということ（部品によっては組み立ての精度のために−0もあり得る）。本来は0にプラスもマイナスもないはずだから奇妙な表現ともいえるが、機械部品などを扱う技術者には必要な表現法だ。

これで思い出した。零は無の概念で中立の存在だが、数学の問題を解くとき以外の場では、そうは思ってこなかった。例えば、貯金しようと決意して実際に行為を始めるまでの期間の貯金額は+0で、クレームに対しとりあえず詫びに行く前の状態は−0だろう。大学教師として、新たに現れる学生をその気にさせるためにさまざま努めたが、彼らが乗り気になる瞬間に多くの+0を見た。つまり±は前向きの姿勢の表れ、物事が始まる前だが、確実にその方向にいくという強い可能性を示す。

鉄道の旅は、移ろいゆく風景を楽しみ、乗り込む人々と触れ合いながら、現実を徐々に離れ、未来を呼び込む機会になるので心身のリフレッシュになる。筆者は出張の際に束の間、旅情に浸る余暇を演出することも多かった。出張でも昔は定額旅費で、その旅程の効率的使い方は個人の才覚に委ねられたように思う。主目的さえ果たせば、権威筋（上司、事務局）は労をねぎらい、出張報告会では、目的地で何を楽しんだかも面白おかしく語らせて職場のきずなを確かめた。要するに、仕事をこなして出勤日の朝に顔を出せばよく、少ない個人投資で見聞を広め、また明日へ向かう覚悟を固める機会を持てた。

あの頃に比べると、今の出張システムは少し窮屈。とくに公金・公的助成事業に絡むような場合、旅費の申請は管理部門に予算適合・最速移動・最低コストに照らして厳しくチェックされる。まず、昨年申請して予算化された項目に合致しないと余程のことがない限り、管理部門が許可しない。1年経って事情が変わったので、他の目的に転用したくてもできない。そして、脇目もふらず予定地との間を真っ直ぐ往復しなければならない。折角遠くに来たのだから、ついでに出張をもう1日延ばして、古い友人の勤務先も訪ねて情報交換しようなど論外。さらに、支給額は安い交通機関・乗り物を利用することを前提にして、航空機の利用では領収書や半券などの証拠書類を添付して申請または清算する。

過日の札幌出張のとき、いつもの旅程の金額で（差額は自己負担）、土曜に東京を立ちトラベルミステリーを読みながら鉄道で移動し、月曜の会合に出たいと申し出てみた。半分ユーモアで駄目だろうと思ってはいたが案の定、職務に忠実な担当者に当日の飛行機に乗れとあっさり断られた。

いま窮屈なシステムに辟易している技術者・研究者が結構多い。規則やマニュアルの運用が厳しくなったのにはさまざまの背景があろう。しかし、未来に備える本当に必要な発想や動きは、必ずしも杓子定規の機械的行動の中から生まれない。むしろ逆だろう。新たな負担がないなら遊びを演出させる余裕がシステムにほしい。人はさまざまの+0を持ち帰るはずだ。今これを失うのは勿体ない。

11 人を酔わせる見えざる存在

昔の年寄りは、人の育成・人使いが上手だった。もう30年も経つが、かつて勤務した大学で機械工学のカリキュラムを再構築する必要があり、必死で幅広い分野を見渡し、学科の将来構想を練った。その時、主任の老教授は、「新しい時代を迎える、君は黒子だ。僕はどのようにでも動くから万事よろしく頼む」と巧みにその気にさせて、よい勉強をさせてくれた。

黒子《くろこ》（黒衣）は、黒装束・黒頭巾を着用して舞台上に現れる人間で、直接姿かたちをさらす演技者ではないが、大切な仕事をしている。歌舞伎では、出演者の衣装の早替わりを手伝ったり、大道具・小道具の交換をしたりする。人形劇ではより重要な役割を果たし、意思のない人形を動かす。むしろ役者といえる。例えば、文楽（人形浄瑠璃）の人形遣いは、一つの人形の首と右手、左手、脚の動きを三人で分担し操作するらしい。ちなみに、色違いの黒子もあって愉快だ。海や水辺の場面では青装束の波子《なみこ》になり、雪の場面では白装束の雪子《ゆきこ》になる。

芝居では登場人物とはみなされず、場内の客は粋に、その姿が見えても意識から消すことになっている。すなわち、黒子の存在を不存在とする芝居を観客・演者がしている。そんな役割から、転じて「表には目立たないが実際に物事を処理する人」の意味でも用いられる。

ところで、料亭では完璧に仕切られた部屋があるが、居酒屋では一般にない。ほとんど丸見えで話し声がよく聞こえたとしても、隣席を簡単に衝立やすだれで仕切った席についた瞬間、我とは無関係な別世界の存在または不存在とする暗黙の約束になる。このとき、隣の座の美人を盗み見るなどは無粋で邪悪な行為。

技術や技術の伝承などでは「形式知」とか「見える化」が謳われることが多いが、このような「暗黙知」、「暗黙の了解」も、日本人が得意とするところ。大道具・小道具の交換はさて置き、人形の動作は黒子を使わずとも近い将来、わが情報技術・人工知能（ＡＩ）で可能になるだろう。記憶チップを埋め込んでよく学習した人形に演技させるとよい……。

だが、正確な演技ができたとしても、それだけではどうも何か不足する。芝居では、客席の掛け声、観客の感情に直ちに応える心の動きを反映させた演技がまた観客を酔わせる。演技者は再び燃え立って研鑽し、客は夢から覚めて現実世界に励める。人工知能が進化したとしても、人形には雰囲気を察知し、演技に反映させる感性や創造性を期待することはできない。将来とも無理だろうから、黒子は「存在せざる永遠の実在」であらねばならない。

この頃、黒子役を果たせる実力者が少なくなった。黒子は、人気歌手でいえば作詞、作曲、振り付けなどを担当した見えざる存在。技術や研究の世界でも、皆が目立つ存在になるよう強いられる風潮に乗って、スターになろうと競う。だが、皆がそれでは、やがてただ華やかな木偶人形集団になってしまう。演技者と観客が、黒子の徳にまったく気付かず感謝しなくなったとき、両者の求める芝居は成り立たなくなる。本当のプロは、技芸に精通し、冷めた目を持ち、裏方で演出側に立つ。大いに称えられるべきだろう。黒子として演技できる実力者。今これを失うのは勿体ない。

【『工業材料』57－1～12（2009）】

五、談話室　さらば嘆きのバトン

1 さらば嘆きのバトン

来るべき新世紀に心沸かせた日々も、はや一昔前の思い出。21世紀も最初の10年間の総決算期を迎えた。時は常に平等に刻まれる非情な存在で、決して急回転するものではないが、年が改まる際にはつい曲がり角のように思える。とくに古いカレンダーを新しいものに貼り替える際には、特別の思い入れが来る。人が悔恨を捨てて明日に幸福を願って夢を抱き、そして人々のさまざまの営みを人々の思いやりや英知で、よい方向に変えられると確信しているからだろう。

さまざまなスポーツがあるけれど、リレー競走に最も心惹かれる。そこでは、前走者が全身全霊をかけて与えられた責務を果たし、あえぎながらバトンを後継に託す。そして後継は向かうべき道をひたすら真っ直ぐ走る。一瞬を惜しんで精一杯手を伸ばし、バトンを渡し渡される姿、満足に浸っていても心残りがあっても全力を尽くしてよろけ倒れ込む姿、勝負の帰趨を度外視して清々しく美しい。いつも心躍らせつつも哀しく観戦する。

近年、技術伝承の危うさが識者の間で喧伝されている。団塊世代の人々が定年期に達してリタイアすること、少子高年齢化人口構成になったこと、豊かさの中で少ない若者が精神的に脆弱で現場に直結する技術を喜ばないこと……などの事象を受けている。どちらかといえば悲観的な憂いを伴う見方で対策に焦るものだった。

当のシニア技術者の反応に二通りあったように思う。要約すると、「われわれは試行錯誤で一生懸命やってきた、同じように次代は若者が必ず明るい未来を拓いてくれる」と、もう一つは「若い者は頼りない、せっかく築き上げた技術の行く末が心配だ、まだ任せられない」。

どちらも一理ある。だが、前者の退き行くものの哀しい潔さに立つ楽観をより美しいと思う。彼は、さらなる技術研鑽や新たな学びをいとわず、また身近なボランティアに励むなど、優れた能力を別の夢に傾けて、その後も充実した人生を歩むに違いない。後者も、前線を退いて後継の支援や育成にまわるとすれば誠に立派。だが、人であれば悲しい本性も出る。権力の座に君臨し続けたい、功績の栄誉をもっと受けたい、子孫（係累）に美田を残したい……などと、後ろ髪を引かれることもあろう。

長く生きたものからすれば、つい「最近の若い者ときたら……」と愚痴りたくなるものなのかもしれない。この言葉は、古代メソポタミアの遺跡の落書きや古代のエジプトのパピルス文書にも見られるという。もう一万年近くも前から、人は若者を憂い、次代を心配してきたことになる。ちなみに、笑ってしまうけれど、この伝統的老人の嘆き節が今、大学で女子学生が後輩を、幼稚園で年長児童が年少を評しても使われている……。確かに感覚や振る舞いが違うだろう。だが、この嘆きの巨大な集積があったのに、文明を進化させたのは疑いなく後に続いた若者だと長い歴史が証明している。

後継に感性や能力を発揮しやすい状況を築いて、夢をかけて明るく退き、思いを次に託す方がより人らしい美しい行為で生産的ではないだろうか。この大仕事を、先達としてうまく仕上げたい。嘆きも懸念も添付されていないバトンを、リレー競技のように、後継に正しく巧妙に手渡して祈る。今これを失うのは勿体ない。

2 もう一つの相撲の楽しみ

大相撲で勝負が決まったときの技を決まり手という。足を引っ掛けて転がしても決まり手だ。昔は48手だったらしいが、現在は82手ある。そのほかにも、非技（勝負結果）5、反則負け1、禁じ手8が規定されている。技術者も、ほぼ毎日が力相撲。悲喜こもごも、さまざまの決まり手が見られる。以下は遊び解説。

基本技7から二つ。難色を示す部長を強引に説得してGOサインをとる寄り切り、たくさんのデータで圧倒する浴びせ倒し。

投げ手13から六つ。上司に見切りをつける上手投げ、ほどほどに実績を与え、花道を用意する上手出し投げ。逆に、片端から部下を取り替え引き換える下手投げ、部下の成果を貶しめながらちゃっかり利用する下手出し投げ。決死の覚悟で事に当たる首投げ、重責を独り負わされていく一本背負い。

掛け手18から六つ。内部の事情・技術力だけで物事を決める内掛け、外部の状況のみ強調して押し切る外掛け。白熱する議論で敗色濃厚の瞬間に相手の欠陥に気づいて黙らせる切り返し。互いに品格なき論争の応酬をする蹴返し、あらかじめ分担を決めて相手のグループを攻める三《み》所《ところ》攻《せ》め。管理者が出張者の行動を入念にチェックする足取り。

反り手6から二つ。老獪な人たちの面従腹背は居反《いぞ》り、離間の策にのって味方の力を弱める伝《つた》え反《ぞ》り。

捻り手19から10。勝手読みの投資で企業業績は突き落とし、競争に勝って就任したポストは取ったり、風を切って歩くボスの敬遠策は肩透かし、業界でダントツの売上実績を誇る外無双、やたら威張るワンマン社長の内無双、必死に対策する頭捻《ずぶね》り。気難しい上司をおだてて巧みに注力させる上手捻り、若手社員を脅したり、なだめたりしてやらせる下手捻り、無礼講だと宣言した宴会の席で部下の嫌な苦情につい出した癇癪は徳利《とっくり》投《な》げ、なかなかYesと言わない課長の癖は首捻《くびひね》り。

特殊技19から11。猫かわいがりした部下の引き落とし、うまい話を持ちかけて試作させながら頬かむりする引っ掛け、寸法精度の悪い部品の組付けに叩《はた》き込《こ》み。大きな失敗をした組織に起きる素首落《そくびお》とし、処遇改善を匂わせて辛い仕事をさせる吊り出し、役割が済んだらもうそれっきりの吊り落とし。定年を迎えた技術者の送り出し、部下の育成に関心のない上司のうっちゃり、苦節10年の研究成果を遂に世に問う極め出し、ふんぞり返る重役の癖は後ろもたれ。リタイアしたけれども余人をもって代えがたい技術者の呼《よ》び戻《もど》し。

非技5（勝負結果）から三つ。まだ若いはずがテニスで骨折した勇み足、機能製品の構造が強度不足で腰砕け、臆病な新人や神経質な人に欲しいとされる踏み出し。

反則1。製品に汚れがついて不浄負け。

禁じ手8から三つ。怒りもあらわに机を握り拳《こぶし》で殴ること、赤鬼の形相で怒る部長の話を聞く時は両耳を同時に両掌で張ること、嫌な上司の人事異動を願う部下の思いは一指または二指を折り返すこと。

職場の決まり手もいろいろ。明日への鋭気に、その技を冷静に見極めて、楽しむ余裕もほしい。今これを失うのは勿体ない。

3 函館で見た不死鳥

一夜にして白銀の世界が美しく広がった12月中旬。しんしんと降り続く雪のために、飛行機は天候待ちになっている。所用で函館空港を利用するのはこのひと月で3度目。今日は帽子を被っていないのですね……と笑顔を向けてAさんは、また買い物の相談に乗ってくれた。幸いなことに今回はやや混んでいた。いかにも若い女性らしく、明るく楽しげに、そして今度は無事に支払いをさせてくれた。

空港二階片隅のその閑散とした売店に、最初に立ち寄ったのは11月中旬、空席がとれず昼過ぎまでの暇つぶしだった。東京の知人たちの顔を思い出しながら、故郷の匂いのするとろろ昆布を手土産にしようとした。丁寧なさまざまの説明を聞いて、品質のよい地元の手加工品に決め、幾つか包装して貰った。支払いの段になり、VISAカードを差し出したとき、虚を突かれた。同じ商品があるかどうか分からないが、このカードなら10％割引になるANA売店に行けと言われた……。一応さっと見回ったが、急いで元のJAL売店に戻った。「私って商売気がないですよねえ」と嘆く彼女に、「それがよくて戻ってくる人もいるさ……」と応じた。

そういえば二十余年前、中国の国営売店でパンダのマスコットを買う時も、北米で鉢植えを差し出した時も、店頭に並ぶものがあったのにわざわざ奥から新しいより美麗なものを探してくれたので心を和ませたことがあった。そこに心があった。いまJAL本体は経営難で大変らしいが、古い時代、鶴のマークは日本のシンボル。海外を旅する日本の人々をどれだけ勇気づけ慰めてくれたことか。がんばって飛び続けてほしい。

このごろ、ものづくり関連のビジネスは心が荒れてきたように見える。不景気・デフレの中、生死の瀬戸際だとして、資材購入や製品販売の最前線で徹底的に買い叩く「正義」が横行している。経済・金融・資材管理に長けた経営者が牛耳る企業が、数字の強さを発揮して攻め立てるケースが多い。

古い縁でも、提示条件を飲めないならと切られたり、無理難題に耐えかねて愛想尽かしをしたりで去る。とくに、長い間、労苦をともにしてきた間柄で情け容赦なくなったのが哀しい。函館の技術相談で、納品のプレス機械製造業王手A社の技術者に少し注文をつけた。技術経験の浅い客先には、今日と明日に益する上手な使いこなし方（成形技術ノウハウ）や可能性ある技術の情報まで含めて売るべきだ。機械を納品するだけでよしとする近年の風潮はあさましい……。

その良心的技術者は教え子だし、昔からその企業の高く誠実な技術のファンだった。彼は苦笑いしながらも、たぶん意を汲んでくれただろう。それでこそ、次につながる評価が得られる。きびしい経済環境での商取引でも、節度がほしい。節度とは、双方に利があり、未来につながる心を残すこと。その瞬間の物品・代価の授受の交渉にとどまらず、互いの良心をも交換する。売り手も買い手も、その商品が最大活用されるように祈り、よい出会いに感謝の気持ちを込める。単なるそろばん勘定を超えた麗しい交渉は、不死鳥となって未来に飛び立つ。

函館は津軽海峡に突き出した北海道の玄関。歴史ロマン、雄大な自然、異国情緒、新鮮な魚介、そして何よりも人々の温もりがあって、いつも嬉しい。初冬に見た明日へつながる心のふれあい。かつてはどこでも見られたものだ。今これを失うのは勿体ない。

4 現代錬金術に抗するもの

知り合いの女性が、まだ1歳の子なのに独りでDVD機を操作し、視聴する……と目を丸くしている。母親が教えなくても、身近のハイテク製品を物にしたらしい。想像するだにほほえましい。

近年の児童・生徒は、ゲーム機、ファミコン、パソコン、携帯電話など電子機器に関心が強く、大人にない大胆さで触れ、遊び心ですぐ上手に使いこなす。彼らはハイテク製品に没入することで無上の喜びを感じるらしい。そして、文明生活への一歩を踏み出す。そういう時代なのだろう。現代人は、幼くして……もしや既に母親の胎内で、文明の利器を扱える才能が備わる。若者には、この種の電子機器がもはや身体の一部、無い世界は考えられない。

この習慣・性癖・属性は、人生行路の様々な行為の判断基準にも反映されるに違いない。例えば、職業選択でも、ハイテク製品を道具にして遂行する業務を好むなど、無意識のうちに自ら、無限に広がる潜在可能性を縮めてしまうだろう。

誰もが、優れたものづくり技術科学がわが国の未来を拓くと認識している。しかし、このところ識者の間に不安感・焦燥感が大きい。大学受験生の工学系離れは、経験則「不景気になると実学に目が向く」にも従わないほど深刻な状況に陥ったから……。工学離れは、ものづくり技術の脆弱化・繁栄の放棄につながる。

その有力理由に、今の社会は技術者の汗と涙に対する対価（報酬や地位）が少なく魅力がない……がある。確かにサービス業などの幹部に技術者は少ないうえ、彼らの年収は製造業よりもかなり高く、妥当な格差とは思えない。しかし、肯定したいと思わない推論だ。

これは、暗黙のうちに、成果第一主義による評価を唯一絶対視している。成果は見えやすく、経済効果に換算すると対価を定めやすく、人の評価道具として有無をいわせない強さを持つ。だが、それは絶対に正しいか。２００９年10月中旬の新聞記事。フランスの3職業高（対象は介護や金属加工１５０名）で、政府主導の試みが始まった。生徒全員が授業をサボらず校則に従い、礼儀正しい学校生活を送れたら学級（約30人）に半年ごとに1万ユーロの賞金を贈る、使途はクラス旅行などに充てる……。ついに学校まで襲って来たかと暗澹とした。

昨今、アングロ・サクソン経済モデル「利己主義、利益最大化」が世界を席巻している。この拝金主義と現代錬金術によって、わが国の美徳「思いやり、人に喜ばれる行い」も絶滅寸前になっている。この風潮では、例えば、投機など容易に結果が出る経済・金融関連のほうが楽で評価も容易に来る……と信じる若者が増えても仕方がない。

卑金属を貴金属にと狙った中世錬金術を克服した科学・技術者は今日も、手探りで目前の課題を解決するために一瞬を惜しみ努める。やがて実を結び、それが世に出たとき、全身に唯一の熱い感動を持てる。報酬や栄達では決して味わえないもの。そうして文明を進歩させた。

わが国では古来、努力は個人の現実的利益に直結する果実を得るためではなく、自らの存在を高めるためにする、運がよければそれで社会進歩に貢献できる、努力そのものが尊い……と教えた。周囲は、よく努力できるものを第一に称えた。幼児・児童・生徒にものづくり遊びの機会が増すことも大切だが、昔に返って、努力は成果よりも上位にある崇高なものだと、柔軟な脳に刷り込みたい。今これを失うのは勿体ない。

5 不覚の落涙

悔し涙、嬉し涙、笑い涙、別れ涙……人はさまざまの涙を流す。しかし、常に理性的・合理的対応が求められる技術者は、内に激しい情動があっても、人前ではあまり涙を見せない。例えば長期にわたる苦労が報われたとき、居酒屋で「俺たち頑張ったよなぁ」と仲間と互いの労をたたえてグラスを合わせても、すぐ去来する思いに無口になり、涙を堪え、心で泣く。

美丈夫は所作に優れ、強い立派な若者ということ。「丈夫」とは周尺一丈（8尺）の益荒男（立派に成長した男）や勇猛強靭の男子、「美」は衆に抜きん出ていることを意味する。大相撲初場所で優勝したばかりの横綱・朝青龍が2月初旬、品格不足として引退に追い込まれた。彼は、大草原に住まう遊牧民国家・モンゴルから少年期に日本へ来て、類いまれな筋力と闘争心で格闘技・相撲の頂点を極め、故国の英雄になった。彼には、強さを雄叫びでアピールすることに抵抗感はない。何事にも静を好む日本人の心性や形式美を大切にする大相撲の神性を理解できる生い立ちでもない。悲劇は、この若者に日本人が好む行儀作法を十分に教育すべきシステムがなかったことで起きたともいえる。

それはともかく、もう一人の横綱・白鵬の姿に心を揺さぶられ、涙した向きも多かったようだ。彼はこの同郷の英雄にあこがれて角界入りし、目標にようやく追いつき、第一人者になったばかり。号外ニュースに心境を問われた会見で、長い沈黙の後、途切れ途切れに、「信じたくない。同じ出身で目標の力士だった。同じ時代に自分もやれて光栄。引っ張ってくれる横綱だった。初めて勝ったことが一番印象的……」などと、大粒の涙を落としながら語った。人々は、彼の情動からの不覚によって、長く忘れられた存在だった美丈夫の姿を思い起こした。

悔しさや怒りなどの緊張状態では交感神経が働き、ナトリウムを多く含んだ塩辛い涙、嬉しさや悲しさなどの弛緩状態では副交感神経が働き、カリウムを多く含んだ薄味の涙になるという。

この頃、友と時間を共有するよりも孤独を楽しむ人々が多くなっている。一つの原因として、人の営みすべてを安直に勝ち負けで分別する社会の風潮がある。食うか食われるかは野生動物界の生存原理だが、この殺伐さで人の社会や職場を律するのは避けたい。あふれる闘争心は、やがて来る崇高な目的を持つ難事業に向かう時のために温存したい。

不思議なことに技術者でも、同じ所属にある身近な関係ほど、競争意識や嫉妬心が高まる。優越した地位を得るため、策を弄して相手の失脚を計ることもあると聞く。しかし、仮に勝てたとしても嬉し涙が出るだろうか。また、誰が本心から彼を敬愛し、心を燃え立たせるだろうか。

よき友は最高の財産。友でも親友、さらには好敵手（ライバル）を持てるならなお好ましい。好敵手は、足を引っ張るのではなく、むしろ窮地に陥った時に手を差し伸べ、ともに励まし合い研鑽を競う友。好敵手が退場するときに、君がいたから僕も頑張れた……と不覚に落とす技術者の涙。人の美しさを表す尊いものだから誰もが許す。きっと、脳は温かな甘美の味の涙を送ってくれるだろう。今これを失うのは勿体ない。

6 恋文横丁が泣いている

食堂はレストラン、手引きはマニュアルなど、適当な日本語があるだろうに身の回りにカタカナ語が多い。時には味わいない記号のように感じることがある。かつてのように、ストライクを「よし」、サッカーを「蹴球」、レコードを「音盤」、ライオンを「獅子」などと言い換える必要もないけれど……などと考えていたら、三十余年前、よく歩いた界隈を思い出した。

２０１０年１月、中国・新華社電や長江日報の伝えるところでは、武漢市で論文代筆会社が摘発された。修士や博士を雇用して、分野を問わず、大学卒業論文１０００元、修士論文３５００～５０００元で代筆していた（ちなみに大卒の初任給は５０００元ほど）。市場はこの2年で5倍強に膨張し、昨年は10億元に達した。背後に、熾烈な官吏登用試験・科挙の伝統と、学歴第一・一元的評価方式をとる共産党独裁による社会構造があるらしい。

科学や技術の論文は、オリジナリティ（初出性と独創性）を求める。そのうえで優れた成果なら社会の称賛を受け、時には歴史に名を刻む。功名心にはやり、他人の考えや創作を盗用したり、データを捏造したりするなどは禁忌。要するに、自身の創作でないものを自作のように語ることはできない。科学者・技術者が守るべき絶対普遍の倫理。

会社などで纏められる報告には、他者の業を要領よく伝えることが必要なことも多い。ここでも報告者は、自らの考えでないなら誰の結果を引用したか記さなければならない。また、その業務を与えた組織や指導者が技術成果を自らのものとして振る舞うなら、権力による窃盗になる。立場で命じた、その立場は組織が与えた、その組織は人々が必要とした……こう考えると成果はすべて人類のものになってしまい、不合理になる。担当者が単なる補助作業者ではなく、遂行を任され、情熱を持ってよく考え、精神的肉体的に努めたとすれば、大部分の成果は彼に帰すべきだろう。

第二次世界大戦（1939〜1945年）の後、至るところ焦土と化した混乱の中で、日本の人々は一様に貧しく、生きるのに必死だった。当時の支配・指導者はアメリカを中心とする進駐軍。その将兵は束の間、占領地で休息し、次の命令が下ると直ちに、例えば朝鮮戦争などの戦場に赴いた。

その混乱の中にも多数の恋が生まれた。出逢いの経緯や触れ合いの深さは知らないが、やがて予想通りの別れが来る。離れて一層思いはつのる。女性は外地の戦場の恋人に気持ちを伝えようとするが、軽佻浮薄な敵性語として社会から放逐されていた英語の読み書きなどできるはずもなく、手紙を書けない。携帯電話などの発明は、はるか後の時代だ。彼女は、ただ純な思いを伝えたい一心で、その小路をようやく訪ね、届く保証もない英文の恋文を代書屋に依頼した。

渋谷・道玄坂のその小路は、やがて恋文横丁と呼ばれる（丹羽文雄の小説『恋文』〈1952年〉で有名になった）。雑然と店が並ぶ影の濃い一帯だったが、今は光り輝き、いつでも大勢の若い男女が闊歩する。よく整備された道の傍らに「恋文横丁此処にありき」の碑が悄然と立っている。代書行為でも、利に目がくらんだ所業とはまったく無縁。哀しく美しい人の誠に気づかせる。今これを失うのは勿体ない。

7 パスカルの憂鬱

過ぎた冬から春にかけては、気温が乱高下し、天気予報に一喜一憂した。天気図で上空に高気圧が張り出すとホッとし、低気圧が来そうになると、また雨や雪かとため息をついた。気圧（圧力）の大きさはSI単位のヘクトパスカル（hPa）で表される。「連続液体の圧力一定」

原理のパスカル（B. Pascal、1623－1662、フランス）にちなんだ命名。原理を用いればカを倍化できるので、非力の筆者も好きな科学的知見の一つ。実際の応用に、油圧プレス、ジャッキ、ブレーキなど油圧機構がある。

彼は比較的若くして亡くなったが、その鋭い観察眼と洞察力は数学・物理など自然科学にとどまらない。哲学・思想・宗教などでも多くの業績を残した。その中でも有名なものに『パンセ』（1670年）がある。パンセ（pensée）とは、思考（パスカルの）の意味。人生論、哲学、文学、信仰などの珠玉の書。彼の断片的なメモが死後に整理され、出版された。

有名な「人間は考える葦である」の一節は、人は葦のように非力だが、思考を行うことができる存在だということらしい。凡人としては、ものごとをよく考えないと葦の茎のように空っぽになる……と反省する。

この偉大な科学者・哲学者が、また面白い字句を遺している。「クレオパトラの鼻がもう少し低かったら世界の歴史は大きく変わっていた」と。

クレオパトラ7世（BC69－BC30）は、プトレマイオス朝の王女として生まれ、BC51年エジプト女王に。共同統治者は夫で弟のプトレマイオス13世。3年後、ローマの英雄・シーザーが圧倒的軍事力を背景にアレキサンドリアに入城し、エジプトは存亡の危機に陥る。彼女は弟の反対を押し切って、同盟関係を結ぶ決断をし、自らを贈り物として身を委ね、国を守った（同族婚よりはましだろう）。比類ない色好み（英雄色を好む）のシーザーは、年の離れた異国の美貌の才媛に魅かれ、彼女の願望を聞き届けた。彼は4年後、元老院の権限縮小・中央集権化がたたり、ローマ議会で「ブルータスお前もか」と悲痛な叫びをあげて暗殺される。再び後ろ盾を求めて、クレオパトラはローマの英雄・アントニーに近づき、その心を捉え、国の存続を計る。しかし、もはや国の衰退を止めようもなく、ついに毒蛇を引きよせ自殺する。シーザーとの間に生まれた息子・シーザリオン（プトレマイオス15世）も殺害され、王朝は途絶えた……。

　鼻は人により、向き、大きさ、高さ、角度など寸法形状は多少違うだろうが、穴が二つ付いた顔のほぼ中央に位置する重要な呼吸器官。どういうわけか現代では、よい意味の比喩に使われない。鼻の下が長い、鼻曲がり、鼻をあかす、鼻につく、鼻であしらう、鼻が高い、鼻にかける……。女性に、鋭い観察眼から「鼻がもう少し……」などというと、近しい間にも低気圧が来る。上司のことを「鼻が高い……」などと評すると、やがて周りに竜巻を呼ぶ。鼻に触れると、とかく防御がおろそかになり、内戦・大乱の元になり、他の侵略を招きがち。世紀を経ないで言うのは危険だろう。

　科学者・パスカルは、英雄の恋愛で、人（男性）の脆弱さを示し、人は理性と同時に感情で行動する「風にそよぐ葦」だと喝破した。ものごとは、情のある理でものごとを設定し、遂行した方がよいとの教訓でもある。今これを失うのは勿体ない。

8 食堂街への道を問う

それまでの寒暖激しく入れ替わった日々を埋め合わせるように、ゴールデンウィークは晴天が続いた。慌ただしい東京を離れ、北関東の片田舎に滞在した。昼下がり、薫風を頬に受けながら、ホトトギスを近くに聞き、田植え、山桜、つつじ、緑未満の葉などの風景を横目に、ゆっくり自転車で走る。日常味わえない自然の美しさに心が躍る。久しぶりのサイクリングで小汗もかき、残存運動能力を確認した。

人家の乏しい何本目かの田舎道。ふと、お食事処・とろろのお店「くつろぎ」の古びた案内板に気づき、さらにペダルをこぐ。突然、雑木林の中に食堂が現れた。既に洗い物の時刻だったが入れてもらい、定食に目当てのとろろ汁を注文。餌付けしている四十雀や山鳩が窓外に集まるのも嬉しい。「客はあまり来ない、寂しくて夜は寝泊まりなどできぬ、山芋掘りと、とろろの好きな爺さんは104歳で大往生した……」など、通いの女性2人と雑談しつつ質量十分の遅い昼食。

ところが、帰り道があやしく、適当に見当つけては、右に左に行っては戻って……。大脳の働きが衰えたかなぁなどと自問した。やがて日も傾き、童謡の「あの町この町（野口雨情作詞・中山晋平作曲）」の気分。砂利道を押す自転車も重く、いっそう疲れる。過疎化が進み、道端に、小学校の存続を……と訴える看板。道を尋ねたくても人がいない。これでは食堂経営もたいへんだろうなぁなどと思いながらだから、ますます訳が分からなくなる。家にたどり着いたのは日暮れだった。

東京は、巨大人口がひしめき、高層建築が林立し、乗り物が四六時中縦横に走り、人々が気ぜわしくどこかへ急ぐ。デパートやビルの食堂フロアは、いつも賑わっている。客は気分で、雰囲気、飲食物を自由に選択できる。近くに選択肢が多数ある。それぞれの店は他を妬むことなく腕を磨き、専門の味を追求して集客を競う。

辺鄙な田舎にレストラン一軒がきらびやかにあっても、客は店を選ぶ自由、店は隣と競い研鑽する目標がない。やがて廃れる。2009年秋、わが国は政権選択による変革に夢を持てた。独裁的強権国家も多い中で、まずは目出度い。その後のミスター・ハトヤマに代表される未熟な政治手法による混迷は措くとして、少なくとも、国のこれまでとこれからのさまざまを茶の間に明らかにした功はある。

人々は、しばらく店の雰囲気、メニュー、味の特徴、改善努力などに注視して、次を考えればよい。ただ敵愾心から、隣の失点を喜び、あげつらい、悪口を言うだけでは、客は二度と足を運びたくなくなる。結果として、店も、やがて食堂街も寂れる。

対立者といえども、自らの信念と対立点を説き行動で示したい。人々は、善がなければ次善をとる。それもなければ次悪。最悪よりはまし。社会には、健全な選択肢を作らなければならない。

器量の大きい技術者・研究者は、身内だけの狭い利益を追わない。組織内外を問わず、大目標に沿って、自らの個性・分野とは異なる存在を求める。自ら選択肢をつくって競い合い、健全な共存共栄・進化を心がける。例えば、知財権も占有しすぎるとその技術は拡散せず結局、宝の持ち腐れになると知っている。山中の高級レストランをよしとせず、食堂街をつくって互いに研鑽し集客しようと努める。今これを失うのは勿体ない。

9 第0関節の力

若い女性たちが爪に、極彩色豊かに凸凹模様を描いている。マニキュアを超えて、ネイルアートというらしい。無粋な者には、無駄な装飾で、あの手は実用的ではないのではないかと疑うが、目くじら立てるほどでもなく見ると楽しい。

目の不自由な人が、点字をなぞり情報を得る。その指先は、単なる触覚を超えて、点字板に柔らかな微小力を与える加圧素子で、同時に反作用を微細間隔で測定するセンサーでもある。優れた機能に驚嘆し、時にその努力なしに生活できることに後ろめたさを覚える。

東京タワーは高さ333mの骨組構造の電波鉄塔で、1958年12月に完工した。いま着々と上に組み上げているスカイツリーは、2012年に完成予定で、狭い敷地の割に世界一高い高強度鋼管の骨組構造（634m）になるという。機械や構造物で短い鉄骨などの部材を縦横斜めに結合して組み上げる骨組み構造。部材間が溶接結合（剛節）の構造はラーメン、関節結合（滑節）の構造はトラス。人間の四肢はいわばトラス構造。関節は、自在継ぎ手のように大きな戻り回転こそできないものの、折り曲げがきき、力を巧みに伝達できる。例えば腕は、肩と肘の関節、手は手首と指の付け根の関節、指には、先端から第1間節と第2関節がある。折り曲げできるので物をつかむ時などは便利だ。

指にはもう一つの関節があるといえる。物体と素朴にして繊細な接触をして力を伝える指先の平が、第0関節。ものづくり技術に関わる者は、これがとくに上手に出来なければならない……と思う。

工学部学生でも、暗記中心の生い立ちだからはじめは、物に触るのを恐れている。かつて機械工学実験で、怪我をしたり器具を損傷したりの懸念があったが、敢えて機械・工具などと触れ合わせた。例えば、打抜パンチの刃先は鋭くないと、応力集中せず亀裂が発生しにくく上手に打ち抜けない。人差し指の平で、90度角の鋭さをしっかり確かめさせた。ついでに、工具の表面や側面をなぞらせ、凹凸を感じなければよい仕上げだと教えた。これらを機器で精密測定しようとすると、かなり時間のかかる難しい作業になる。

学生たちは、道具とのスキンシップ成功に目を輝かす。やや黒ずんだ自らの指先を誇らしげに見て、第0関節の優れた存在に気づき、そこから様々の世界を構築でき、よい技術者に成長する。

よく技術相談の人たちが研究室に訪ねて来た。自然に指先に目が行く。大企業の管理職は共同研究などで大いに支援されたが、丁寧な物腰で書類をめくる指先は白魚のようだった。彼らは、自虐的に自らを手配師エンジニアと評する。中小企業の経営者は、荒々しく直截的で、いつも機械・工具・資材・潤滑油などに触れるので、油くさく、爪に枠ができ、指先は擦過傷で黒ずんでいる。風呂に入って石鹸で洗っても落ちない。だが、不潔なのではない。不断の技術改善の決意と実力の証明。その姿に感動し、当該物品を押したり撫でたりして、無条件で解決策を提案するよう努めた（勉強になった）。

第0関節力。これを上手に使える技術者は、空理空論に陥らずに、本物の解決策を見出し、巧みな技術遂行に至る。時には理屈以前に、一気に所期の目的を達成できることもある。今これを失うのは勿体ない。

⑩ なごり夏のクール

夏が終わる頃の暑さは、梅雨を終え炎天を歩んで疲れた身に、いっそう堪える。それでも技術者は今日も健気に行く……。とはいえ、少しでも早く仕事の区切りをつけて自由になり、冷たい飲物で渇きを癒し、胃腸に冷気をしみ込ませたい。

1906年9月の土曜日だという。昔は、土曜日も働いた。ドイツは湿度が低くても、日差しはきつく、部屋には空調などない。きっと彼も、一刻も早く、店先にぶら下がる長いソーセージを外して噛み、名産のビールをジョッキで一気に体内に取り込みたかったに違いない。彼は働き者だったので、大企業の研究開発部門に助手として雇用され、その日も、上司の命ずるまま実験にいそしみ、その合金を水焼入れした。

いつもと違えたのは、硬さ測定を月曜回しにして帰宅したこと。翌週、その測定データの異常値に、報告を受けた上司は驚く。前後の焼入れ実験データは、いつものように代わり映えしないので、暑さボケの測定ミスか、でたらめ測定かと疑ったかもしれない。だが現実に、その合金だけは硬くなっている。

上司は実験と測定の詳細説明を受けて、もしや……と気づく。やがて、焼入れ後に時間を置くと硬化することに気づく。そして、時効硬化現象が科学技術史に登場した。

上司の名はウィルム（A. Wilm）。当時の新金属・アルミニウムに黄銅なみの強度を付与する目的で、さまざまの合金元素を加えて、鋼のような焼入れ硬化を期待して実験研究をしていた。助手は、命じられるがまま、アルミニウム合金（Al-4%Cu-0.5%Mg）を500℃水焼入れした。たまたま放置した2日間で、その合金が自然時効硬化した。合金は、所属企業Dürener金属製作所の名の一部を冠して、ジュラルミン（Duralumin）と名付けられた。

その後、1919年、メリカ（P. D. Merica）が固溶処理・時効処理の意味を明らかにし、1938年、ギニエ（A. Guinier）とプレストン（G. D. Preston）の二人の英国人は、それぞれ独立に、結晶に銅の原子集合（GP集合帯）が平衡相θの前に生じることを発見した。1953年、J. M. Silcockらは、AlとCuの原子半径の差に意味があると発表した。これらの結果を礎に、今日、高力アルミニウム合金はさらに展開している。Al-4%Cu系合金を自然時効したジュラルミンは、引張強さ400 N/mm²級。Al-Cu-Mg系合金を人工時効した超ジュラルミン（super duralumin, SD）は、500 N/mm²。わが国が開発したAl-Zn-Mg系合金を人工時効処理した超々ジュラルミン（extra super duralumin, ESD）は、特殊鋼なみの600 N/mm²級。

英米語でクールは「素晴らしい」、ドライは「辛口の」の意でも使われる。湿度の高い蒸し暑い日本の夏、咽の渇き癒すのに辛口ビールはよく効きクール。昔、スーパードライと称して辛口が出た時、小躍りした。ジュラルミンを連想し、超々ドライ（ESD）も間近だと期待したからだった。

大発見は偶然の産物だった。熱い夏と助手の人間臭さがきっかけになった。一瞬のミスを切り捨てず、ひらめきに繋いだ発明者ウィルムの研究能力はもちろん素晴らしい。その後の彼の消息は、はっきりせず、第一次世界大戦後、ニワトリを飼育して暮らしたとも伝えられる。助手の名は、科学技術史に決して載ることはない。しかし、この世紀を隔てた人物に、筆者は限りなく、友情を感じる。時効硬化現象発見のドラマに時効はない。今これを失うのは勿体ない。

⑪ スクランブルしてみたい

新入生は未知の存在、何をしでかすか分からない。2年生は不確実の存在、仕組みに少し慣れたからとあなどり羽目を外す。ともに危うい。２００９年秋、日本―ベトナム学生交流会（主催ＮＡＳＩＣ）が青山であり、視野を広げさせるために近郊大学の2年生を参加させた。

午後、互いの状況を語り合い、お土産をもらい、民俗芸能を見て、立食パーティにありつけて幸せな学生たち。夕闇の中、筆者の奢りの2次会も盛り上がり、やがて連れだって人ごみの坂道を下り、渋谷駅で彼らを電車に乗せて別れようとした。

そこで、一人がおずおずと寄って来て「スクランブルを歩いてみたい」と訴える。こういう場合の代表世話人は通例、田舎出身で元気のよい高からぬ成績の素っ頓狂。時計はもう23時だし、夜の大都会で事件に巻き込まれても困ると思ったが、屈強な若者8人だし……と了承した。

30年ほど前、担任クラスの1年生が行方不明になる事件があった。夏休み明けの9月、一人の男子学生が戻って来ない。個人面接や交遊もうまく運んでいたはずだ。問い合わせると母親は、一人息子はサイクリング旅行からとっくに戻るはずなのに3週間も音信不通だと、泣かんばかり。

彼は、東京から東北、北海道の東日本列島縦断を図った。青森、函館を経て、最後の絵葉書の投函は消印から日高近辺。その後の彼を捜し出さなければならない。道東から道北を回るだろうと推測できた。こういうとき頼りになるのは友人。直ちに、北海道警の刑事に電話すると「事件はない、捜してやる」と頼もしい。3時間後には、それらしい若者が、道北の牧場で皆に可愛がられて、牛や牧草の世話をしていると連絡があった。彼は、北海道の夏、広大な自然に魅せられ、そこで生活しようと燃えた。

やがて話がつき、一回り逞しくなって凱旋してきた。筆者は、夢の実現にも機械工学が役立つかもしれないなぁ……などと、笑いをかみ殺しながら話し聞かせた。事件の余韻は、まず3年半後。卒業式後の恒例の挨拶回りで、彼は皆の背後に隠れて精一杯手を伸ばして握手を求める。筆者は強めに握り返した。さらに十数年後。事務室の女性に、名前を言えば分かる、近くに来たので立ち寄っただけとウイスキーを託して去ったシャイな男。筆者は、研究室で独り酔いつぶれることになった。

報道によると、今春の大学生54万人強の就職率は60・8%だった。半数が進学するとしても、20%は就職浪人。また別の報道によると、新入社員のほぼ半数が海外赴任を嫌っている。つまり選ばれて入社したはずの若者さえ「箱入り娘」志向。前者はマクロ（国家、社会）、後者はミクロ（人々、気分）に、展望が見えない時代を映している。

スクランブル（scramble）は、掻き混ぜ、軍用機の緊急発進、電波や映像の撹乱など本来の用法のほか、わが国では歩行者が全方向に歩ける交差点をも意味する。渋谷駅前交差点は、規模、無秩序の整然さで海外でも有名。人は全方位から来る人を意識し、衝突を巧みに避けながら自らの方向に早く渡らなければならない。

昔のような、世界を変えようとする意気込みで学生運動をしなくてもよい。しかし、ささやかであっても枠を越え、不確実に身を委ねて、自らの道を確かにとろうとする姿勢がほしい。行方定まらぬ非元気社会の明日に、希望が生まれる。今これを失うのは勿体ない。

⑫ 元気技術者の十戒

振り返ると20～30代前半には、ずいぶん淡い夢を散らした。例えば多くの情報を効率よく集めようと「速読法」の習得を目指したが、面倒で早く読めずに途中であきらめた。ペンダコが痛いので両刀使いになろうとしたが、左手は頭が悪く文字を容易に書けず駄目だった。しびれる指に絆創膏を巻いてメモを取りながら行間で考えるのが筆者の適性だと、情けなく確信した。

そんな体験から「……に成功する法」に類する世渡り実用書をあまり読まなくなった。まして宝くじの買い方、パチンコ必勝法などの金儲け話はどれも胡散臭く、そんなものを読む暇があるなら、目前の試行錯誤実験の方がよしとした。本当は、慌ただしい雑事から離れ、哲学書や数学書に触れるのがよいと思う。物事の本質を考え込ませる。いつも何かが脳裏に深く刻まれる。

技術者にとって経営者はミステリアス。彼のヘマで我の苦労が増すのだから、彼が事業方向をどう決断するのかに関心を持たなければならない。そんな動機と逆ハウツウ書名に惹かれて旅行の合間に走り読みした。『事業失敗を避ける十戒（*The Ten Commandments for Business Failure*）』の訳本『ビジネスで失敗する人の10の法則』（山岡洋一訳、２００９年、日経）。惹句には該当項目が一つでもあれば、君の仕事は確実に失敗すると書かれていて恐ろしい。

著者のキーオ（Donald R. Keough）は、コカ・コーラ社を意識改革し、事業再構築を成功させた元最高経営責任者。事業というものはバックミラーの方がよく見える、破綻は戦略ではなく個人資質が原因、などと明解。技術者にも参考になる。

筆者の技術者見聞を付して項目を挙げよう。⑴リスクをとらない＝失敗を恐れ、自ら主張や行動をしなければレベルの低い技術評論家。⑵柔軟性をなくす＝自分の専門だけにこだわり、大きな技術目的に抵抗するブレーキ技術者。⑶部下を遠ざける＝技術遂行には自分と賃加工労働者だけあればよしの唯我独尊技術者。⑷自分は無謬だと考える＝無知なるが故の過信で、井の中の蛙技術者（一度目は可哀そうで助けるが二度目の尻拭い技術指導は筆者も断る）。⑸反則すれすれで戦う＝法に触れなければすべてよしの野蛮技術者（やがて大きなつけが来る）。⑹考えるのに時間を割かない＝変化の波に気づかないで過去の記憶だけで動くＡＩ型技術者。⑺専門家と外部コンサルタント依存＝ハンドルを握ることだけが嬉しい・刹那的快楽技術者。⑻官僚組織を愛する＝現場から距離を置き、書類点検をすることで存在を強調する捺印技術者（若手官僚に頼まれて紹介した大企業で、通じの悪さから、本当に官僚的な会社ですねぇと笑われたことがある）。⑼一貫性のないメッセージを送る＝人の言うことに右往左往する非信念民主過剰型技術者（大衆討議・政策コンテストはリーダーシップ放棄。憎まれても危急の対応をするとき信頼を勝ち得る）。⑽将来を恐れる＝技術への畏怖感からではなく、度胸がなく、実力者の意に沿えずに放逐されはしないかと怯えて動けない小心翼翼技術者。⑾仕事への熱意、人生への熱意を失う＝生きた屍技術者（上京した工学部女子学生３名とフランス料理店で歓談した折、突然、男子に元気を出させる方法を真顔で聞いてきたのには驚いた。ああ……。大和なでしこに抗して立ち上がれ大和男子）。

余暇の読書はいろいろ考えさせる。今これを失うのは勿体ない。

【『工業材料』58－1～12（２０１０）】

六、談話室　ニュートンが夢みた虹

1 遠ざかる四季

地勢的に中間の緯度にある日本では、四季が穏やかに変化する。近年は寒暖差が大きくなり荒々しくなったようだが、古来、人々は自然の移ろいを愛で、生活の尺度とする習慣をもった。古人は春夏秋冬の象徴に青朱白玄と色を当て、人生を四季に分けた。若い世代は青春。第一線で燃えて活動する世代は朱（赤）夏、収穫と落葉で徳を次に引き継ぐ世代は白秋、後期高齢世代は玄（黒）冬になる。

光の3原色ＲＧＢ（赤、緑、青）や物体色の3原色ＣＭＹ。例えばシアン（緑青、碧）、マゼンタ（赤紫、紅）、イエロー（黄）を混合するとさまざまの色に変えられる。しかし、時折、若者風老人や大人風児童を見掛けるとしても、所詮、人生の色にはならない。それを知れば、いっそう四季がいとおしい。

今春主宰した、さる「技術者教育」研究討論会で、大企業経営者がこの頃の若者には志がないと嘆き、工学部教師連が卒業期にやっと勉強に関心が出る学生が多いと評した。筆者は、孔子の言を引いて、今は暦年齢の7割くらいが……と受けた。孔子（BC551―BC479、中国）は、ソクラテス、釈迦、イエス・キリストとともに世界の4大聖人に列せられる哲学・思想・道徳家。覇道（武力）よりも王道（徳治）を取るべしと唱え、仁（人道、人間愛）と礼（家父長制、規範）に基づく理想社会の実現を目指した。その思考（儒家思想）や信仰（儒家教団）の体系は儒学また儒教として、2000年余り、東アジアの国々に強い影響を及ぼした。『論語』はその思想の集大成だが、わが国でも第二次世界大戦後まで必須の教科書だった。

中国でも毛沢東の文化大革命（1966～1976年頃）の批林批孔運動で、封建主義思想の元祖として排除されるまで精神的支柱であった。孔子ほどの偉人でも必ずしも国政に活用されず、むしろ思想に殉じた弟子たちの非業の死を見るなど、長寿の晩年には失望と不遇の日々を送る。没後にも時の情勢によって毀誉褒貶が大きかった。

『論語』を拾い読みすると、現代に通じる数多くの箴言と人生指南があり、多くの人々が好んで引用する。年齢に触れた述懐も有名。

「子曰、吾十有五而志於学、三十而立、四十而不惑、五十而知天命、六十而耳順、七十而従心所欲、不踰矩（先生が仰いました。私は15歳で学問を志し、30歳で独り立ちし、40歳であれこれ迷わなくなり、50歳で天意による自己使命を認識し、60歳で人の言葉を素直に聞けるようになり、70歳で心の赴くまま行動しても道に外れなくなった）」。聖人の四季は何と色鮮やかなことか。

ちなみに筆者の経験は無残なもの。15歳では遊びたかったが流れで高校に行き、30歳では職場で全方位から叱責され……玄冬に至る今も、誘惑に引かれ、憂き世を嘆き、都合の悪いことには腹を立てる。きっと死ぬまで周囲に迷惑をかけるだろう。

孔子の四季尺に合わせるには、精神年齢イコール暦年齢の70%が妥当なように思える。そうすると、大学卒22歳は約15歳、博士課程修了27歳は約19歳、30歳は24歳、40歳は28歳、60歳は42歳、70歳は49歳、１００歳は70歳、１２０歳は84歳……となる。現代日本の実情に近付いた。これだと何とかなるかと勇気付く。

志とは、社会改革行動への確信。常に具体的対象を持ち、改善改革を業とする技術者は、一般人よりも立志しやすい環境にある。孔子に至らずとも、いつどこでも真正直に立志して行動し、社会に役立てる四季を色鮮やかに描きたい。今これを失うのは勿体ない。

２ 風にあおられる帽子の行方

都心から離れた街中をのんびり歩く。踏切を少し過ぎたあたりで、突風が来て帽子が飛ばされ、慌てて追いかけた。帽子は道路の真ん中に着地。進んでくるライトバンを右手で制し、無事に拾いあげた。感謝の意を表したら、親切な運転手さんは笑いながら会釈を返す。その後の用向きも順調にこなし、気分のよい一日になった。この米国製帽子は、腰がメッシュになっていて風通しよく、全体が柔らかく薄くたためるので携帯に便利。強い日差しや小雨のとき取り出して被る。

先日、同じ踏切を越えてこの出来事を思い出し、今度はやや落ち込むことになった。あの車の後部はまだ踏切の中だった……。そこへ電車が来たらどうなったのだろうか。運転手の取り得る行動の一つは、筆者を跳ね飛ばして前進すること。この場合、一人を死傷させるかもしれないが、大きな惨事にはならない。さほど未来がある人間でもなし、自分も助かるし、多数の有為の人材を運ぶ電車を守る方がよし。合理的判断といえる。

しかし、わが社の会長、幼児や児童、さらに自分の子が帽子を拾いに現れても同じ行動をとれるだろうか。このとき、叶わぬまでもぎりぎりまで車を操作し、結局、自らは電車に衝突されて死ぬことになったとしても人倫に適う振る舞いではないか。

別の取り得る行動としては、止めた車を早々に放棄して脱出すること。損傷し遅延する電車には大きな迷惑だが、帽子拾いと自らの二人の命は無事だ。数字の上から最も合理的ではないか。この問題の発端は、車の往来する道路で物を拾おうとする愚行にある。愛用品だといっても轢かせる方が正しかった。非合理の難問で人に正しい行動の選択を強いてはいけない。与えた問題じたいが許されざる想定なのだった。

前線技術者は、しばしば非合理の問題に悩まされ、悪戦苦闘する。ある新製品を開発したA社が、それに組み込む重要な組立部品の製作を外注することにした。社長会談で連携を求められたB社は、部品性能を詳細に調査し、自社に不足する技術を多数の企業と交渉し連携の確約を得て、設計製図、試作、特殊材料・部品の調達経路、成形工程、組み立て、品質保証など生産準備を整えた。

しかし、いつまで待っても見積書に応答がない。問合せるとA社の担当者は、生産・販売計画が確定してから検討……と数行のFAX通知。同じ小規模企業のB社の社長は、時間と費用をかけ、仲間との信頼を損ねて嘆き、徹底的に不信感を持つ。一方、A社側は中枢部品にかかる費用は把握できた、自社の都合で対応すればよい……との認識だった。

自分だけ目的を達すればよしで、他人の親切・苦労・痛みに思い至らない人は寂しい。寂しい技術者のものつくり技術はたぶん冷たく、早晩人々に見放される。この件は幸いにも、事態に気づいたA社の社長が感謝の気持ちがないと怒って社内体制を一新、B社に丁寧に詫びて試作や調査の費用などを支払い、絆を残した。

技術のものごとは基本的に、確信が求められる。簡単にはつくれない。それゆえに、売買にも先立つ商談にも、契約以前に相互信頼が要る。このところ、相手を思いやらない事例をよく見聞するが、心して技術業を遂行したいもの。帽子に執着し、ただやみくもに往来に飛び出し、運転手さんにだけ親切、人倫、人情、正義をきわどく問い、危険の中に追い込む行為のあさましさに気づきたい。今これを失うのは勿体ない。

③ 切通しの遠い呼び声

「国境の長いトンネルを抜けると雪国であった……。」川端康成の名作『雪国』（1937年）の出だし。上越線の汽車が清水トンネルを出た途端、雪景色が一気に展開した。その風景の大変化は、次に来るロマンスや豊かな日本情緒の世界を暗示する。

今初冬、東北新幹線が八戸から延び、東京・新青森間が3時間半ほどで行けるようになった。汽車の時代には、上野発の夜行列車で青森まで9時間程度だったから凄い変化だ。世界最長26・5㎞の八甲田トンネルを約6分（時速約265㎞または秒速74ｍ）で通り抜ける。列島を東西また南北を短くつなぐ建設技術によって、人々は文化や物品を容易に交換でき、生活を改善できる。新しいさまざまの風景は、新たな未来の可能性を運ぶ。技術成果は素晴らしい。

切通しは、やはり優れた交通建設技術の成果。山や丘などを掘削して道を通した。トンネルと機能はほぼ同じだが、左右の法面の間から先をかなり見通せる。そのため、風景が一瞬で変わる。雪国のときめきが失われ、旅の風情がやや劣る感がある。法面は大抵、低木、芝生、花などで美しく飾ってある。

しかし、通り抜けるたびに情緒が揺らぐ。切り立っているほど、美しく化粧しているほど、「あはれ」を誘われる。昔、その丘陵には、狐、狸、鹿、兎、鼠、蛇、蛙、ミミズ、トンボなどの生き物たちが、豊かな植生の中で平和に生を営んでいた。先祖伝来の土地で、狩りや親戚付き合いのために、お気に入りの獣道を自由に往来していただろう。それが突然、切通しによって遮断された。所々に左右に陸橋が架けられているが、地下道ならともかく動物たちは渡るべくもない。ゆえに、自然豊かな高速道などで、彼らは車に撥ねられたり轢かれたりする。

　餌を求めてか恋人を訪ねてか、はたまた子供の初めての冒険の道中だったかもしれぬ。もしかして、意識の高い動物の抗議の自殺なのかもしれない。道に横たわる屍は、人の便利さ・快適さの背後に潜む残酷、不条理を告発している。彼らの平和を無慈悲に簒奪した……と思い及ぶとき、切通しはどうしても哀調を帯びる。

　浅い春は、草木が萌え、虫は冬眠から覚め、人は胸をときめかせる。いつの頃からか、この躍動への準備期に、多くの人々が陰鬱になる。正統派の理論によれば、花粉症の病因はかつて大量植林した杉などの針葉樹による。大気汚染などの原因物質との相互作用が加わるとの説もある。筆者の周りの一種宗教的考えでは、これは自然環境の変化で存亡の危機にある植物種の最後の抵抗で、より強い花粉を大量に発生して種の保存を図っているとする。当否を離れて賛同したくなる。

　人は今日、さまざまの不都合や災厄に直面して、生物多様性が大切だと気付いた。このまま先住の不便・滅亡を省みない進化が続くと、もっと大きな不幸がくる。幸いにも、種の創作技術で乗り切ろうとする論はまだない。しかし、驕る人類は、おぞましい選択をするかもしれない。

技術開発は、経済効果などの利を追求する最有力手段。計画によっては抵抗の声をあげた人々もいるが、大勢はとどまらなかった。まして、物言えぬ生物たちの死活や交通圏保持の見地から制御されることはない。本来は、先住の平和を必ず保証する自然界の倫理が必要だった。それがないと、やがて必ず付けがくると、過去の経験が物語る。身近な技術の切通しに際しても、強者は沈黙の声を忘れず聴きたい。今これを失うのは勿体ない。

4 何に拠りて人は立つ

名画は時をおくと、また別の心を揺する。『誰が為に鐘は鳴る』(*For Whom the Bell Tolls*、1943年)を、DVDで見た。舞台はスペイン内戦。アメリカの大学教授ロバート(クーパー)が職を投げ打ち人民戦線側に身を投じる。敵側要路の鉄橋爆破という任務を帯び、リュックを背に現れる憂いを含む勇姿。

単独決行も辞さずとの決意に、支援を決める山岳ゲリラ隊長。敵(フランコ軍)に両親を殺されたマリア(バーグマン)との控えめな出会い、不幸に耐えて一層きわ立つ彼女の気品もよい。緊迫の山岳で育まれた二人の恋は、やがて哀切の結末を迎える。

ようやく目的を遂げて退却する彼らに敵が迫る。最後尾の彼は、敵の追撃で瀕死の重傷を負い仲間に後を託す。馬上の彼女は、のけぞり泣き叫びながら仲間に引きずられて去る。独り残る彼は、岩にもたれ迫ってくる敵軍の方向に銃を構える。どこからか鐘が、誇らしげでも悲しげでもなく、鳴り響いてくる……。原作（1940年）の狙いより恋物語に仕上がったとも評されるが、映画は人々の心を打つ。作者のヘミングウェイ（E. M. Hemingway）は自ら、スペイン内戦（1936〜1939年）に参加し、人民戦線側・国際旅団の義勇兵として、ナチスやイタリアが支援するフランコ軍と戦った経験を持つ。

義勇兵（volunteer）は、義に基づいて戦争に参加する兵士。正規軍人や傭兵と異なり、報酬も見返りもない。義のために立ち、身の危険を顧みず闘い、困難な任務を果たす。自らの幸福や栄誉を見ることもない。しかし無私の行動は美しく、雄々しく消えればなおさら万人の琴線に触れる。

昔の時代小説では、英雄が「義を見てせざるは、勇なきなり」とか「義によって助太刀致す」と決め台詞を言って登場した。例えば、力の弱い姉弟に加勢し悪党を討つ。子供たちは、弱きを助け、強きをくじく姿に胸躍らせ、よし僕も困っている人がいたらきっと助けに行く……と決意した。

ボランティアは、わが国では、無償で社会奉仕活動をする人を意味することが多い。その実践科目を設定している大学も少なくなく、海浜や街路の掃除などを課す。何事も個人の物質的損得を基準にし、無償を馬鹿な振る舞いとする世知辛い昨今。卒業単位に組み込まれる点に少したためらうとしても、これがきっかけで義の大切さに気づき行動する若者が増えるなら大いに好ましい。

勇気や親切に義の旗が掲げられるとき、ボランティアが生まれる。人の社会には義の旗が必要。名画の彼は、正義と自由のために異国にまで赴き命をかけたが、体力が伴わなければ後方支援でもよかっただろう。考えてみれば、歴史に残る偉人の多くは理想と程遠い苛酷な状況を見て、義のために発起し、苦労の成果を挙げたように見える。この場合の義は、人類の福祉だろう。

平時の現代社会でも、無私で為すべきことは様々ありそうに思える。例えば、技術の場にはＯＪＴを離れた助力がある。後輩たちは、やがて追い越す時に深く感謝し、より大きな貢献をする。日頃の技術改善努力も該当する。工学では、授業を離れた師弟同行などがある。学生たちは教壇とは違う教師に接し、その背中で明日為すべき道を知る。些事を置き未来社会に益する何事かのために立つ。

沈滞社会に就職難で苦しむ若者も、失意に沈む経営者も、老いも若きも、義によって助太刀しようと決意するとき、身近な憂いも消え、互いに勇気づけられる。今これを失うのは勿体ない。

5 検地とISO

大雪や寒波をもたらした冬将軍が去った。立ち上る湯気の中、鍋からつまんだ熱い具をふうふう口に放り込む団欒とも暫しお別れになる。

今日は湯豆腐ではない、寄せ鍋だ……などと声高に決める人を鍋将軍というらしい。鍋に入れる順番など、口うるさく采配を振るう人は鍋奉行。湧き出た灰汁を熱心に取る人はアク代官。聞く耳をもたない将軍も困るが、具材から箸の上げ下ろしまでここぞとばかりに知識をひけらかす奉行は興ざめで、一つ鍋をつつき、絆を深めようとした折角の座も白ける。鍋には、自ら黙々と仕事をするアク代官の方が有難く好感を与える。

三役職のうち鍋奉行だけは、江戸幕府に本当にあった立派な官職だった。将軍が大名、公家、旗本などをもてなす際の饗応役として、大久保彦左衛門も務めた。そこまで出世したらよいのだろうが、「男子厨房に入るべからず、男子は鍋（料理）に口を出すべからず」とは、男は外でよく働いて出世し家の繁栄に努め、女は後顧の憂いのないように子をよく育て家を守れという古い時代の分業指針。今は共働き社会でＤＫ一体型住居が多く、その円満なあり様は家庭によるだろう。

豊臣秀吉は、石田三成（検地奉行）の提案を入れて、天下統一のために検地（太閤検地、1582年）を行った。物差しや升の基準を定め（度量衡統一）、荘園などの旧制度を廃止して、全国的に田畑の広さを測り、米の収穫量の等級をつけ、田畑所有者（年貢米納付者）を明確にした。同時に武士支配への反抗（一揆）を防ぐため、民衆から刀・槍・鉄砲などの武器を取り上げた（刀狩り）。これにより農民は土地に固く縛り付けられ、ただ従順に年貢米を納めるだけの道具にされた。

工業界では昨今、製品組み立てをする大企業（親会社）が協力企業（子会社、下請けなど）に対して工場監査を行い、部品の作り方や品質を点検する。ＩＳＯ品質・環境基準（９００１、１４００１）の認証取得が必須になり、その目はいっそう厳しくなったと聞く。

親会社から来訪した工場監査チームは、材料の仕入れ、機械設備、工程、生産速度、生産コスト、ＪＩＴ対応など、あらゆるものごとを精査する。時に改善指導もあるが結局は、最低利幅で納品させられることになる。要求品質水準に達した部品であれば任せる……という大らかさはない。協力会社は、もの申すと受注に障りそうだし従順の方が煩わしくないし、それに親子の絆も強くなりそうだと錯覚し、情緒的判断ですべてをさらけ出す。そして「生かさず殺さず」状態で管理されるようになる。

この状況は太閤検地とあまり変わらないように映る。検地は工場能力の調査で、刀狩りは技術経営能力（ノウハウ）の簒奪だ。権力機構の有能な管理者の考える合理は、古今東西でよく似るものだと思う。

生産工程は合理的であるべきだが、行き過ぎは早晩システム疲労を生む。技術の改善・開発には技術者たちの意欲が最も大切で、がんばって努めれば自らの利益・立場にも必ず反映するという確信が必要。たとえ顧客会社といえども納品者の意欲を削ぐと、やがて何も期待できない存在に追い込む。それは、社会正義にかなうことでもない。

過日、なじみの蕎麦屋で、下げ膳の流しで手を洗おうとして女将さんに叱られた。まして厨房に立ち入り、食材の購入、下拵えや火加減、代金の決め方などを質そうとしたら叩き出される。それでこそ客は店を信頼し、よい味を期待して次も立ち寄れる。今これを失うのは勿体ない。

6 痛みを分かち立ち上がろう

東日本大震災に遭われた方々に謹んで哀悼の意を表し、お見舞い申し上げます。2011年3月11日㈮14時46分、三陸沖を震源とする日本観測史上最大規模（M9・0）の超巨大地震（東日本大地震）が発生した。遠く離れた東京でも、ほぼ一週間を経た今も連鎖地震や余震が間欠的に続き、交通、通信、電気、物資が乱れている。TV報道によると三陸海岸などの街は、来襲した巨大津波と火災により壊滅。阿鼻叫喚に息を飲む。被害の甚大さははかり知れない。

加えて震災は、東京電力福島第一原子力発電所に及び、不可欠の冷却水ポンプ電源を予備も含めて破壊した。発電炉の燃料棒溶融による放射性物質の広域拡散の懸念が現実になり人々を怖れさせ、現地では総力を挙げて決死の対応が続いている。

　この多重災害は、まだ全貌が把握できず、救難活動も十分行き渡ってはいない。これ以上ことなくあれ、一刻も早い収束をと祈るのみの身が哀しい。被災地に親戚、知人、工場、取引先などの縁をもつ方々も、早く平安を取り戻せる状況になるよう祈念する。私たちは、民族の誇りにかけて、痛みを分かち合い、互いに力づけ、これを乗り越えなければならない。

　プレート理論（plate tectonics）によれば、地殻は十数枚のプレート（固い岩板）で構成されている。プレートはマントルの対流によって、年間１００㎜ほど移動し、互いにぶつかる。その境界が盛り上がると山脈になり、海底で比重の大きい方のプレートが相手の下に潜り込むと海溝やトラフになる。生じる圧縮応力が限界値に達するとせん断型破壊し、また跳ね上がって地震を引き起こす。

　東日本列島が乗っている北米プレートに、東側の日本海溝で太平洋プレートが、南側の相模トラフでフィリピン海プレートが下に潜り込む。さらに日本海北海道沖から甲信越地方にかけてユーラシアプレートがぶつかっている。今回の超巨大地震は北米プレートの跳ね上がり現象で、それにより巨大津波が引き起こされた。

　西日本列島が乗るユーラシアプレートには、南東からフィリピン海プレートが潜り込む。三つのプレートがぶつかる特異点近傍に国の象徴・富士山がある。三陸海岸（東北地方太平洋岸）は、深く狭い湾が多いリアス海岸。奥が狭まっているので津波の高さが倍加する。過去の大津波の経験から世界に誇る高さ約10mの防潮堤で沿岸の街々を守っていたが、巨大津波の濁流が密集した街を一飲みしてしまった。自然の力の前に人の知識・技術があまりに小さいことを嘆く。

このような状況下で、疲れを厭わず身命を賭して救難活動や原発事故対策などに当たる方々、また直ちに駈けつけてくれた内外の友人たち、直ちに生産活動継続への道筋をつける製造業関係者たちの姿。この頼もしさに、一種の脱力感を脱し、ただ頭を下げ、気力をもらう。

一段落したら出来事を冷静に分析して、発見した問題の解決に全力を尽くそう。緊急時の指揮体制、都市建設地、被災者の生活、防潮堤の基準、通信・交通の確保、電力保全、原発事故、予備電源の保守、人々の心的回復など課題はあまりに多い。

このとき、人は大自然の営みの中では極めて小さな存在だと再認識し、自らの限界を知りいっそう謙虚に振る舞いたい。絶対に、想定外・未曾有の自然災害だからとの逃げ口上だけは使いたくない。大自然と、被災者と危急に立ち向かった人々の冒涜になる。今これを失うのは勿体ない。

7 教授失格を悟ったとき

梅雨の時季になると、教授失格を悟った朝を色濃く思い出し、未だに心が乱れる。細い糸のような雨が降り、蒸し暑く気だるく明けた日だった。２０１１年は、自然猛威とともに世界動乱・大衆革命の年として世界史に刻まれるだろう。

それは、チュニジアの学生、モハメド・ブアジジ（26歳）の憤怒の死から始まった。求職中の彼は、年の瀬に故郷の街路で野菜売りをしていた。無許可を咎める婦人警官が、物品を没収し平手打ちするなど公衆の面前でなぶる。無念やるかたない彼は、抗議に行った県庁前で焼身自殺を遂げる。これをフェイスブックやツイッターで知った一般民衆が、オーガナイザーの登場を待たずデモに立ち上がり、ほどなく腐敗した独裁政権を打倒した（ジャスミン革命）。そして彼が自らに点けた火は、瞬く間にエジプト、バーレーン、リビア、シリアなどイスラム諸国に飛び火し、北アフリカの砂漠は真っ赤に燃えた。連鎖革命で支配者たちの大方は、大きな流血なく退陣の選択をした。

他方、民衆を抑え込むため軍隊を使い内戦になった国もある。かつての王制打倒の革命指導者が独裁者と化し、中国の天安門事件（１９８９年6月4日）を引き合いに出して徹底的に潰すと宣言した。これは天安門に集う群衆を、軍隊をもって圧殺した出来事（死者は数百～千人といわれる）。当時、中国の人々は、文化大革命（１９７０年前後数年間）の悪夢から覚め、改革・開放政策下で、欧米の民主思想・市民生活を夢見た。特権階級・官僚腐敗・経済格差など一党独裁で生じたひずみを正すべく民主化を要求する。先頭にはかすかな矛盾をも感知できる能力をもつ学生が立つ。波の高まりに怯えた時の共産党最高実力者・鄧小平は、究極の国家権力・軍隊を用いて反革命暴徒の鎮圧に当たった。これ以降、支援者や知識人を徹底排除し、市民の自由な活動を制限し、愛国主義教育が盛んになる。

大学人にとって講義は、絶対的に拘束される時間。何かと動き回ることが多いので、朝1時限目に設定してもらっていた。新たな気分で若さに対峙できるし、出勤途次にクラスを笑わせる種などを楽しく構想できる。しかし、その朝に限り、暗澹のラジオニュースに、沈む道程だった。工業材料学の講義室。六十余名の2年次生が輝く目を真っ直ぐ向けた途端、筆者は教授を失格した。「僕は今、本当に悲しい。隣国で理想に燃える純真な君たちの仲間が戦車に轢き殺されている。すまない、何もできない。せめて、この時間を一生懸命学ぼう」と呼びかけるのがやっと。涙が出て声が震えて、あわてて黒板に向かいチョークを押し付けて動揺を隠した。学生たちも終始、寂として声はなく、いつもと違う授業になった。

どんな事態でも心を揺らさずに、ターゲットを撃てる冷静な科学・技術者でありたい、未来人の学生には最高の演技をして当たりたいとして努めてきた。その確信があっけなく崩れてしまった（以来、どうも情にもろくなったように感じる）。

先日、かつて勤務した大学の研究室OB・OGの飲み会の招待状が来た。技術業をよくしてくれて嬉しい40名ほどが歓談に集う。皆が大人だし、新宿の土曜の夜は楽しみ。今度は共に肩を組み心置きなく笑って泣けるだろう。よし、失格教授として大げさな演技でも見せてやるか……。だが君たちは暫し、日本が陥った大変な事態にあって、冷徹なものつくり技術スナイパーとして振る舞っていてほしい。今これを失うのは勿体ない。

8 ニュートンが夢みた虹

天才に頓馬な側面があれば人は慰められる。だが、今日の自然科学・工学・技術の基礎となる古典力学を確立したニュートン（英、Isaac Newton、１６４２－１７２７）は全能の神のように隙がない。

筆者は少年時代、崖から足を踏み外して額を割ったとき、なぜ上から下に落ちるのか、疑問などまったく持たなかった。多感な高校時代には、彼が３００年も前、20歳前後で定義した力（ニュートン力学）が難しく失望したものだ。その上、多くの偉人と違って教会に迫害されてもいない。長い間、隙のない秀才だと親近感を一度も持てなかった。

コペルニクスの地動説の発表（１５７０年代）は、死後の30年が必要だった。やがてローマ教皇庁は禁止令（１６１６年）を出してガリレイを異端審問所で裁くが、ケプラーの惑星の公転と楕円軌道の関係（第３法則、１６１９年）が示されるに及び、天文学者が輝かしい勝利を収める。これはニュートン以前の話。

彼は漁村に誕生、父は既に死去し、幼児期を母とも離れ祖母と過ごす。背が低く内気な子は子供たちによくからかわれた。13歳で入学した学校を一時退学し母の農場を手伝う。19歳でケンブリッジ大学に入学。数学・自然哲学・天文学の書を好んで読む。学費は親戚の支援による。22歳で数学講座のバロー教授の給費生となり、後に学位も取得。ロンドンのペスト流行で大学が閉鎖され、故郷で2年弱の「創造的休暇」を送る。地球運行の力とリンゴが木から落ちる重力とが同じものだとして「万有引力」と名付けた。他に微積分学、光学、二項定理の研究でも驚異の成果を出す。26歳ケンブリッジ大学数学教授、29歳王立協会会員、44歳『プリンキピア』(ニュートン力学)刊行、56歳造幣局長官、58歳下院議員。60歳王立協会会長、62歳ナイトの称号、67歳グリニッジ天文台監察委員長……。

学術成果も社会的地位もすばらしい。だが、単にそつのない秀才ではなかった。批判を極度に恐れる完璧主義者だった。容易に行動に移さないことが災いし、ライプニッツが自身の微分積分法発見を盗用したと非難し25年裁判をした。高校で下宿の娘と恋仲になり生涯交際したが結婚はしない。下院議員としては「議長、窓を閉めて下さい」が唯一の発言とされる。

彼は、50代から錬金術とキリスト教の研究をする。卑金属を金に変える水銀基の賢者の石(哲学者の石)を作ろうと、神経を病むまで錬金実験に没頭した。当時、詐欺や通貨の混乱を避けるため錬金術の実験の一部は禁止されていた。また、自身を宇宙の支配主から聖書や伝説の記述と暗号を解釈する使命を与えられたと信じ、旧約聖書のダニエル書と新約聖書のヨハネの黙示録を中心に調べ、天文学手法で出来事の年代を算定し、世界が2060年までは滅びず、その後は聖なるものに置き換わると予測した。同時に、プロテスタント的信仰心からローマ教皇を堕落したと断罪し、イエス・キリストを預言者と位置付けた。これらの研究成果は彼自身の意思で隠されたが、１９３０年代半ばに発見される。その収集をした近代経済学者・ケインズは、彼の常軌を超える姿勢を見て「彼は理性時代の魁ではなく、最後の魔術師」と評したとされる。

筆者は彼の性癖から、単に教会や世間から弾圧されるのを恐れただけではなく確信がもてなかったからだろうと思いたい。完璧と見えた天才でさえ非科学的夢を見て挑んだ。彼は光のスペクトル分析の研究で、虹が７色から成ることを見出してもいる。８番目は何色だったのだろう。今これを失うのは勿体ない。

⑨ Hang in there! Stay healthy!

わが国経済は１９９０年代からの失われた二十年を経て財政破綻している。例えば、２０１０年度は歳出の50％弱、44兆３０３０億円を税収が補えず新規国債発行で賄った。年度末の国の累積借金（借入金、政府短期証券を合算）は９２４兆３５９６億円で、国民一人当たり約７２２万円を負う。生まれついた途端に負債を抱える赤ん坊は、無邪気な笑顔を失うのではないか心配になる。

これに東日本大震災の復旧・復興に巨額の支出、原発事故の重い影が加わる。焦眉の急の大震災対策がなくても、生産活動鈍化、失業増加、所得減少など、社会には不安感が漂っていた。この状況は主に、政治家、国家機関と公務員、さまざまの組織機構などの指導者たちが、未来展望を欠き、先憂後楽を忘れ、目前の利益や補助金簒奪に狂奔したことに起因する。

例えば科学技術創造を目指して莫大な投資をしてきたが、まだ窮状を打開する産業創出までに至らない。国力の基盤だった経済力の衰えを待っていたかのように、隣の国々はわが国の島々を自らのものと声高に主張する。まさに内憂外患の状況。わが国（大日本帝国）は前世紀初頭、日露戦争（1904〜1905年）で隣国ロシア（ロシア帝国）と戦い勝利した。激戦の旅順攻囲戦は、要塞司令官・ステッセリ将軍が乃木大将を訪れ、互いの武勇をたたえ和議が成立する（水師営の会見）。

この直前に、「君死にたまふことなかれ」の詩が月刊文芸誌『明星』（与謝野鉄幹主宰）に発表された（1904年）。作者は鉄幹に才能を見出され、後にその三度目の妻として11人の子を育てた与謝野晶子（鳳志よう、1878−1942）。軍国主義の真っ只中、男尊女卑の社会状況下で、彼女は強い意志で、詩、小説、童話、古典研究、婦人問題評論、女子教育（文化学院）などの幅広い活動を通じて世に大胆に問いかけた。

徴用された弟が旅順包囲軍に加わると聞いて詠んだ。リズム感のある七五調四行詩で4番まである。「あゝおとうとよ　君を泣く　君死にたまふことなかれ」で始まり、「安しときける大御代も　母のしら髪はまさりぬる」まで。子の出征と殺し合いへの親の嘆きを代弁して、戦争で勝たなくてもよい、戦死は名誉ではない……と訴えた。また「やわ肌の　あつき血潮にふれも見で　さびしからずや　道を説く君」は、歌集『みだれ髪』（1901年）の一首。鉄幹への切ない思慕を表したものか。この二作品は、現実の冷たいシステム内で苦悩する弱い人々の心に強く訴える。

昨今、就職難から思いを遂げられず落胆している学生が少なくない。日々の学びが確かな未来と結びつくか懐疑的になってもいる。経済停滞の責が若者にないことは明らか（むしろ糾弾する権利を持つ）。有名な大組織を狙って失敗したとしても、落胆することはない。多くの成功者はその挫折を糧に新たな方向を切り開いた。むしろ、そこで安住して後世に付け回しをする一員にならずに済んで幸いだと考えよう。冷静に周りを見回すと、今は無名に近くてもやがて大きな社会貢献をしようと意気込むものづくり企業群に気付く。隠れた小さな存在だが、そこでは夢多いものづくり人たちが熱い思いを共有し躍動している。その温かさの中に飛び込んで、ともに新たな明日をつくってほしい。

苦しくても夢を見て熱く遂行する者は皆、若者とともにある。時はいつも若者の味方で、未来の明るさをつくるのは若者だ。踏みとどまれ、元気をなくすな。今これを失うのは勿体ない。

10 島流しの栄光

技術者、とくに若い技術者には一途で不器用な人が多い。それだけに、燃えて歩んだ道が途絶えるときの茫然自失には、カウンターでの杯や慰めも滞りがちになる。だが、挫けないでほしい。

近年、未来の存亡をかけて事業を再構築する企業が多い。これまでの主生産事業が突然、整理対象になることも珍しくない。その結果、たとえ貢献著しいエース級の中核技術者でも、まったく異なる分野に配転される。情熱をかけて築いた技術は、いわば分身なので辛い。組織存亡のためだと頭で納得し、優秀だから解雇されなかった、左遷というわけでもないと慰められても、気持ちが切り替わらず絶望の淵に立つことさえある。

明治の初期まで、罪人に与える刑罰のうち死罪に次ぐものが遠島だった。強盗や傷害などの凶悪犯は、腕に入れ墨で識別され、船牢で島に護送され、刑期が満了し許されるまで労役が課される。流人には、時の政権に抗して敗れた政敵、公家、宗教家など反体制の思想犯・政治犯が含まれる。反体制流人でとくに影響の大きい人物は獄中で切腹や斬首を待つが、大抵は少しだけ自由のある監視下で生きること（軟禁）を許される。その後は、過酷な環境に落胆し自死する、呪いつつ生きながらえる、反抗・再起の策謀をめぐらす、運命を受け入れて自然とともに生きる、などに分かれる。

昔の官庁や大企業では東京から地方への転出や子会社への出向を「島流し」と評した。権力者が都合の悪い存在を中枢から排除した例が多い。理不尽にも、能力があり功績を上げてきた者も対象になる。そして権力者や勝ち残りは、盛者必衰の時まで束の間、誇らしく君臨する。

技術者も被害に遭う。例えば、巧みにシステムを軌道に乗せ実績を上げている者が、理不尽にも新体制下で邪魔者にされ沈黙を強いられる（座敷牢）。権力者が小心だと、疑われ反抗を恐れる場合には、必然性のない専門外の職場へ転出させる（島流し）。苦労の経験、技術力、愛着、率直な意見の持ち主ほど危険率が高い。それに今や事業再構築が根拠になるので人事異動をためらわない。

初夏に沖永良部島（鹿児島県）を訪ね、亜熱帯の気候風土や雄大な潮の流れなどを満喫した。この島で、幕末に西郷隆盛が最重罪人として流され過ごした潮風吹きさらす格子の牢屋も見た。この明治維新（１９６８年）の立役者は、武人のイメージが勝るが実は相当の文人で漢詩もよくする。運命を受け入れ、為政者を恨まず、斬首覚悟の一年半ほどの期間に島人を感化し尊敬される。漢詩「天意を識《し》る」に、その生き方が垣間見られる。

一貫唯唯諾、従来鉄石肝、貧居生傑士、勲業顕多難、耐雪梅花麗、経霜楓葉丹、如能識天意、豈敢自謀安（一貫いいの諾、従来鉄石の肝、貧居は傑士を生み、勲業は多難にあらわる、雪に耐えて梅花麗しく、霜を経て楓葉あかし、もしよく天意をしらば、あにあえて自ら安きをはからむや）。

志は貫き通す。これまでの鉄石のような胆力を保つ。英雄は貧しい家庭から現れる。偉業は多難を経て成し遂げられる。雪に耐えた梅の花は麗しい。霜をしのいだ楓の葉は赤く染まる。天命をよく認識すれば、安楽を追う生き方は出来ない。

何の理由であれ何処の地にあっても、技術者の使命は決して消えない。よい機会と艱難辛苦を受け入れる器量があれば、きっと島で信望を集め別の実績を残せる。天下の情勢が変わり呼び戻されることもある。今これを失うのは勿体ない。

11 未知とのふれあい

都会の大きな駅前には大抵、巨大ビル群が屹立する。まるで早く用向きを済ませて帰れと威嚇し、人恋しさの思いを断ち切れと圧力をかけているかのようだ。そんなデジタル風情の傍らに、昔風のたたずまいの一角を発見すると心和む。

あまり車も通らない道に靴屋、八百屋、雑貨屋、仏具屋、薬屋などが間口いっぱい広げて商う。枝分かれした幾つもの小路があり、夜には赤提灯が目立つ。界隈は昔、都内有数の工場地帯の玄関口で無数の工員さん達が立ち止まっては交流した。今もアナログ風の情緒が残る。

汗だくで所用を済ませた後、店先でうなぎを焼く匂いに引き寄せられた。その食堂は、早朝から深夜まで通しで営業する。昼食や仕事帰りだけではなく、夜勤明けの「晩酌」に便利らしい。昼間はリタイア後の人々が昔懐かしく集う。女性客も多い。朝の11時なのに、はや五十余席の4列カウンターが満席。ようやく酔客の間の丸椅子にありつき、まず幸せを味わい、水割り一杯とつまみを注文。ほどなく右隣席の客が「暑いねぇ、それじゃ、お先に」と支払いを済ませる。文字通り袖すりあう縁、互いに気取らない。忙しくなくても素早く味わい、席を譲るのが粋なのだ。

そこに黒スーツの30歳前後の女性が着く。営業回りが成功したか、単に暑くてのどを潤しに来たか……。しかし、注文しようと「すみませ〜ん」の呼び声はか細く、ざわめきにかき消される。代わって「おねぇさ〜ん、こっち」と声を張り上げると、番長の最高齢リーダーが「あら、お姐さんだなんて久しぶりよ……」と、満面に笑みを浮かべ品《しな》を作って近づいてきた。

首尾よくジョッキを貰えた彼女に「気迫をこめて大声出さなきゃ……」、ついでに「おばさんとかおばあさんなどと呼んでも耳が受け付けないだろうなぁ」と冗談を言う。彼女は「お嬢さんと呼ぶとすぐ来る？」と流し目に笑みを含めて返す。思わず焼酎を噴き出すところだった。

件のお姐さん、本当はかなり怖い。相当の高齢だが背筋はピンとして威厳がある。例えば常連客が追加の一杯を懇願しても、カラスのような声音で「また帰り道で転んで怪我するでしょ。今日はもうダメっ！」と追い出す。お爺さんは未練を背に明日が早く来るよう祈って去る。人気は食味対値段比だけではなく、触れ合いにもあった。

フクシマ原発事故後、官房長官発表「放射線量は直ちに健康に影響しない」は心ある人を怒らせた。さらに今夏、原発の推進・再開を目指す当局や業者らによる世論誘導工作に庶民の不信感が極限に達した。社会不安防止やエネルギー確保が任務だと考えたのだろうが、その職業意識・使命感は正しくない。まして強者（指導層）が優越感や利益のため弱者（大衆）を無知と侮り都合よく導こうとしたとすれば、人として卑しい。競争を勝ち抜いた優秀な専門家ほど、よく間違える。予防には法や倫理に拠らずとも、身内の仲間以外との広い温かなふれあいが役立つ。

技術者は、科学的知見を巧みに応用してものごとを創造する。科学に善悪がなくても、技術が福祉や危険を作る。このことを認識し、時には自らの使命や目的を静かに検証してみたい。その際の判断基準には、過去のしがらみ（なれあい・もたれあい）ではなく、時空を超えた知らない人々とのふれあいがよさそうだ。そして間違いに気づいたら、勇気をもって苦い決断と行動をしたい。今これを失うのは勿体ない。

⑫ 秋祭りの土壌

黄金色の稲穂、肥えた根菜、色味美麗な果物の秋。農村では実りを収穫した後、豊年満作を祝って感謝祭を催す。天地に感謝し、次への備えを誓い、平穏を祈る。青空に抜ける秋祭りの歓喜と囃子は、国中に明るさと安心感を与えてくれる。そこに一筋の影も似つかわしくない。

人類は生まれながらに母なる大地の恩恵を受けている。農作物生産の起源は有史以前に遡る。人類は文明初期に大河の流域で暮らし、やがて稲作などの農業を展開した。流域には肥沃な土地が形成され、実のなる木や動物の餌となる草が生える。遊牧民族や騎馬民族などの肉食系の人々は、草原に羊や牛などの家畜を飼った。農耕民族などの草食系は定住して開墾し植物を栽培した。

地球上には砂漠や凍土も多いから、栽培に適した土地は限られる。ことに日本列島は狭いうえ火山・地震の活動による山脈が多く、農業に適した平野が少ない。土地を改良し耕作地を広げてきた人々の工夫と勤勉の歴史に感動する。

近年、ハウス栽培で果物や野菜が産出される。しかし田舎の人は、季節感や旬の本来の味覚を愛し、それを食さない。温室育ちのせいか早もぎ出荷のせいか、不ぞろいでも自然の中で熟したものに比べ、口中の美味しさが確かに劣るようだ。

農業科学の進歩は著しい。植物工場では、苗に人工光と必要な栄養素を備えた水を適切に与えて、食感と栄養素を備えた葉物製品を製造する。食糧難の解決法として期待が大きい。それには、よく想定され、設定が精緻なほど余分な不純物（微量元素やその化合物）が含まれない。だが筆者は通常、たとえ味覚が劣っても大地に根付いた自然栽培の品を好む。科学・技術者は計算どおりに運ぶと誇らしいが、神ならぬ身で想定は完璧でない。直ちに弊害はなくても、自然栽培品に備わる意外な未発見の何かを欠くかもしれない……。想定不足の畏れ・想定外を想定する謙虚さがないと、科学や合理の陥穽にはまると史実が語っている。

植物の生育には、よく日が当たり真水が引ける石ころを含まない土地が必要だ。よい田畑には、ミネラルバランスのよい土がある。昨今、化学肥料依存・生産性重視農法の弊害（連作障害）が明らかになり、新たな自然（有機）農法へ転換する動きが強い。健康な土つくりがその基になる。自然の土は、落ち葉を微生物や昆虫が糞など有機物に変え、それを食べたミミズが土壌中に酸素と水分の通路をつくる（自然の畑おこし）。腐植サイクルは5年ほどかかる。フクシマ原発事故による放射線汚染対策で、田畑の表土が除去される。農家は「水を作る山肌、森林などはどうする、そもそも表土をとると田畑ではなくなる……」と悲痛に呻く。この底知れぬ罪業におののく。

技術指導のとき、目的が講義・講演でも、工場を見学させてもらう。そこに物品の移送や加工で生産規模に合った巧みな工夫（重力、バネなどの応用）があると心和む。余計なコメントが役立ち更なる合理に気づいてくれると、一緒に凱歌を上げる。とくに中小規模ものつくり場は、研究業績（科学論文）に直結はしないものの、工学に有用な多数の発想源が見られ、刺激的で楽しい。

汗と油のローテクで基本を忠実に守り、少しずつ安価な改善を積み上げる。その技術は、ハイテクの効率や見栄えで劣るけれど、想定外の危うさを含まず不具合に対応しやすい。健康な栽培・栄養価の高い作物は、長い間の土つくりから生まれる。姿勢は相通じる。今これを失うのは勿体ない。

【『工業材料』59－1～12（2011）】

七、談話室　貧による大志

1 うるおいを持ちたい時

きっと今年も、はかなく終わると知りつつ年明けには願を立て祈る。ことに昨年は災厄続きだったから、人々は新しい暦が待ち遠しかった。

暦は人類の営みに多大の貢献をしてきた。暦法は大きく二つある。人類は、まず日の出を日数、月の満ち欠けを月数の単位にして数えることにした（太陰暦、イスラム暦では現在も使用）。やがて農耕作業、洪水対策、祭祀行事などに必要な季節感を反映するため、12回繰り返しを年数の単位とした（太陰太陽暦）。他方、季節循環をもたらす地球の公転周期を年数単位にして、その中で日数や月数を決める方式も現れた（太陽暦）。

古代ローマ最古のロムルス暦（ＢＣ７５３年）は、年10カ月（３０４日）だった。春からMartius（農耕・戦争神）の後Aprilis, Maius, Juniusと女神が続き、第５～第10月までQuintilis, Sextilis, September, October, November, Decemberとラテン語の序数を続けた。残る50余りの日数（死の季節）を、ヌマ暦（ＢＣ７１３年）がJanuarius（門口・出発神）とFebruarius（贖罪神）

に2分割し、年12カ月制（365日）にした。年初は、タルキニウス暦（BC600年）でJanuariusになる。だが全土で共有されたわけではなく、また季節と暦日のずれが大きく、軍令や国政に具合が悪い。

史劇の英雄ユリウス・カエサルは、平年を365日とし4年ごとに1日の閏日なども定め、ユリウス暦（BC46年）を制定し布告した。このとき、エジプトのシリウス暦（BC3300年頃、恒星シリウスとナイル洪水の周期が一致することに着目した太陽暦）を参考にした。カエサルの後継で初代ローマ皇帝オクタビアヌス（在位BC27〜AD14年）は、暦日のずれを解消し、各月の日数を再調整した。この改訂ユリウス暦が、ほぼ1600年にわたり世界で用いられた。しかし月や地球の運行は整数でないから、やがて必ず暦日がずれてくる。

キリスト教界では、春分後の最初の満月から直ぐの日曜日に最重要の行事・復活祭を行う。教皇グレゴリウス13世（在位1572〜1585年）は、この日を明確にするため、蓄積した暦日のずれを修正し春分を3月21日、4年に1度の閏日は2月29日と公布した。このグレゴリオ暦（1582年）が現在、多くの国に採用され、和暦（太陰太陽暦）を用いていた日本も1872（明治5）年に転換した。

英単語「カレンダー」は、古代ローマで新月の日（朔）をカレンダエと呼んだことに由来するという。月名もローマ暦に起源がある。ただし例外があり、7月（第5月）をカエサルが誕生月に自らの名Juliusに、8月（第6月）を初代皇帝オクタヴィアヌスが自らの尊称Augustus

に変えた。面白いのは第2代皇帝ティベリウス（在位AD14～37年）。おもねる側近に「13人目の皇帝をどうする？」と変更を拒否した。養祖父と養父への反発か、神と並びたくなかったのか、単に論理的なだけか……。ともあれ今の日本は幸いにも、月名を一連の序数で表す慣習なので簡明でよい。

暦はまた、終末論の好事家にとって嬉しい小道具だ。今なお謎の多いマヤ文明（BC400～AD900年頃）で用いられたマヤ暦（太陽暦）は、2012年12月21日で終わる（今の第5周期が5125年の満期に達する）。予言では最大規模の天変地異が起こり、新世界が作られ新人類が現れるという。しかし怖れは杞憂。暦は人の営みに都合よく天体の周期を刻んだだけで、予言性を含んではいない。

さて来る閏日。いわば余得だから、うつつの夢を見るのにふさわしい。明日の技術科学の遂行に願をかけるもよし。今これを失うのは勿体ない。

2 月影は夜道を救う

広告は、人々の願望を表し社会の意識を反映する。右肩上がりの成長を続け世界に奇跡の旭日と称えられていた20世紀後半、首都圏の車内広告は溌剌とした若い女性にあふれていた。前線のサラリーマンたちは、その魅惑のほほえみに苛烈な戦いを一瞬忘れ明日を夢みた。だが昨今は、若いグループ、老夫婦、幼児児童・アニメの人物、犬猫、風景、学校、建物、文章などの進出が著しく、彼女たちを見かける機会が大幅に減っている。

少子高齢化や経済停滞などの問題を抱え閉塞感の中で幕開けした21世紀初頭、さる大企業の社長が技術相談後の懇親の場で「女性に教養や美しさがなくなった、男性に責任があるのでは……」と同意を求めたことがある。やや感覚が古いが「確かに男性に甲斐性が減ったかもしれない、新技術は暴れ者がつくるのですよねぇ」と受けた。

今は組織も個人もゆとりをたずねて必死で働かなければならない時代。女性たちも様々な前線で活躍し、もはや男性は社会に女性は家庭にという因習から完全に解放されている。若い女性も夢を売るだけの軽い存在ではなくなった。

ある金型製造工場を見学した。技術職・技能職を問わず女性が働いている。仕上げ部門の入社したての女子が「もう帰るの？　残業で仕掛かりを終えなさいよ」と同期の男子に声をかけた。彼は翌朝「僕この会社で勤まるでしょうか……」と慰めを求めに来たと、上司が苦笑しながら語ってくれた。

若い男性を草食系と揶揄する向きがある。総じて物事に挑戦的でなく女性にもさほど関心を寄せず大人しいということらしい。野心（闘争本能）も野生（生存本能）もないのは困ると、どうも女性の方が舌打ちしている（そういえば怖れもなくよく噛みつく女性が多い……肉食系なのか）。

どこでも女性は実に輝いている。まるで周りの男性から光の成分を全部取り上げて身にまとったようだ。威風堂々として威厳があり、男性上司さえ臣下の礼をとっているかのように。

いつぞや高校の同期会があった。女性群の元気さ、数も多く自信にあふれた姿に驚嘆した。亭主を尻に敷き、子らに君臨し、教師を威嚇してきた戦果の上に立つ。座がくだけた頃、見知らぬ女性が大声で話しかけてきた。昔は女が男を君付けで決して呼ばなかったから違和感がある。そのうえ姓も体型も変わっていて思い出せない。ドギマギする筆者に「気を引いたのに振り向いてもくれなかったわねぇ」などとからかい、目は意地悪く反応を見ている。本当にそうならはっきり言って欲しかった。17歳の頃は、きっとアスペクト比（細長比）が大きく声も可憐だったろうに……。

平塚らいてう（明《はる》、1886―1971）は、女性の解放・社会進出を唱えた元祖。創刊した女性文芸誌『青鞜』（1911年）の巻頭言「元始、女性は実に太陽であった。真心の人であった。今、女性は月である。他によって生き、他の光によって輝き、病人のような蒼白い顔の月である」はあまりに有名。太陽どころか宇宙の支配者になっているような現在の女性達の姿に、らいてうは泉下で随喜の涙を流していることだろう。

太陽は自ら光と熱を発し、月は太陽の光を反射して夜に輝く。工業界はもちろん日本全体が暗夜の中にある今日この頃。夜道を歩むには月影が嬉しい。草食系男子よ、煌々と輝いて人々に行路を示そうではないか。また堂々と職場の花になる。夕方に白色で咲き翌朝に薄桃色でしぼむ月見草などがよいか。滅入ることがあっても、決してしおれず凛々しく行こう。今これを失うのは勿体ない。

3 時を超える長い舌

本当に超光速だったのか。欧州合同原子核研究機関CERNの国際共同研究実験グループOPERAが昨秋、スイスとイタリア間を飛ばした実験で、「ニュートリノが光速(299,792,458 m/s)を超える速度(299,799,893 m/s)で飛んだ」と発表した。物理学界は今、その検証などで忙しい。

物質は原子、原子は原子核と電子、原子核は核子(陽子と中性子)、核子は素粒子(主にゲージ粒子、レプトン粒子、クォーク)から構成される。ニュートリノ(中性微子)は、パウリが放射性元素のベータ崩壊を説明するため初めて用いた素粒子で、レプトンに属し、宇宙や太陽から降り注ぎ、容易に地球も通り抜けるほど物質透過性が強いという。

現代物理学は、特殊相対性理論「質量のある物体の速度が光の速度に近づくと、その物体の時間の進み方は遅くなり、光速に達すると時間は止まる」に拠って立つ。光速で時間が止まるなら、超光速で動く物体は負の時間つまり未来に実在することになる。するとSFの漫画や映画の小道具・タイムマシンが現実化し、人が時間旅行できるようになる……。

楽しい話だが、これは矛盾をはらむ。第一に超現実を意識した瞬間、その時点が新たな現実になってしまう。第二に過去や未来の事象を変えると目の前の現実も実在しなくなってしまう。第三に誕生前や死後の時を見る自分自身は存在していない。つまり「我意識する故に現在あり」で、時を超える旅は永遠の幻想ということ。

人の時は、無邪気の神童⇓紅顔の美少年⇓厚顔の欲中年⇓汗顔の悔老年のように移る。何と空しく気分が重い経験則か。ならば、近未来のありたい形を光速で実現すべく、この一瞬を愛おしみ努めたい。技術者の想いは、時空を自在に飛べる。

現代物理学の開祖・アインシュタインでも、幼児期には知恵遅れを疑われた。中高等学校では規律と形式になじめない問題児で中退。親の命令で渋々スイス連邦工科大学を受験したが失敗する。だが幸いにも、彼の数学の才を惜しんだ学長が中高等学校を紹介して他の科目を履修させ、翌年、無試験で入学させた（17歳）。

卒業後は特許局に勤務し、特殊相対性理論とエネルギー式E＝mc^2（1905年）など多くの成果を発表。母校など大学に転籍（1909年）してからは、名声を背景に、第一次大戦反対など良心的発言で社会に影響を与えた。ユダヤ人としてシオニズムを支持しナチスの台頭で米国に亡命し、プリンストン高等研究所教授に就任（1933年）。第二次大戦の際、ドイツより早く原爆開発を、と進言者に名を連ねる。戦後は、軍縮平和を唱え続けた。

エネルギーと質量・光速の関係の簡明な美しさには、遠い昔、筆者も一瞬だけ物理学ファンになった。また、あの舌を出した顔は何とも温かく、物理と縁がない人の心をも和ませている。公式写真の彼は秀才的で端整な顔立ちだが、このスナップは大違い。72歳の誕生会帰りの自動車の中、彼は上機嫌で友人夫妻の間に座っている。「笑って」とせがむＩＮＳ通信社のカメラマンに、思いっきりベロを出しておどけた。著名人が見せた珍妙な表情は、新聞に掲載され世界の人々を驚かせ喜ばせる。彼自身も気に入り、自らの部分を切り取って知人たちに送ったという。

その舌の長さも容易に超えられないだろう。末永く人々を慰め、我を神格化するなと訴え、早く超越せよと呼び続けるに違いない。我ら、偉ぶらずに目前の技術を進め、下唇をなめることくらいならできる。今これを失うのは勿体ない。

４　ためらいが損なう明日

選択肢の多さは、豊かさの徳の一つといえる。だが、その選択に思い悩んで決断に手間取り、時機を逸する人々も増えた。

かつて理工系学部では、ほとんどの講義は基礎から専門順に配列され必修だった。学生は、その列車に振り落とされずに無事目的に着けるか悩むだけで済んだ。昨今の学生は、セメスターごとに自ら必要な科目を選んで週間予定を決めなければならない。多くの学生は設定に難渋する。科目内容じたいは、シラバスという講義仕様書にあるものの、自らの先行きに確信を持てない若さでは、今何をすべきか分からない。そこで期初2〜3週は複数の授業をお試し受講して、気の合いそうな教師で楽に単位が取れそうな科目を探し出し、ためらいを残しつつ履修登録することになる。だが可哀相なことに、たいてい当てが外れる……。ためらっているうちに、科目基礎を習得できなくなり、その後の進行について行くことが難しくなるからだった。同様のためらい癖をもつ若手技術者が増えたと、技術経営者たちを悩ませている。

To be or not to be, that is the questionは、シェイクスピアの悲劇『ハムレット』に現れ、悩みやためらいを表す名文句だが、難解さでも世界的に有名らしい。デンマーク王（父）の亡霊が、現王（叔父）と王妃（母）が不倫をして自分を毒殺したと告げ、確証を得た主人公がここぞと声を絞り出す決め台詞だ。彼は苦悩の末に、狂気を装って復讐の時を待つことにする。恋人の絶望の死、宰相の殺害、王の罠、王妃の毒酒の死などの波乱の後、ついに王を殺害して、自らも死んで行く。

わが国には明治期に紹介されたが、邦訳も割れた。多数派は、beを自動詞「生きる、存在する」の意で訳す。坪内逍遥「世に在る、世に在らぬ、それが疑問だ」や福田恒存「生か、死か、それが疑問だ」などは強いハムレット像。これに対し、小津次郎「やる、やらぬ、それが問題だ」や小田島雄志「このままでいいのか、いけないのか、それが問題だ」などの弱いハムレット像もある。筆者は、最後に自決したわけでもなく、「このままでいいのか、いけないのか、どうしよう」と、驚愕の事実にうろたえる弱い彼の方が好きだ。

選択肢の多い時代。陳列棚にさまざまの商品があふれ、人々は少しだけ悩んでどれかを買物かごに入れる。やがて習い性で、自らの進路まで棚から安くて美味しいものを取ろうとする。また目の前に解答がないと動けなくなる。そんな若者が増えたとすれば、これは豊かさの罪だろう。

見聞きする成功者たちは一様に、まず夢を追い、思いを定め、ひたむきに走るという特性をもつ。行動することに対して、まったくためらいがない。どうせ人生は、想定通りに運ばず悩み苦しむものだ、早く踏み切り思いを遂げたい。道の間違いや失敗に気づいたらやり直せばよいと割り切っている。そのためらいのなさが幸運を呼び込むらしい。

現代技術の場は逡巡を許さない。課題に直面したら、ためらいなく動く。それには、どんなハムレット状態でも、選択肢から難しいものを取ると決めておくと楽だろう。先のことは分からないのならケセラセラで行った方が時機を逸しない。弱い者の知恵だったが、筆者は後悔したことがない。

変転するから未来なのだ。若いほど、どれにも大きな可能性があり果実を取れる。迷いやためらいを、いつか来るもっと偉大な難問のために残しておこう。今これを失うのは勿体ない。

5 パイを切り分ける技術者

このオーナー社長は、40年ほど前に起業し卓越した加工技術で定評のある中小企業を率いている。「立派な大学を出た頭のよい技術者を抱えているのだが、広範な実験に時間をかけすぎて、いつも必要な時に間に合わない」と会食後の懇談で嘆く。要するに、なぜ絨毯爆撃なのか、勘を働かせて重点爆撃できないのか、と不満。「大学教育は科学的素養・姿勢を修得させることを基本にしているからねぇ」と応じておいた。

それで思い出した。老眼が始まり、もはや学生たちとは成長度を競えないと観念した頃、ゼミの学生たちはコツを教えると直ぐ実験技術を精確に能率よくやり遂げた。我は情けなく彼らは頼もしい。しかし、それだけでは成功体験や技術研究姿勢を修得できない。助けを必要とした。

多くは、絨毯爆撃型の多元直交配列実験計画を立てるものの卒業に間に合わないと気づいて悩みだす。その時、目標に直結する必要最小限の要因（実験条件）を選んでやると、彼らは尊敬と感謝に輝く目を向けてくれた。

新たに技術を確立する際に行う試作や実験では、まず目標（性質・性能など）に対し、よく効きそうな要因の見当をつける。そして最も良い結果をもたらした要因の組み合せを見出す。その後、必要に応じて、その組み合わせの周りでさらによい条件を探す。初めに多数の要因の順列組み合わせをすると、時間と費用がかかり、容易に終わらず成果に至らない。最善は第2段階で求めたい。

材料加工技術のアドバイスで、状況に応じて改善・開発法を考え、なるべく狭い範囲の試験条件を示す。失敗の許されない際どい仕事で、頼りはこれまでの経験の上に働く勘やひらめきになる。ともあれ最善に至らなくても程よい結果を出させ、長い間悩んできた若手技術者を喜ばせる。彼の感動は、筆者の次への励みにもなる。

円周率パイ（π）は円の周長対直径の比で、その値は何世紀にもわたり世界中で求められてきた。現在でもコンピュータ性能を示す尺度として計算される。整数比では表せない超越数で、小数点以下無限に数字が続く（無理数）。ゆとり教育の小学校がこれを3と教えると誤解され、大騒ぎになったこともある。そこまで粗い数字では支障も出るが、桁数が多ければ正しいというわけでもない。時折、材料強度学の試験で、寸法31.4159265 mmなどという悲しい解に出くわす。電卓のパイ記号を機械的に押した結果だが、技術的には意味がない。この学生は、桁数の切り方を知らないのだろう。多くの技術では、近似値3・14や22／7などで十分で、もっと桁数がほしい時には3・14159や355／113を用いる。

科学的手法は、ものごとを分析し緻密に詰めるので数学的で理論的でもある。学業成績優秀な者ほど、それを唯一絶対と信じ、修得した科学の枠組みの中で考え行動する。しかし、この正統的手法だけで現実の技術を攻めるのは、必ずしも合理的とはいえない。

そのような合理的視点をも大学教育に取り込むとよいが、今日の大衆化した大学では多くの学生が混乱してしまう。技術の場で、ベテランやシニア技術者がＯＪＴで、遠慮せず経験を語り、教えた方がよいように思う。

よい技術者は、科学的知識をたくさん持ち科学的手法に精通していても、それを超えて、現実のものごとを合理的に処理し、ものつくり技術を素早く高く押し上げる。パイは、状況に合わせて目分量で切り分ける方が座を和やかにする。今これを失うのは勿体ない。

6 不届きなパーセンテージ

ある新聞のコラム「夢の印税生活は夢だった」は、実に愉しかった。印税とは、出版社が著者に支払う著作権使用料。かつて奥付に貼られた著者検印紙が印紙（税）と似ていたことからの呼び名らしい。出版物の場合、定価×発行部数（または売上高）×αの額になる。アルファは10％を軸に多少変わる。

文芸やミステリー小説のミリオンセラーでも、経費がかかり税金も取られるので、作者が一生暮らせる金額には簡単には達しないだろう。まして理工学書や技術書は、数年かけて1万部も出れば上々とされるので、ほぼ絶望的といえる。

今は昔、銀行金利が７％ほどあった頃、がんばって1億円貯めれば年７００万円の不労所得が得られ、それだけで生活できる……と、はかなく夢見た。先日、振り込みに行った銀行で、担当の女性に軽口をたたいて一緒に笑った。利率0・03%とは、もしや100万円が1年で300円の利息？　……まっとうな夢も不届きな夢も、かなえられないから夢なのだと、今の筆者は完璧に納得している。

割合（歩合）は、わが国では伝統的に漢数字の小数を用いる。野球の打率0・321は1000回の打数のうち安打が321本あることを示し、3割2分1厘と読む。次の桁に毛がある。小学生の頃、これで少数、分数、また割り算を実感できた。

細かな小数の桁を略す表し方に、百分率パーセント（記号、%）、千分率パーミル（‰）、万分率ベーシス・ポイント（bp）、百万分率パーツ・パー・ミリオン（ppm）、十億分率パーツ・パー・ビリオン（ppb）、一兆分率パーツ・パー・トリリオン（ppt）などがある。換算すると、1%＝10‰＝10,000ppmになる。

銀行金利、消費税、割引商品……など、%は身近で、キーボードにもある。坂道の勾配を表すのに、道路が%、鉄道が‰なのは面白い。米語式打率（アベレージ）は、321などとパーミル‰で表す。溶液濃度などは、ppmで表すことが多い。

科学が進化するにつれて、小数点以下の数字が増す。しかし、人の能はたぶん相変わらず、小数点以下に並ぶ0の数を認識するより整数の方が理解しやすく安心する。それでパーセントなどを考え、元気に事に当たろうとしたのだろう。ならば銀行金利を300ppmとした方がよさそうだが、数字が大きいだけ情けなさも大きくなるか。

パーセントにはしばしば、まやかしが潜む。例えば、金利０・０３％でも母数が大きければ莫大な利息になる。給与削減を２％というとき、全体に対してか一律適用かで個々の影響度は大きく異なる。評価が相対的であれば、集団ごとにその重みが違う。毎月５％収益でも月の売り上げが異なれば同じ率の年収益にはならない。病院で死亡率が50％と１％の場合、前者が難病専門で後者が一般診療であれば比較できない。汚染排水は規制のppm値だけでは、水を加えると簡単に逃れられる。

ものつくりの場でも頻繁に％が現れる。歩留まりは、全体量分の有効使用量で大きい方がよい。逆に不良率は、全体量分の不良品量だから小さい方がよい。高度技術は常にＺＤ（無欠陥）を狙うけれども、工学は絶対的確信を許さない。あくまで想定できた不良原因を取り除く作業になる。

部材の設計では、想定外または人知を超える何かをおそれ、例えば材料強さを実際の何％かにとる。その値（安全率）が大きいほど破壊の危険が遠ざかる。神ならぬ身の知恵だが、その存在じたいが完璧な安全はない、と物語っている。

パーセンテージの背後に隠れた真実をよく探りたい。今これを失うのは勿体ない。

7 海賊たちの心意気

海賊は海上で金品を強奪する。例えばソマリア沖では、地中海とインド洋を往来する年間約2万隻の客船や商船を襲い、人質をとって高額の身代金を取る。源流は生活困窮漁民たちで、人質に対する暴力や虐待などを禁じる規則書を持つという。どこか救いがあるけれども、基本的に社会の裏側に存在する無法者だから、各国が軍隊を派遣して押さえ込みを図っている。

金品を強奪しなくても、船上からの電波ジャックも海賊行為になる。このとき大抵、無許可放送で主義を主張する。盗ると同時に与える点で幾分進歩している。歴史上、変革の動きは常に賊性を帯びている。今ドイツの首都・ベルリン市議会で、その名も海賊党が少なからぬ議席をもち注目されている。若い理系男子が中核の政党で、インターネットの公民権、著作権や特許の開放、選挙権年齢の14歳への引き下げ、などを訴える。

第二次大戦後、わが国は先進諸国ことに米国に多くを学ばねばならなかった。海外の著名な理工学書は高価で入手も難しい。そこに、もぐり複写出版業者が現れ、縮刷版を通信販売で安価に提供した。その連絡先は翌年には途絶える。この海賊版書籍は知識に飢え喝いた研究者・学徒を救い、わが理工学や技術の向上に確かに貢献した。

人は個と属する集団の願望を優先し、それを目的とするとき、多少の後ろめたさを残しても手段の正しさを葬ってしまうようだ。例えば理想社会実現のためとの暴力革命論、政治家の地元発展のための利益誘導、大学の巧言を弄する受験生集め、人気選手を獲得したい球団の裏金提供、開発投資なき安価な模倣商品、選挙戦における相手のマイナスキャンペーンなど、思い出す事例は多い。

願望は個の数だけ存在する。放置すると軋轢・紛争が生じ社会が混乱するので、法令で規制する。しかし歴史、文化の異なる異国には通用しないので、国際的には常にぎくしゃく衝突と妥協を繰り返す。賊性は多様なので、強大国や多数派国の勢いでも、自らの法体系で世界制覇できない。

時代劇で人気のある義賊は自身の富裕を求めず、金持ちから金品を盗り貧者に施す。海賊版の版元も義賊のおもむきがある。しかし、義侠心で人々に喜ばれ斯界に貢献したとしても、著作権や出版権が存在するかぎり無法者になる。

その昔、自炊は外食の対語で、贅沢をせず健気に頑張る単身赴任者や間借り学生を象徴する語だった。今は別の意味で使われている。本の購入者が私的に小説や漫画の頁を切り離し、スキャナーで読み取り電子データ化する行為を指す。自炊後ダウンロードした端末機器を持ち歩き手軽に見る。

そこに耐乏の健気さは見えない。安易は更なる安易を生む。ついに自炊を代行する商いも登場し、不特定多数が業者から手数料と引き換えに電子複写を買う。顧客には知的飢餓感と未来社会のための向上心がないし、業者には社会奉仕精神よりも金儲けの卑しさが透けて見える。

海賊版の義賊性が決定的に欠けていて情けない。

わが国は今、世界でも有数の教育水準の高い国になっている。出版が多種多様で、専門書も数多く、昔に比べ極めて安く入手できる。書店や図書館で見かけて心が動いたなら、お金を貯めて正当に購入したい。書は内容要旨だけでなく、書名、文字、行間、柱、挿絵、装丁、裁断、帯など全てが語りかける。愛書は持ち主に、著者や版元の心を漏らさず伝え、明日に生きる何かを必ず与えてくれる。今これを失うのは勿体ない。

8 貧による大志

年長者を敬う、助け合う・守りあう・鍛えあう・皆で責任を持つ、嘘を言うな・負けるな・弱いものをいじめるな……。西郷隆盛（1828－1877）は少年時代、これを掲げた郷中教育で心身を鍛えた。

薩摩藩に血なまぐさい御家騒動が勃発したのは20歳の頃。藩政を正そうと、藩主の愛妾の子・久光（5男）を推す派の首魁を斬ろうとする。その後、粛清された者の名誉回復と生存者の登用を訴える建白書を新藩主に就いた斉彬（長男）に出す。提言は受け入れられなかったが誠心が通じ、お庭方に抜擢され、密命を受け諸藩との連携工作などで働くことになった。その間、下級藩士の長子として貧困家庭の幼い弟妹6人の養育もした。

ペリー艦隊が開国を要求し他の諸国も権益を求め押し寄せ、封建社会のひずみも顕在化した時代。対応策や社会体制をめぐって守旧（幕藩体制維持）から改革（政権交代推進）まで諸派入り乱れ、藩内また藩間で武力闘争が始まるなど世情は騒然。その最中30歳で、敬愛する斉彬の急逝を聞く。このとき殉死を諭され、遺志（尊王攘夷）の実現を決意した。

藩政は新藩主の父で名代となった久光が担う。安政の大獄で追われる勤皇僧を藩が匿えない状況に陥り、失意の彼は相抱いて錦江湾に投身したが独り助かり、表向き死亡で徳之島に身を隠す。帰参後、久光の軍令を無視し、2度目の逮捕で最果ての沖永良部島に流罪。船牢での暗殺か島での死罪を覚悟したが、藩内で復帰待望論が強まり赦免。36歳で総参謀に就き、薩長同盟など倒幕・王政復古の前線に立つ。ついに江戸城の無血開城と明治維新（1868年）を実現し、40歳で陸軍大将・参議に就き新政府の最高首脳の一人になった。

明治6年、隷属に抗う朝鮮（李朝）への対応問題で、自らの遣韓大使論が内治優先論に敗れ下野。征韓論（出兵）の参議・政治家・軍人・官僚など600名余りも辞任した（征韓論政変）。故郷で、行き場のない士族らを収容する私学校を設立し県政に強い影響を及ぼす。政府は反乱を恐れて県下の武器庫を空にし、彼の孤立または刺殺のため巡査24名を派遣。憤激した私学校生は明治10年正月、政府に質すことありと彼を担いで進軍（西南戦争）。しかし九州各地で激戦の後、衆寡敵せず、やがて城山に追い詰められ初秋の早暁、数日を過ごした洞窟を出て東方に拝礼し門弟に首を打たせた。12年後、賊軍の将から元勲に戻された。

自らの信条を数多くの漢詩に託し人の道を説いた。例えば（大意）、今は幽囚の身だが死んでも天朝に忠誠を通す（獄中有感）、辛酸は志を堅くするので児孫のために美田を買わない（感懐）。人道は天地自然のものだから天を敬い天は我も人も等しく愛すから自らのように人を愛す（敬天愛人）、人道は天理天則を知って学べ（示子弟）、天の心なら我が身の安泰を計れない（天意を識る）、才人は議論を好んで事を仕損じ山野の木は何も語らず青く繁り花は赤く咲く（示子弟）、などがある。

所用を済ませた日に観光をした。西郷ゆかりの洞窟で、十数名の白無垢の老若男女が一心に読経し崇めていた。その折、観光気分で素通りできなかった。心忙しい人々は今、小さな技術遂行に費用・設備・支援の不足を声高に訴え、少し努めては僅かの毀誉褒貶に大きく心を揺らす。貧困を鍛錬の場とし、幾度も死を覚悟の誠を貫き大志を成就した。そして勲功を誇らず名誉も地位も財産も求めず、天意に沿って果てた。英傑はその生涯をもって、小事に捉われず志高く進めと諭す……。今これを失うのは勿体ない。

9 信なき空間を離れて

今夏、佐渡のトキの雛がかえり巣立った。早く大きくなって大空を悠々と舞ってほしい。

いま大学卒業者の離職率（3年間）は、30～37%に上り、同世代の半数はニートやフリーターだという。このような現象は、わが国だけでなく、先進国に共通する。「近頃の若い奴ときたら……」は、有史以来の老人の繰り言で、背後に世の中はいろいろあるものだ、身勝手で刻苦勤勉が足りないとの罵りもある。だが、若者のストレス耐性不足を表面的でなく、少し深く考えることも必要だろう。

成熟社会は少子化と教育熱を生む。彼らは誕生以来20年ほど家庭や学校で、大人の思いのままに何事も悩む前に懇切に手引きされ、交遊も制御され、ただ学習するように調教された。そこでは受動的体質が善になる。他方、仕事の場では自身が技量を高め周囲に働きかける姿勢がなければ、何も動かない。そこでは能動的体質が善になる。

複雑に錯綜する場で上手に息がつけない新卒者も多い。課題の意味も分からず自信を喪失し、周囲や先輩には笑われそうで聞けず、上司の力付けを叱られたと思い、劣等感と孤立感に捉われ、うつ状態に陥り、職場内引き籠もりになるか退職してしまう。

そのうえ長期不況社会に生まれ育った。家族を犠牲にして会社に尽くしたものの賃金カットやリストラに遭って泣いている親や先輩のあわれな姿を多く見た。誠心誠意の努力さえ未来を約束しない理不尽の秩序を密かに憎悪し、社会に信頼感を失い、不安・厭世観に捉われる。

心やさしく感度がよい者ほど、青雲の志を抱くどころか実社会に灯が見えなくなる。自信喪失や厭世観を積極的に克服しようとすればカルトが見え、逃避しようとして引き籠もりや自己消去（自殺）に行き着く。この危なさは大人の責任だろう。

この状況下で溌剌と動き回る若手の姿は、運命に疲れた社会を元気づける。今度一杯やろうと誘うと、屈託ない笑顔がいっそう輝いて嬉しい。羽音も高くできるだけ遠くへ飛べと願う。人は、夢多く未来に往く存在に素朴な希望をみる。

しかし、楽しげに仕事している若手も不可解だ。例えば一様に、仕事は「ぼちぼち」や「ほどほど」やっていると答える。情熱の吐露や自分が居なければ職場は成り立たないと突っ張る生意気な頼もしさがない。決して現実感が希薄というわけでもない。どこか妖しい雰囲気を漂わせている……。

なじみにくい概念だが、数学に実数部と仮想数字のi（$\sqrt{-1}$）の虚数部をもつ複素数$a+ib$がある。また現世には、日常意識で数え価値づけられる現象の実数空間に虚数空間が併存するという。そこには実感できない微小エネルギーがあり、量子論によれば微小時間に無数の電子、陽子、光子などが絶えず浮き沈みしている。

妖しさの源は複素数性にあった。彼らは実数界と虚数界を簡単に往来でき虚数界でもゆらいでいる。身を実数界に置いても、何かの拍子に信じられなくなり疲れれば、世俗的価値観がなく心安らぐ虚数界に移動し再生できる。彼らにすれば、物事の優劣比較が絶対の実数界に慣れ過ぎて、異空間の存在に気づかずに、ただ憂世で苦しみ悩むだけの大人の方が哀れなのかもしれない。

複素数は、物理学、相対性理論、電磁力学などの展開に大きく貢献した。都合の悪い振る舞いもあるが、どうあれ未来は若者が拓く。その複素数性は、新たな飛躍をもたらす想定外の何かを期待させる妖しい魅力がある。空間往来能力だけでも羨ましい。今これを失うのは勿体ない。

⑩ ふたりの末踏の三叉路

若き技術者ふたりは、第一次世界大戦（1914〜1918年）の最中、英国・王立航空研究所で出会い、航空機の性能向上を目標に、プロペラ軸の強度や石鹸泡応力測定の問題に共同で取り組んだ。戦後は別々の道を歩んだが、よく似た発想で、部材の強さを解明する2本の道を切り開いた。

グリフィス（A. A. Griffith、1893–1963）は、ガラスなど脆性材料の理論強度（ヤング率の1／10程度）と実際強度（1／1000程度）の大きな隔たりを説明するために、部材に初めからあった亀裂（グリフィス・クラック）が応力集中を引き起こすからとする脆性破壊理論を発表した（1920年）。仮説は、材料強度を力学的に取り扱う学術分野・破壊力学に発展している。

テイラー（Sir G. I. Taylor、1886–1975）は、実在延性金属の塑性変形開始応力（降伏点、弾性破損）が理論値に比較して桁違いに低いことを説明するために、イタリアの数学・物理学者ボルテラ（Vito Volterra）の示唆した結晶欠陥（1905年）をヒントに、その運動（転位）による塑性変形理論を発表した（1934年）。仮説は、金属の降伏を内部構造の変化から取り扱う結晶塑性学（転位論）に発展している。

材料の強さを追究する学術も細分化された現在では、それぞれを別学科あるいは別科目で学ぶことが多いので気付かないが、両仮説には相通ずるものがある。両者はともに、理論値よりもかなり低い応力で起きる破壊や降伏の原因を先在欠陥（亀裂と転位）に求めている。その類似性が、両者が戦時下に軍事研究を共にしていたからではないかと想像すると愉しい。

材料強度学史上に燦然と輝く偉大な二人は、戦時に同じ場で競い、戦後は別々の地で活躍した。グリフィスは米国に渡り主に民間企業技術者として、材料強度、金属疲労応力と破壊現象の解明およびジェットエンジン、タービンエンジンや垂直離着陸機の設計など数多くの技術業績を残す。テイラーは、英国で主にケンブリッジ大学などの教授として気象学、航空力学、固体強度学、とくに空気の乱れ、乱流、空気渦流など応用力学で大きな貢献をする。両者とも、初期から飛行に伴う事象を豊かな発想と巧みな物理・数学手法で記述し、航空機関連の実用技術・設計を推進した幅広い技術科学者だった。

それまでの知識経験で合理的に説明できない事象に出会うと、多くの人は、そういうものと納得してそれ以上考えない。これに対して、科学的に説明できない謎を解こうと苦悩し続ける少数の人がいる。やがて彼はひらめきを得て、事象の背後に隠れた事実に気づき、勇気を持って推論を進め仮説として世に問う。

仮説は長い年月を経て、進化した高度観察技術によって実証され、理論や定説になる。実証に至らずとも、それが事象の起因するところを巧みに表現していて、推論を重ねて新たな有用なものごとを創造できれば間接証明になり、後進は次を効率的に展開できる。そして次の文明が拓かれる。

幸いにも、彼らのひらめきの産物・先在欠陥は半世紀を経た今は完全に確認され、その果たす役割も技術科学者たちに支持され、さらに進化した考えを後進が展開している。

麗しいライバルたちは別の道をとりながらも問題を共有し、それぞれが部材強さの暗部に踏み出す道標を作った。その仮説は未熟の科学を大きく前進させ、現代材料技術に大きな貢献をしている。今これを失うのは勿体ない。

11 許されざる計算

誰も見ていないと思っても神様が見ている……と悪事を戒めた。また、勉強しないとアイヌのように騙され酷い目に遭う……とも諭した。完全に田舎に没して、いつも暗くなるまで外で遊び回り、平仮名もまともに読み書きできないで入学した児童の行く末を、母はかなり危ぶんだのだ。

この時、落ちこぼれは母の思いが理解できずに心の内で反抗した。神様が見ていなくても悪事は絶対に悪い、脅かされて遂行する道徳は欺瞞ではないか。また騙された人よりも騙した方が絶対悪い、勉強が騙されないためだなんて……と腹立たしく一層、遊び呆けた。

　蝦夷の先住民族アイヌは、魚、海草、羽飾り、毛皮、獣肉などの産物を物々交換に北海道内だけでなく樺太、大陸、東北地方などに船を操り出向いた。コタン（村落）は平和だった。そこへ17世紀になって内地から武人一族（和人）が道南に流れ着き居を構え、ほどなく徳川幕府から松前藩として認定され統治を委任される。奸智と武力に長けた和人は、正直で平穏な民族から自由交易権を奪い、自らの利のため圧制を敷き搾取する。

　ズルシャモ（ずるい和人）は簒奪・詐欺を続ける。例えば鮭や鱒を買うとき、1の前に「はじめ」、10の後に「おしまい」を数え、結局10本の対価で12本持ち去る。このアイヌ勘定は、簡単に騙される愚かさとして、北海道で語り継がれた。

　アイヌ民族は自然を司る神に強い畏敬の念を抱いている。例えばイヨマンテ（熊祭り）は、神から預かった熊の子を皆で大切に育てあげ、神の恵みに感謝しつつ魂を肉体から解き放ってお返しする厳粛な儀式。狩猟、漁猟、収穫は、生のため必要最小限だけ許される。富を蓄えるという概念が希薄で、貪りは絶対の禁忌だった。無欲の民族は騙し取る強欲さなど想像できないから、新しい友人が困っていると解釈した。

　当時のアイヌは決して無知な蛮族ではない。非常に優れた記憶力を持ち、知識は口述で伝承する。数詞の言葉も持ち正しく数えられたが、数の明確化を避け年齢や捕獲数なども概数で表した。おそらく数量が無用の優越感や格差をもたらし、自然の均衡（神意）を損ねると知っていたのだろう。

侵略和人は、その素晴らしい文化や慣習を理解できず搾取を常態化する。やがて穏やかな民族も耐えかね蜂起する。しかし職業戦闘集団に抗すべくもなく都度、武力鎮圧され、また和平の招宴で主だった族長たちが暗殺された……。そのことに郷土史で触れた中学生の筆者は慄然とし、加害者一族の末裔でなくても酷薄破廉恥の和人と同じ血が流れるわが身を呪いさえした。いまは昔の懐かしい思い出。

歴史上も現在も――おそらく未来にも人は諍いをする。国家や民族の間に限らず、企業間や組織内、また友人・家族内でも揉め事が絶えない。その多くは個の幸福願望による。それは利欲に直ぐ繋がり、物質的優越が他に圧倒的に優り完全君臨できてようやく収まる。成就の過程では、否応なく他の不幸をもたらす宿命にある。人の哀しい業。絶対的友好は観念として存在するだけらしい。

勉学や技術の場でアイヌ勘定のような嫌な計略の多さに気づいて悩み、良心的現実逃避を秘める若者が来る。状況を察して動揺を隠し、努めて明るく「今の気持ちを持ち続け、耐えて時を待て」とだけ応じる。そして自責を重ねる後ろめたさで、また深く考える。滅ぼされた社会かもしれないが、決して未開の人々でなく、貧しそうでも心は豊かだった……。今これを失うのは勿体ない。


【『工業材料』60－2～12（2012）】

八、談話室　この遙かなる鬼伝説を

1 Delenda Estが忍び寄る

北東アフリカ大陸の地中海沿岸、現在のチュニジア共和国の地にカルタゴ国（BC814〜BC146年）があった。いち早く共和政をとり入れ、ギリシャとの3次にわたるシチリア戦争（BC480〜BC307年）に勝利し、イタリア半島西南端すぐ傍のシチリア島をはじめとする島々や沿岸を広範に支配する。地中海交易の覇者となり、国民は富裕な暮らしを満喫していた。

その平穏は、長くは続かなかった。勃興したローマ共和国とシチリア島の領有をめぐって、3次にわたる運命のポエニ戦争（BC264〜BC146年）に突入した。そして、すべてに敗れてしまう。第1次敗戦後、勤勉と商才でまたたく間に経済復興し巨額の賠償を繰り上げ償還。これに驚き脅威を覚えたローマは、挑発を繰り返し、再び戦争を仕掛ける。

第2次戦も、名将ハンニバル率いるアルプス越え象軍の半島攻撃で心胆を寒からしめたが結局、無条件降伏。民主化、軍備解除、全海外領土放棄、50年賦巨額賠償金などが課される。しかし貿易で程なく復興し、賠償も完済して経済大国に。ローマはあれほど叩いても蘇る民族に、憎悪と恐怖を感じ、根絶やしにすべく策謀する。

ヌミディア国に領土を侵犯させて、カルタゴ自衛軍を引き出し、これを無許可開戦だと咎める。宣戦布告に、カルタゴは貴族たちの子を人質に差し出し、自衛軍も解散するなど、ひたすら恭順の意を表すが、市街破壊・内陸移住を最後通牒される。ローマの策略を知りつつも忍従極に達し遂に、どうせ滅びるなら敵わぬまでも一矢をと決意。女子供も動員し粗末な武器をつくり、絶望的条件下で運命の第3次ポエニ戦争に突入。

圧倒的軍事力の前に必死の抵抗も僅か3年。ローマは民族抹殺の仕上げとして、最後の生存国民10万人すべてを処分する。男は殺害、女子供は奴隷として売却。さらに街や港を焼き払い、跡地に雑草も生えないように塩を撒いたという。

歴史は弱肉強食界の勝者が都合よく書き残す。欧州正史では、ローマが人類に有害な蛮族を滅ぼしたと記した。現代に至って、歴史家が埋もれていた真実を掘り起こし、カルタゴ民族が高い能力で造船技術と交易の才に長け、豊かな民主主義都市国家を築いていたと訂正した。

刻苦勤勉、借金の早期返済、武力放棄・平和主義などは美徳の筈だが、その実践者に羨望・嫉妬・憎悪・脅威を感じ、遂には敵視し抹殺を図る野心家も出る。衝撃の蛮行は、大カト(M. P. Cato C.)が強い愛国心から「カルタゴ滅ぼすべし」を唱え続け、当時の世界の知の殿堂・ローマ元老院が支持したものだった。彼は質実剛健の生活を好み、清廉で信望厚い優れた指導者だった。そのことにも驚き、言い知れぬ恐怖を感じる。

地球上では今も、国家または民族の間で紛争が絶えない。わが国も内外に、利益が相反し対立する事例を多く抱える。もちろん残虐行為とは異なるが、技術革新や市場原理も競合相手を冷酷に滅ぼす。国家、集団、個人を問わず、生の営みはデレンダ・エスタの際どさの上に立つ。常に、危機感を共有し万全の備えを固め、同時に微塵も憎悪を抱かない強い心を持たねばならない……。

紀元前に約670年輝き、完全に地上から抹殺された海洋都市国家。その後も一帯で様々の国の栄枯盛衰があったが、なぜかカルタゴの名は2000年余りを経ても変わることなく、人々に親しまれ続ける。それはフェニキア人が建国時に希望を託してつけた名で、「新しい街」を意味するという。今これを失うのは勿体ない。

2 麦とろ飯をよそう少女

論文作成の一服に、オフィスビル地下の食堂街に行く。開店直後の店は空いていたがカウンター席に座り、昼食に郷愁の麦とろ飯を待つ。

その日のご飯をよそう担当は、初々しい細身の少女。お代わり自由なのだが、サービス精神で山盛りにする。崩落しないようにしゃもじで茶碗に何度も押し込む。きっと大飯食いの男兄弟の中で育ったか、相撲部のマネージャーだろうなぁなどと想像し面白くなって、「それって仏様のご飯みたいだねぇ」と声をかけた。彼女はきょとんとしている。すぐ馴染みの店長が奥から出てきて「今の若い娘は仏壇の供えなど分かりませんよ」と囁く。寄せてきた顔は、笑いをかみ殺している。

かつて日本の主食は雑穀ご飯だった。白米や玄米にあわ、ひえ、きび、ハト麦などを混ぜて炊く。麦飯もその一種になる。白米飯は神饌や特別行事のふるまいにだけ用いられた。第二次大戦後、庶民は窮乏からの脱出を実感するのに銀シャリ（白米）にあこがれた。それが平常食として定着して今日に至る。かつての麦飯は今や、健康食品になっている。

麦とろ飯はとろろ飯の一種で、大麦（押し麦）を30〜40％（体積比）混ぜたご飯を使う。押し麦は、皮を削り、蒸気加熱軟化して押し潰して作る。含有量が多くなるにつれて飯の粘り気が減少する。

麦飯にかけるとろろ汁は、自然薯、山芋、長いもなどをすりおろし、流動性と味をよくするためだし汁で延ばしている。強壮効果や栄養価の点からは、麦飯ととろろを別々に胃袋に納品してもよさそうだが風味や食感が悪いので、両者をかき混ぜ一体化して口に運ぶことになっている。

ご飯粒の間に隙間がないと、薄いとろろ汁でもご飯の中に浸み込めず、粒に纏わりつけない。つまり、麦ごはんには適度の空隙率（気孔率）が保証されなければならない。この点で、軸比

2分の1程度の楕円球になっているジャポニカ米（短粒種）が、インディカ米（長粒種、軸比4分の1程度）に優る。また例えば、米粉を炊くと消化によさそうだが空隙ができない。餅米を炊くと粘り気が多くてやはり空隙が減る。空隙率の向上には、扁平形の押し麦も一役買っているだろう。

金属やセラミックスの部品は、空隙（気孔）率をできるだけ下げた方がよい。空隙は、応力集中源となって部品強度を劣化させる。空隙減効果は、立方体の方が球に勝り、極論すれば立方体を緻密に積み上げればレンガ積み構造のように隙間がなくなる。しかし粉末粒子は普通、さまざまの形状（異形）をとるので実現不可能だろう。

金属粉末成形では、粒子間隙の減少・高密度化を図るため、まず粒径の小さな粉末を用いる。工業的には10～１００㎛程度だが、目標はサブミクロンすなわち０・００１㎜以下だろう。その次に、大きな圧縮力で粉体の粒子を変形・破壊する。

愉しいランチタイムだった。確かに、多孔性の方がよいのに、粉末成形力学的に緻密組織に形成された山盛りご飯は固く強すぎた。その頂上に穿孔するのも、とろろを流し込んだ後こぼさないようにかき混ぜるのにも難儀した。しかし疲れた大人の身には、客に喜んでもらおうとする純な気持ちが何ともいえず嬉しかった。しかも出し物は粉末成形の理に適い、解説の具体例になる……。

久しぶりの昨日は彼女が居ない。あの初めてのアルバイト時に自信を失くし辞めたのではないかと気に病む。間もなく論文が仕上がるけれど、その解放感の中に、寂しい空隙が混じらないようにと祈っている。今これを失うのは勿体ない。

３ 学界ＡＢＣ予想

ノーベル賞（２０１２年、生理学・医学）に京都大学の山中伸弥教授が輝き、日本中が沸いた。成熟細胞を多能性細胞（ｉＰＳ細胞）に戻せることを発見した業績。挫折からの転向、思いやりの人柄、今日も応用研究を先導する情熱なども素晴らしい。

これに先立ち世界で評判になった日本人数学者が居る。*Science*（米）と並び最も権威ある科学誌*Nature*（英）の電子版（ニュース）が「整数論の中で最も重要な未解決難問のひとつＡＢＣ予想が証明されたかもしれない」、「まったく独創的手法で証明しているので、論文の査読に時間がかかるけれども著者の優れた実績から間違いないだろう」と配信し、世界の数学者が注目した。

受けて日本の多くの新聞も取り上げた。その論文（４編で５００ページ）は、名実共に備わる天才数学者・望月新一教授（京都大数理解析研究所）が８月末に自身のＨＰで公開。この難問（１９８５年に提唱）は、整数Ａと整数Ｂ、その和の整数Ｃがあるとき、それぞれの素因数の間に成り立つ整数の方程式の解析に関する。取材記者が内容や応用性などを問うと「専門家の間の話ですから……」と応じたという。騒ぎに困惑したのだろう。基礎科学上の発見が人類にどんな貢献をするのか直ちには分からない。世俗を超越した姿勢も嬉しい。その格好良さと一連の経緯に感激し快哉した向きも多い。

学協会では、社会の知的水準を高めるために大学、研究所などに属する多数の関係者・科学者・技術者が集い、互いに切磋琢磨しつつ魁にならんと激しく競う。科学や工学では一般に、成果をまとめた投稿が覆面査読者（同業者）による厳密な内部審査（校閲・査読）に耐えたときのみ「新しい信頼に足る成果を盛った論文」として機関誌（*Journal*）に掲載され、独創性が認証される。

この間、優れた内容でも、ふつうはやり取りが厄介で時間がかかる。その難渋過程はいわば学協会のギルド的権威を演出している。一方で前述の両誌のような一般学術誌は、欧米では、むしろ権威の高さを誇っている。一切の偏見を排し、科学の進歩を最重要として、投稿が独創的成果を盛っていれば、高度な目利きの意見も聞くけれども、強い編集長権限で素早く掲載する。その論文認証は研究者に高い栄誉を与える。

彼のＨＰ論文は、この学術誌システムをも飛び越え逆に振り向かせた。誰もがあこがれた快挙といえる。信頼できる実績をもつ高レベル研究者は既に権威。定評のある学協会誌・学術誌であっても、もはや煩わしい投稿をする必要がない。自己のＨＰ上の発表で、独創の優先性(priority）を担保できる。優れた内容であれば参照回数も多くなり、意識の高い紙誌が取り上げる。成果の普及が速い。

インターネットのHP、ブログ、ツイッター、フェイスブックなどの発信・交流ツールは、地球規模で社会に変革をもたらしているが、遂に学界の権威形成過程にも波及したようだ。

権威の根拠を失うとき、学協会の存在理由は何か。啓蒙・紹介や実務解説を主務にするのか、あるいは数多のHP論文の信頼度を評価し配信する役割を担うのか……。とにかく学協会自身が自身のABC難問を先取りし、解となる独創的取り組みによって、組織再構築を計るべき時が来た。今これを失うのは勿体ない。

4 この遙かなる鬼伝説を

昔々ある所にお爺さんとお婆さんが居た。川で拾った桃から子が生まれる。気は優しくて力もちに成長した桃太郎は鬼征伐に赴く。黍団子を好餌に犬、猿、雉を仲間にして鬼ヶ島に着き、宴会中の鬼たちを急襲して無条件降伏させる。彼は郷里に戻り、鬼から取り上げた宝物で何不自由なく老親と幸せに暮らした……めでたし、めでたし。

物語は、国威発揚のため武功戦士ふうに勇ましく脚色され国定教科書（1887年）や文部省唱歌（1911年）にも採用された。だが、心身とも幼いものには、よく分からない。まず他愛なく、黍団子はそんなに美味しいのか、お供に亀が居ないと島に渡れない（浦島太郎と混線）……と思う。つぎに鬼はなぜ征伐されなければならないのか、悪者の財宝だとしても力ずくで我が物にしてもよいのか……と。後者に関しては、福澤諭吉が「我欲のために鬼の大事にしまっていた宝を強盗するとは卑劣だ」と子供に教えた（大人になって知った）というから、結構、いいところを突いていたようだ。

鬼《キ》は、中国から伝来した概念。奈良時代まで死霊を意味した。やがて餓鬼、人を食う妖怪などを経て、悪い得体の知れない生物に変質し、鬼《オニ》として民話などで語り継がれたようだ。読み方は、隠《オン》（陰と同義）が転化してオニになった。例えば節分は、冬（陰）から春（陽）に変わる境目で、人々は古来、疫病・災厄をもたらす陰（鬼）を追い払い陽（福）を祈る。

桃太郎が退治した鬼は、山城・鬼ノ城（岡山県）に住んだ大男・温羅を模したという。その他のモデルに、離島に漂着した外国人、疫病人、被差別者、反逆者、猟奇的殺人者、怪物などがある。赤鬼、青鬼などの恐ろしげな形相は、江戸時代に定まったようだ。百鬼夜行は政界などで得体の知れない連中がうごめく様子の比喩だが、現代の鬼は、ものすごく悪い、怖い、強い、賢い、巧い、非情などの推し量れない能力をもつ存在を指し、善い・全きものも含まれている。

大戦直後は日本現代ものづくり技術の黎明期。多くの餓鬼が必死で目標を探し、乏しい物資で血の滲む努力を重ねて技術を創造し起業した。そして工業立国の礎になり復興の勢いを作った。技術先達は総じて気性も振る舞いも激しい。叱咤激励する顔色から、赤鬼や青鬼などの異名を取る。

既に鬼籍にある赤鬼は、非情の技術開発姿勢を貫いて、ブレーキ部品を世界的ブランドに育てた技術総帥（副社長）。会食で技術談義の後、ふと「課長連がついて行けないと辞表を束ねてきた、そんなつもりではないのに……」と寂しげに訴えた。雛は生意気にも大先輩に、技術者魂は必ず伝わる・そのままで行って下さい……と慰めた（そうでなければ哀しい）。事実、後に辞表は撤回され一層きずなが深まり、皆が一丸となって燃えたという。

窮乏の中で立ち上がった技術の鬼は常に貪欲。寝食を忘れて努めたときだけ神が微笑み、そして技術者も企業も栄光に至ると信じて疑わない。早く凱歌を上げようと鬼気迫る勢いで指揮する。技術推進姿勢への並はずれた非情は、技術への忠節と人への優しさなのだった。優れた経営者や小説家には、神様と呼ばれる人も出る。しかし技術界では、技術が常に改善されるためにあり、技術者は永遠の改革者だから、その最高尊称は鬼だ。

正座で目を輝かせる子らに、年寄りが昔話を語る日本の原風景が見られなくなった。そのせいか、桃太郎たちが絶滅させてしまったのか、鬼の噂が絶えて久しい。今これを失うのは勿体ない。

5 サラブレッド非情

職場帰りのサラリーマンが連れ立って赤提灯をくぐる。そして店のテーブルを囲み、グラスを幾度も傾け、愉しいひと時を持つ。それは仕事の興奮を鎮め、仲間との絆を深めるための一種の儀式。減ってきたとはいえ、伝統的風景は未だ健在。

事情通の親しい3人ほどが寄るとき、談笑は最も弾ける。そのためマナーを守る。例えば愚痴や恨み節は暗い。自慢や我田引水の話は白ける。天下国家の話は遠すぎる。趣味の話は個人的すぎる。よって共通関心事を選び、皆が独りよがりを避け、面白おかしく話し、合いの手を上手に入れ、座を盛り上げなければならない。

それゆえ無責任な噂話、とくに幹部・上司や若手・新人を話の種にする率が高くなる。出世街道を驀進中の幹部にはさらに夢のある先導を願い、溌剌として賢そうな若手には成長に期待しつつ、褒めたり貶したりしながら未来を占う。その下馬評は愉しく高揚感も持てる。だが座には哀感も漂う。彼はやっぱりエリート、家柄も大学もよいサラブレッド・血統書付きだからなぁ……などと寂しく納得し、羨望も飲み込み、互いに慰めあう。エリートは選良で努力しだいでなれそうだが、サラブレッドは生まれ育ちのよい優秀な血統のものだから如何ともしがたい。

サラブレッドは単に足の速い馬に冠する敬称ではなく、競馬に出走できる馬種。サラブレッドの両親を持ち自然に生まれなければならない。それを血統書が証明する。その先祖は、18世紀末にアラブ種とイギリス狩猟馬とを掛け合わせた競走馬。サラブレッドは完璧に(thorough)産み育てられた(bred)の合成語で、1836年から使われるようになった。つまり、元から地球上に存在していた種ではなく、足の速さの一点だけで今日まで何代にもわたって改良され続けた人工馬種ということ。有史に多く残る悪行の民族浄化に似て、幾分おぞましさも覚えるが、遺伝子操作で作られた怪物種でないだけ、まだ救いがある。

サラブレッドの生存意義は唯一、競馬に勝つこと。運よく出走に至った馬でも、競走能力が盛りを過ぎた6~8歳で登録が抹消される。その後、成績が抜群であれば種牡馬や繁殖牝馬になれ、人心をつかんでいれば地方競馬に出向でき、性格が温厚で調教に適応できれば乗馬に転向できる。しかし、速く走れるが負傷しやすく、音や光に神経質なので、転身範囲は狭い。わが国で生まれる年間約8000頭のうち寿命(30歳くらい)を全うできる馬は稀有。ほぼ全頭が屠殺場で撲殺・電気ショック死させられ、食肉にされる。運搬車に乗せられる馬は気配を察して目が潤み、降ろされるとき恐怖でいななき暴れるという。

技術者は一般に、練達の技・技術の深化を追求したいため狭い専門にこだわる。しかし技術の場では、自らの活躍範囲を広くするために、技術要素を二つ持てば気持ちに余裕もでる。例えば材料品質のプロが機械管理にも長けたほうがよい。人材配置に融通性も出るから、企業も嬉しい。

様々の面で右肩上がりの成長が止み、とくにバブル経済がはじけて以降、工業界は事業再構築のために慌ただしくなり、優れた部品専業メーカーも経営難に陥り、多くの技術者は不慣れな仕事に転出させられ苦しい。やはり単能工深化から複能工志向への研鑽が優るらしい。高度専門でも純粋一筋では立ち位置が狭くなる。複能は、羨望のサラブレッド的でなくても、人に有情の営みを与える。今これを失うのは勿体ない。

6 ダイヤ　和みの行間

機械装置類は、入力信号を忠実に動作に反映する。しかし些少の入力信号を無視する仕組みも備えている。例えば自動車のハンドルやブレーキペダルは、道路の凸凹や運転者の揺れなど、些細な環境条件変化は察知しても動作しない。この非敏感性の範囲を、工学用語で遊び（play）という。四角四面の固そうな機械だが、この臨機応変・いい加減さがあるから、安全・快適に利用できる。

さる日、技術相談で北関東に出張した。古い料亭での慰労会では、関連技術者たちと楽しく歓談し、旨い酒が心地よい。上機嫌の重役さんの提案で、早く帰るべく、開通したての東北新幹線を帰路に取る。彼が大宮で降りた後、次の上野に着くまでの間、柔らかな座席に身を沈める。早朝から忙しかったが、充実の一日を振り返りつつ安堵の時を過ごしていた……。

突如、激しい音響がして跳び上がった。外で駅員が窓ガラスを信号棒で叩いて笑っている。酔眼がホームの案内板を捕らえた。いつの間にか眠り込み、乗った列車は運悪く東京が終点だった。

ふらふらと階段を下り、在来線乗り換え口の自動改札機に、探し出した切符を入れる。3度目もゲートバーが開かない。駅員が駆け寄り、切符を調べる。そして「ここで無理に出ると乗り越し料金が高くつくから、すぐ発車する新幹線で上野まで戻りなさい」と笑う。その後の記憶も定かではないが、翌朝は家で気分よく寝ていた。お陰で小遣いが減らず、気分よく、損得勘定は分からないが、ゼミ生たちに晩飯をおごって感謝された。

今は昔、高校生時代、通学に国鉄を利用していた。早暁に起き夕闇に帰宅する。東京では複線化と電化が進んでいたが、田舎は単線で、2時間に1本くらい、2両連結の気動車（ディーゼルカー）が山間を縫って極めてのどかに走る。

ある朝、いま一歩で逃げられた。次の駅まで4㎞ほどの距離。走るとそこで追いつく自信があった。およそ300m駆けたところで、幸いにも、車掌が気づいて列車を止める。「もっと早く来い」と、笑いながら車内に引き上げてくれた。友と腕時計を見比べながら嘆いた。いくら無人駅で、乗客が見当たらないからといって、定刻より2分も早く発車するとはなぁ……。だが、親切は親切だ。お陰で、その年度も皆勤賞を取れた。

小学生の頃には、石炭を焚いて走る汽車が走っていた。駅に着くと、列車は緩やかに動き出している。ホームを走る子供に気づいた駅員が、幼い妹を抱き上げ投げ込むように戸の開いた車両に置く。兄は指示通りに、次の車両のステップに飛びつく。妹を捜しに行くと、泣きもせず貨車の中で待っていて嬉しかった。お陰で、隣町の親戚の子らと秋祭りを楽しめた。

文明社会のシステムは厳重に管理され、デジタル的精密さで、間違いが生じないように運用される。その便宜の代償に窮屈も与えるが、取り扱う係員に思考なき遂行を求めてはいない。規定、マニュアル、鉄道時刻表などにも行間がある。それは一種の遊びで、親切や愛想をもたらすゆとりだ。支障を生じなければ、TPOに即してよく遊ぶほうが、むしろ職務に忠実な姿勢だろう。

近年、杓子定規的な処理がかえって物事の進行を難渋させ、人々を苛立たせる事例が増えた。思い出すのは、あの鉄道員たちが処分の恐れも顧みず行間を広げ、しがない客を受け入れたこと。遊びの所作は、システムの価値をいっそう高め、人によき余情を与える。今これを失うのは勿体ない。

7 穴居性を損なうなかれ

哺乳類の先祖は穴居し夜行性だったという。旧石器・縄文・弥生・古墳時代の古代人は、昼行性で2足歩行だが、初めは天然の洞窟や岩陰、ついで袋穴（横穴）や竪穴を掘って住処とした。竪穴式住居は、地面に穴を掘り、穴縁を盛土し、組木構造の草葺き屋根をかぶせている。現代風の高床式や平屋式住居よりもかなり長い歴史がある。

数年前、モノづくり戦略会議（経産省課長主導、全国の行政関係者50人ほど）があり陪席した。日本ものづくりの空洞化に危機感を持つ面々が、和気藹藹の中にも本音で白熱の討論をした。そのうち、工学と連携したいが何か頼んでも納期や費用など全てが曖昧で、大学に工業の常識は通じない……何故なのかと問われた。

かつて大学は、社会エリートの養成所であり象牙の塔・知の殿堂などと称された。産業界は人材輩出を評価しても、現実感のない基礎科学ばかり見る権威的で敷居が高いところと敬遠した。ところが、１９９０年代から続く経済低迷の打開に、技術創造による工業成長に熱い期待が高まる。大学の存在が再認識されるとともに、高い科学的知見にとどまらず現実即応なども求めるようになったので、大学と教員の現状を理解してもらう必要もある。

大学は、教育、研究とも年度単位で設定する。教員は、附置研究所を除けば教育業務で忙殺されている（学生の質の低下に伴い負担が大幅に増加している）。試験研究の支援スタッフも乏しく、能力あるアルバイトも容易に見つからないので、持ち込まれる課題が学生の研究に適した質量でないと対応しにくい。試験設備も十分ではない。それゆえ産業界の要請には、研究支援的要素、例えば当該技術に通じた社員の短期留学、資材機器の供与、研究助成・奨励金などが有難い。米国教授は個々に成果範囲、納期、費用明細、給与、協力体制などを明記して企業と契約するが、その慣習は日本にはない。

教員は一般に科学者として物事を探求する。いわば竪穴に籠り穴底をさらに掘ることが生きがいで、外界がかなり騒がしい時だけ頭を出し様子を窺う浮世離れの人々だと心得て接触した方がよい……と、最後に軽口で笑わせた。

竪穴式住居に相当する英単語はpit-house。穴居はburrowで、巣穴、避難場所・隠れ場などの意味がある。動詞としては、穴に住む、潜むなどの他に、穴を掘り進む、探究する、など。ちなみにburrowerは、穴掘り人やモグラ・キツネ・熊などの穴居性動物を意味する。

教員もゼミ学生も、穴居性動物と似た姿勢で関心事を一意専心探究する（burrow my way）。軽口はそれほど的外れではないようだ。穴はそれぞれ厚い土で隔てられ独立していて、時に自己満足に陥るほど、他の気配を感じさせない。穴は静かだが、住人は冬眠しているわけではなく、寸暇を惜しんでさらに掘り進めようと努めている。

この頃、研究費の獲得に評価された業績と必要性の証明を求める。頭を外に出して産業界の現在と近未来の要請を理解し、関連付けて自らの道の意義を説得しなければならない。孤独癖が強くて世事に疎く融通の利かない生真面目な研究者には、大きな負担になる。そもそも基礎的探究の先端ほど、本人も価値を読めないだろう。彼は今、穴掘りがしにくいと泣く。社会はそれを聴けるだろうか。

穴居性は可能性が大きな無形地下資源。技術科学の深化は、必ず次世代の工業を豊かにする。

今は華やかではなくても、モグラの進む先には未来への夢がある。今これを失うのは勿体ない。

8 レンコンの美味な穴

輪切りしたレンコンの煮物が、和食のオカズの中にさり気なく混じることが多い。先の見通しが利く穴が開いていて縁起がよいとされ、正月料理や幕の内弁当などにかかせない食材。ただ、固くて無味。子供の頃から嫌いで、よく残した。しかし、美味しいと食べる友人もいる。その変人は、レンコンは穴が旨いのだと洒落た。

さる暑苦しい夕刻、急いで下車駅傍の食堂に入った。なじみの女将が、亭主の晩酌用の極薄切りレンコンを小皿に盛って出す。嫌だったが好意だと耐え、最小の切片をつまんで口に運ぶ。そして発見した。ピリ辛で美味しく、酒の伴に好適ではないか。その肉部のシャキシャキした歯応え感が、穴の存在で変化し、確かに味わいが出る。

興味が出て、しげしげと観察した。直径30㎜ほどの円板の縁の近くに比較的大きな異形の穴が9個ほど、中央部にも小穴があった。このような多くの不ぞろいの穴を人工で一度に開けるとすれば、ブリッジダイの押出し法かなぁなどと飲みながら考えていたら、継目無鋼管（シームレス・スチール・パイプ）の製造法に思いが及んだ。この発明は、マンネスマン兄弟（ラインハルトⅡとマックス）による。

ドイツ・レムシャイドの鍛冶業を営む老ラインハルト・マンネスマンの6人の息子は全員ものづくりに関心が高い。兄弟も家業を手伝い、ボルト、シャフト、自転車フレームなどの鋼棒を製造（鍛造法）していた。やがて工法を生産効率のよいロール圧延に転換する。ところが、丸棒は細く真っ直ぐにはなるが、その中心部に穴（孔）ができ、部材強度を損なうことが分かった。さまざまの取り組みをしたが欠陥は防止できないところから、回転圧縮した丸棒には孔が開くという原理に到達した（1885年、マンネスマン効果）。さらに、この方式で丸棒を穿孔し、そこにマンドレルを挿入すると継目無管になると思いつき、傾斜ロール穿孔機を開発した（マンネスマン穿孔法）。

この穿孔法を基に、各国に特許を申請し、まず英国マンネスマン鋼管会社を設立する（1887年）。その後、経営や特許をめぐる争いもあったが、ほどなく欧州の継目無管製造業界を制覇する。しかし巨大市場・米国への事業進出は、他の兄弟を動員して頑張ったが叶わなかった。そこでは、ディスク型ロール穿孔機（スティーフェル型）で外径610㎜もの中径継目無鋼管が実生産されていた。その開発者は、1989年から5年ほど英国鋼管会社で兄弟の下で工場長を務め、マンネスマン効果を熟知したスティーフェル。兄弟の逆転の発想は、ライバルによって大輪の花に開いていていた。

継目無鋼管は、溶接鋼管（シーム管）に比べると円周方向強度が一様だから内圧や捩れに強い。今日も石油や天然ガスの掘削・汲上げ管として多用されている。また兄弟の初期の事業を祖にしたMannesmann AG（1890年設立、本社デュッセルドルフ）は現在、鉱業・製綱、機械・プラント、エンジニアリング、自動車部品製造、遠距離通信など幅広く経営し、傘下の企業も多い。

レンコンは漢字で蓮根（ハスネ）と表し、蓮の地下茎。その穴は、葉や茎にもつながる重要な通導組織で決して欠陥ではない。沼底の泥に深く埋もれて張る根に、必要な酸素を運ぶ通路。蓮は濁った池や沼に立ちながら、時が来ると清らかなピンクの花（蓮華）を咲かせ、多くの人々の心を打つ。その神秘性を振り付ける穴には、明日へ向かう心が潜む。今これを失うのは勿体ない。

9 死に方が足りない

休日に滞在した田舎で、近くの山林を散策していたら「熊出没注意」の朽ちた警告板があり一瞬ドキリとした。死んだふりをすると助かるという俗説があるが、呼吸と心拍は止められないから、たぶん見破られる。難を逃れたとすれば、決死の演技に熊も共感し情けをかけたのではないか。

現場技術者には、ほぼ四半期ごとに来る進捗報告は極めて苦痛。現実の利に敏感で、常に期末の成績を心配する経営者は、使える技術にするまでの技術者の葛藤や心情がよく分からないこともあり、成果（経理的数字の改善）を性急に求める。技術者は彼我の立場を理解しながらも、社長ヒアリングや成果報告会がなければもっと技術は進められると呪いつつ、報告準備に悪戦苦闘する。

上役には喜んでもらいたいから、一心不乱の努力による果実が得られるだろうと、にこやかに自信ありげに語る。それを聞いて経営者は喜び、弾む手でメモを取り、次のヒアリングを心待ちする。その時が来て、進捗を問われ、少し背伸びして、順調に進めていて近く成果を見せると陳述する。彼は少し不満だが次を期待する。

だが3回目あたりから追及は厳しくなる。技術者は怖れ、予測を既成事実のように述べてその場をしのぐ。しかし、ほどなく彼は、明快な理由もなく現実化しない話を訝り、「粉飾技術報告」に気づき、技術部門に強い不信感を抱く……。

真の技術者なら、このような最悪事態を避ける賢さを持つべきだろう。技術の進歩は時間に単純比例しない。むしろ独創前や試行錯誤の長い停滞期を経てブレークスルーする。PRには迫力がなくても、そのことを語り、息長い支援を頼むのが正道。それが嫌なら、死んだふりをするとよい。例えばすでに得た結果を隠して小出しにする（絶対確実な進捗報告になる）。時には苦悩の色濃い表情を見せて同情を買う……。ただし日頃の信頼感がなければ気力不足を疑われ、「死んだ気になれば何事も為せる！」などと根性論で苛められるので注意が要る。

死んだふりは手抜きとは異なる。技術をさらに遂行するための技術。上手にできないなら、虚偽を語って棄てられるか、死ぬまでやるしかない。

この隠し芸に密かに自信を持っていたが、20年ほど前、歯向かって来る様々の問題に心身とも消耗し、研究室で昏倒する愚を犯した。救急車で担ぎ込まれた医院は、脳梗塞などの甘い病気ではなく余命二カ月半の悪性急性脳腫瘍だという。しかし転院先の大学病院で精密検診したら別の診断になり、脳外科の手術を経て二カ月後に復帰した。

死ぬと聞かされていた周囲は、蘇って来たと驚き、祝杯を上げながら問う。興味は意識不明時の臨死体験。「星はきれいだった?」「花畑は見えた?」……は女性。「体が浮いた?」「光のトンネルをくぐった?」「川や舟が見えた?」「亡き両親と話した?」「囲んでいる皆が天井から見えた?」……は男性。「夢も見ないで熟睡して目覚めただけ」との正直な答えでは面白くない。その悪童連の座では、一人が「死に方が足りないよ!」と軽口を叩き大爆笑になった。死んだふりも、死ぬ気も、死に損なうことも難しい……。

所用でホノルルに旅した昔、乗り合わせた成田エクスプレスのデッキで、学齢前の子供たちがはしゃいでいる。「どこ行くの?」と話しかけると、口々に「ハワイ!」と叫ぶ。年長の男児が、「ビーチで泳ぐ、もし鮫が来たら死んだふりをする」と言う。「それで助かるのは熊ではないかなぁ」と間の手を入れると、周りの母親たちが笑い転げた。しかし、その芸は人生に役立つだろう。今これを失うのは勿体ない。

10 ものづくりの大きな1

荒川土手で元気を発散する家族連れを見た。下で父がけしかけ、子らが自転車で傾斜角45度の法面を降下する。7歳女児はそろそろと斜降下し、5歳女児は直降下に見事成功。それを見て3歳男児も勢いよく飛び出したが、急ブレーキで小さな身体が草むらに投げ出された。すぐ立ち上がり自転車を押し上げて来る勇姿に思わず拍手した。

母は上でゆったり見守る。傍らのベビーカーでは、5歳女児によると0歳の6カ月女児が、大きな白い下歯を見せてペットボトルなどをかじって機嫌よく遊んでいる。頬をつついたり、ねずみみたい・金太郎みたいなどと言ったりして構うと、立ち上がって愛嬌を振りまく。別れ際、いつまでも母の陰から首を伸ばして見送ってくれた。言葉はなくても存在感は決して零（無）でない。散歩を続けながら、数え年でいう方が優るなどと考えていたら、数字間隔の違いに思いが及んだ。

数字は事象を的確に表す。例えば、商店の売り上げ、新聞の発行部数、テレビ局の視聴率、大学の志願者数などを簡潔に記す。それだけでなく、数字は社会の原動力にもなる。例えば、人々は数字を稼いでよい評価を得ようと競争し、数字の大きさが噂になれば時流に乗ろうと動く。

大量生産は前世紀後半のわが工業技術を特徴づける。その技術者の主眼は生産性の向上。機械部品などの画一的製品を廉価で大量供給するために大型設備を導入し、生産効率を徹底的に追求した。例えば単位時間の生産高1000を1001に改善すべく努める。増分率0・01％にすぎないが積算量では大きいし、改善が次の改善に繋がるから決して軽視しない。いわば巨大な数字の前線で小さな1への挑戦を繰り広げ、技術を完成させた。

近年は顧客の多様な要請に応えて、変種変量生産が注目されるようになった。時には特注品10個のものづくりも珍しくなく、伝統工芸の職人並の技が求められる。技術者は、生産性（量産）よりも、機転を利かせて製品の特性にさほど直結しない手作業を機械化し、効率よく多様な製品を作る合理性に関心をもつ。ここでは、例えば一日の生産高10を11にするには（増加率10％）、製法じたいを大幅に変えなければならない。

振り返ると、ものづくり技術の草創期には1から2（100％増）、2から3（50％増）などのように、小さな数字の前線で巨大な1への挑戦が多い。ことに起業家は、ひらめきと並外れた実行力で0（無）から1（原型）を手作りし、変種変量生産の極限（増加率無限大）を見せた。それを技術者が性能改善やコスト低減を図りつつ数を2、3……と徐々に増やす（大量生産に展開した例も多い）。

物量の豊かさを成功と思えば量的拡大じたいが最も称えられ、高度経済成長技術の成功体験が懐かしい。しかし現実の利益額の大きさだけに埋没すると、技術創造期の偉大な1を忘れがちになる。ことに0から1へと最初の1が作られる技術ドラマがなくなると、我が国社会は持続どころか沈降しかねない。時には未来を見て今を堪え、少量の中の大きな1のものづくりに注力したいと思う。

数字は物事の数を量る記号で、その間隔（増加量）はふつう1。だが0から1の劇的変化で代表されるように、その重みは母数の増加につれて等比級数的に減少する。増加率は未来性や可能性、そして挑戦する大胆さの尺度かもしれない。

あの金太郎娘が晴れて満1歳になり、もっと急な斜面を空中演技しながら自転車降下する……想像すると実に愉しい。今これを失うのは勿体ない。

⑪ 難行なれど　克己復礼

うだるほど暑い夏だったせいか、医科学界にも雷鳴と豪雨が来た。科学者の論文不正が相次ぎ発覚。その中に、よく処方される医薬品の効能を支えるデータの捏造も含まれていた。様々の不正を見慣れていた世間も、信頼していた科学者まで人を騙すのかと仰天し落胆した。

脳裏に浮かんだのは恩師。そこは東大紛争（70年初頭）の騒然から隔離された一角にある静寂の教授室。塑性加工研究の草分けで今は亡き前田禎三先生（東大名誉教授）が、日頃の気さくさを一変させて怒っている。「東大教授になりたくて研究するという者がいるが、おかしいと思わないか。昔は趣味で研究した」。要するに「己がために科学すべからず」との戒め。その頃は、行く末よりも小さな仮説を実証することしか関心のなかった筆者は嬉しく、いっそう敬愛した。先生には学位論文の内容よりも、研究姿勢をたくさん教わった。

人に託すと素心の実験点にならないので、論文データは自ら徹夜で採取した。それでも予想傾向に沿わない結果が出る。ひどく落胆し、時には当該プロットにばらつき範囲を示して妥協したが、大抵は要因や装置を再検討し実験をやり直した。優先権や成果の多寡をめぐる競争が昨今ほど激しくなかったこともあり、ただ要領悪く貧しい野望なき小心者だったことが幸いし、実験データを都合よく創作や操作するなど考え及ばなかった。

論文不正は、盗用・剽窃と捏造・改竄に大別される。前者は他人の著作や思想を自分のものとする。俗に言うパクリ。読者が直ちに被害に遇わなくても、科学者のみならず一般倫理にも欠ける卑劣な窃盗行為。後者は、自己利益にかなう論旨にするためデータを創作・改変する。俗に言うデッチ上げでいっそう悪質。自らを益するように虚を真として私腹を肥やす行為は反社会的だ。例えば、医薬品が謳う効能に不正があるとすれば、病める人には危険極まりない。いずれもカラスをサギと言いくるめる詐欺行為で刑事罰にも相当するが、科学者の面を被って行うだけ罪は重い。当該論文を撤回して済むという話ではない。

大学や学会自らが疑惑を精査して仲間の破廉恥な犯行を隠蔽しなかったことと、専門誌が掲載論文を取り消して不明を詫びたことは、やりきれなさの中で救いになった。とはいえ科学界の権威は著しく傷ついた。やがて当事者への処罰や社会的制裁が済み、人の噂が75日ほどでやむだろう。しかし、不祥事は半永久的にWｅｂなどに残り検索される。その恥は消えず末代までたたる。多くの良心的研究者は、その情けなさに泣く。

不正論文の背景に、成果主義による競争的研究資金の獲得、医薬など学業界の癒着、研究への便宜供与、弟子の就職斡旋、昇進・昇格・出世競争、指導者へのおもねり・恩義、仲間意識などがあるとされる。だが本質は、私利を離れ、清廉で、迎合せずに信念を貫き、真実だけを誠実に追究する……そのような科学するものに絶対不可欠の素朴な使命感や姿勢がぶれていたことにある。

孔子が最愛の一番弟子・顔回に答えた（『論語』）。理想人の属性「仁」とは、我執から脱却し天意に沿った社会規範に従えることだ（克己復礼《こっきふくれい》）。だが高いレベルの君子でも修得は難しいことだから、まず1日ずつ積み上げ自らを高めて行け……と。

いま大小様々な誘惑が来る。しかし、科学や技術に関わる者なれば、自らの矜持を保ち打ち勝つために、この紀元前５００年頃の古い教訓を日々新たにして行きたい。今これを失うのは勿体ない。

⑫ 車座の広がり

青空の下の小高い丘の道。10人ほどの女子学生が縁石に腰を下ろして、華やかに談笑している。中学か高校の同期生が自転車で集まったらしい。懐かしい光景。底抜けの明るさを損なわないように、そっと傍らを通り抜けた。

人の集団では、個が互いの異質を認めて共存するために共通の約束事（規範・不文律・倫理など）を持つ。どんなに高度知識を誇る社会でも、目的が限られた技術者集団でも、事情は変わらない。個の社会適応能力は、青少年期の仲間の群れの中で最も身に付くようだ。学校や家庭での教育、先人の著した手引書などで得る知識よりも、保護管理者や指導者の目を離れた実践経験が優る。趣味のサークル、運動部、徒党・結社などの同志的集団もよいが、人格や主張の多様性が制限されがちになるだけ劣る。また流行のインターネット上の繋がりは、互いの体温を感じる距離で全人格をぶつけ合える交遊の群れではなく仮想のものだ。

若者の素朴な群れには、幼き者の未来へのおののきと憧れがある。友情や絆を確かめ、自我とその限界を知り、互いに様々の粗い考えをぶつけて思想に目覚め、共に社会貢献の方向を確立していく。しかし、このような群れがめっきり減ったように感じる。原因は、広場不足か、過疎化か、少子化か、激化した競争意識か……。文明の高度化や社会の複雑化は、人々を孤独にする側面を持つ。それゆえにこそ、社会体制に組み込まれる前の一瞬に群れることの意味が増したように思う。

人々が等しく貧しかった時代、大学では新人から卒業延期の学生まで、泣いて笑うためによく群れた。例えば、寮の板敷の間に誰彼なく詰めて車座——ときには2重輪——を作った。中心には、安酒瓶と誰かの親が送ってくれた駄菓子や近所で買ったたちくわなどがある。分け合って飲食した。感情のもつれや論争もあったが、たいていは刹那的開放感を楽しむ。先輩は後輩に教職員との接し方、試験対策と遊び方、寮祭やハイキングの準備、若い娘への声のかけ方などを伝授した。怪しげな話があっても、皆が目を輝かせ耳をそばだてた。

ほどなく、出身地の民謡や学生愛唱歌を交代で歌いだす。調子外れで蛮声を張り上げるほど受け、手拍子が弾む。後輩は変調で覚えたままに伝承する。替え歌では、数え歌と並んで人気があったのはデカンショ節。元歌は兵庫県篠山市の民謡で、1番の歌詞は「デカンショ、デカンショで、半年ャ暮らす、ヨイヨイ、後の半年ャ寝て暮らす、ヨーイヨーイ、デッカンショ」。囃子は、西洋哲学のデカルト・カント・ショーペンハウエルの名を繋げたと教わったが、先輩学生の洒落だろう。

学生は「でっかいでしょう」の意で用い、競って細かくない事例を創作し、がなり声を立てた。例えば「万里の長城で小便すれば、ゴビの砂漠に虹が立つ」は壮大。「先生、先生と威張るなョ先生、先生は生徒の成れの果て」には、威厳があり容易に単位をくれない教授への大きな抵抗。時には、近くに住む教授が食物などを持参して加わり一緒に手拍子をとる。学生たちは嬉しく、いっそう敬愛し、その姿に完成した社会人を重ねた。

若者たちは群れの中で不確実な未来を迎え撃つ技を磨き、やがて希望豊かな社会を築く。多くのベテラン技術者は、専門科目の知識よりも車座で馬鹿を言い合い、共感性、気宇、情熱の向け方などを感得したことが最も役立ったと述懐する。さて今、車座と替え歌の詞は他を十分惹きつける大きさなのだろうか。今これを失うのは勿体ない。

【『工業材料』61－1～12（2013）】

九、談話室　男たちの行路

1 トンボロとアメイジア

西伊豆の三四郎島、能登半島先端の見附島などをトンボロ（tombolo）という。干潮の時だけ磯が現れ普通に歩いて渡れる。そのはかない繋がりが人の恋心をいっそう燃えさせるので、若い男女の悲恋の伝説や今の恋の確認に恰好の舞台になる。

奇跡だから再現性はないが、旧約聖書物語（「出エジプト記」14章15〜31節）にも、大仕掛けのトンボロ現象が記されている。BC1250年頃、主の命を受けて約束の地カナンに向かう預言者モーゼと200万人のユダヤ人を皆殺しにすべくファラオのエジプト軍が追う。追い詰められた水際で、モーゼが杖を高く上げ手を差し伸べると海が割れて水の壁の間に道ができ、無事対岸に渡れた（葦の海の奇跡）。難を逃れた人々は、いっそう神を畏れ信仰を深めた。その後モーゼは、シナイ山頂で神から石版2枚に記された十戒を授けられた。

ドイツの気象学者ウェゲナー（A. Wegener）は、大陸の海岸線の類似性に気づき、元は一つの大陸パンゲア（Pangea）が分裂して離れたからではないかとした（大陸移動説、1912

年）。科学的裏づけに乏しく当時は空想として退けられたが、刺激されたカナダの地球科学者ウィルソン（J. T. Wilson）が１９６０年代後半、その後の科学的知見と合わせて検証し、大陸は数億年単位で集合離散を繰り返すとするウィルソンサイクル説を唱えた。

今日の地球科学・プレートテクトニクスによれば、地殻は約１００㎞厚の10枚余りの岩盤（plate）から構成され、大陸を乗せた岩盤もマントル流によって移動する。岩盤の衝突・軋轢によって、東日本大震災（２０１１年）、やがて来る南海沖地震、山脈・海溝・断層の形成、火山活動なども起きる。

シミュレーション（米国エール大学）では、岩盤移動により、大陸は数億年周期で離合集散するし、数億年後にアフリカ、ユーラシア、アメリカ、オーストラリアの4大陸が北極付近で合体し超巨大大陸アメイジア（Amasia）になる（*Nature*、２０１２年2月9日）。仮に5億年後とすれば、５００万世紀を経た後になる。その時を思い煩うのは正に杞憂だが、様々の地球ドラマは気にかかり重く圧し掛かる。

太陽の寿命は１００億年程度で、現在約50億歳と考えられているから、超巨大大陸は闇の世界ではなさそうだ。だが人類は賢く長らえ一つの平和な地球市民社会を築いているか、国家・民族が近づいただけ摩擦が増して地上は戦争で破壊しつくされ、僅かな生き残りが深い地下や宇宙空間構造物内あるいは別の星に逃避しているのではないか。その前に文明の副作用・地球温暖化の影響で両極の氷山が溶けて海水面が上昇し、ツバルなどの諸島は消滅し、日本列島も低い土地は水没していないか。水の都ベネチアの防潮堤築造（モーゼ計画）などの科学技術は果たして危機を救えるだろうか。

２０１３年９月初旬、ＩＯＣ総会で東京が２０２０年夏季五輪開催を勝ち取り、日本は久々の明るいニュースに沸いた。この最終紹介で、数名のプレゼンテーターは皆、英語やフランス語で素晴らしい仕事をした。中でも最初の義足の女子陸上選手は、骨肉腫で片足を失った絶望と東日本大震災の津波で町が消失した悲しみを超えられた、被災児童は日本だけでなく世界のアスリートたちに勇気づけられた、スポーツの力・オリンピックの価値は大きいと明るく語り、会場と視聴者の心を捉えた。

五輪は、オセアニア、アジア、アフリカ、ヨーロッパ、アメリカの５大陸を表し、その連結に世界平和を託したという。現代に生きる我々は、とりあえず手を携えてトンボロの道をしっかり歩みたい。今これを失うのは勿体ない。

２　おみくじは小心を求めず

昨夏、研究会のあと一泊し、友人ご夫妻の車で夏の京都郊外を愉しく旅した。難しい局面のものづくり企業経営を終日離脱させることに少し気がとがめたが、別の知人と厚意に甘えた。

貴船神社は、水の神の社で、鞍馬山の奥深くにある。古くには「気生根」と表されたというだけあって、苔生した岩や千年杉などのかもし出す静寂の谷間に、山の生気を吸収した水が清らに流れ、なるほど洗心と再生にご利益がありそうだった。樋から清水を柄杓で取り飲んだら、崖を伝い落ちる自然の水はまろやかで冷たく、体内に心地よく浸みる。通りすがりの都会育ち風の女性が吃驚して問うので、この清らかさは飲んでもきっと大丈夫でしょうと応えた。実際、何事もなかった。

男性3名は、半年間の罪や穢れを払い、残り半年を無事に過ごせるようにと、祈願の紙(札)に名前と年齢を書いて託す。昨夜の懇親会は居酒屋での酒盛りだったが、楽しいが無責任な放談や美味しいが理性の狂う飲食から来たはずの罪科が少しは減る気がした。同行の美貌の妻女は、私は穢れていないからと亭主に言い置いて、スタスタ先に歩き、社務所窓口で白い紙の束から一枚の「水占おみくじ」を引き、澄んだ水たまりに浮かべた。そして現れた啓示を一心に読む。麗しいご機嫌から見て、よい御託宣だったに違いない。

思い出したのは、子供の頃の正月の遊び。みかん汁で書いた紙を火鉢で炙ると文字がはっきり現れた。今でも温泉地の土産店などで、水や熱風で浮世絵が浮かぶ手ぬぐいやグラスを見かけると楽しい。だが、隠し文字のおみくじは初めて。軽薄を丸出しに、すぐ窓口に行き、巫女の言うとおりに御籤箋一枚を引く。そして、水面で文字が徐々に浮かぶ様子を楽しんだ。大凶もあるというが、それほど悪いくじ引きではなかったと思う。

おみくじ(ご神籤・ご仏籤)には、大吉、吉、中吉、小吉、末吉、凶などの総体運が示される。大吉は最高だがもはや伸び代がない、凶でもこれ以上悪くならないのがよいなどとも言われる。また健康、職業、縁談、失せ物、旅など、項目ごとに運勢説明が箇条書きされている。ちなみに日本由来のサンフランシスコのFortune Cookieは2行ほどの紙が含まれる煎餅だが、本家のものは詳しい。

30歳の頃、お大師さんで引いたら学業はこのまま怠らなければ成るなどとあり、妙に納得したが、出産の項は関係なかった。そのとき信心深げな老女が立ち止まって凶の御籤を一心に読み、ややあって大事そうにお財布に入れる光景を見た。少し可哀そうで、神仏も先行き短い人なのに吉を出してやればよいのにと思った。また初詣の神社で若い男女が恋おみくじを引いているのをほほえましく見た。彼女は「やったぁ！　大吉だ」と大はしゃぎだが、彼は悩ましげに自分のものを読み入っていた。

技術はおおむね科学的だが、とくに進退に迷うことが幾度もある草創期には先行きが読めず、御籤、占い、賽の目、その他に頼り非論理的決断をするらしい。筆者の場合、岐路では険しい道の方を取り合理的に歩むことに決めていたので、御籤の吉凶がどうあれ、老女にならって運勢の説明を丹念に読み、明日の用心とした。邪でなければ神仏が妨害するはずはないと楽観もしていた。

そういえば、古代ローマのユリウス・カエサルが元老院派の専横を倒すべく共和国軍事境界線のルビコン川を渡るとき、「賽は投げられた」と反乱軍を鼓舞した（ＢＣ49年）という。決意が先で運を天に任せていた。今これを失うのは勿体ない。

３ 寒立馬は風雪に耐えて

本州北端の下北半島を駆け足でひとり旅したことがある。学会講演会の開催を無事終え、心身の興奮を鎮めるためだった。恐ろしげな半島の形状がいかにも秘境めいていて、また観光写真にあった仏が浦の斜断した岩石の破壊様式に興味があり、一度は訪ねたいと思っていた。

半島は頚部を越えると、西に直角に伸び、懐に陸奥湾を大きく抱えた土地が広がる。その中央部に、イタコの口寄せで有名な霊場・恐山（むつ市）がある。亡き子らを偲ぶ多数の小さな石積みとカラカラと回る多彩な風車の丘、硫黄分が濃く生物の気配のない湖岸などを散策し、その無機質な風景の中に立ち、生々しい喜怒哀楽も収まった。

半島をバスで東に横断した。厳寒と積雪の冬には閉ざされる道。黄色の菜の花畑、爽やかな風、濃緑の森を楽しみながら、太平洋岸に沿う長大な東通村に出た。尻屋崎は、まるで恵山岬（北海道）に相愛の手を伸ばすように細長く津軽海峡に突き出る。突端に立つ白亜の洋式灯台は、１２０年以上にもわたり、海峡に入る船舶に灯りや霧笛で航路を示してきた。

傍らの草原では数頭の馬が草を食んでいた。厳冬期だけ越冬地（アタカ）に移されるが、一帯は風が強く冬でも雪が積もりにくいので、通年放牧できる。しかも古い地層が隆起した土地は石灰岩質で、滋養に富む芝草が生え、それを餌にした馬は大きな堅い蹄で骨太の強靭な身体に育つという。

放牧馬は19世紀初頭の南部馬とモンゴル種馬の交配種を祖先とし、背は低めでずんぐりし美形とはいえない。しかし飼育に手間がかからず、寒気に強く持久力があり、軍用馬や農用馬として重用された歴史を持つ。一時は絶滅の危機にあったが今は、青森県の天然記念物に指定され（２００２年）、村人に愛され保護されている。

広い海原を見降ろす草原に放牧馬が立つ風景は、旅人の心を慰める。だが、この牧歌的情景は冬には一変する。別称・寒立馬《かんだちめ》は、雪を掻き分けて芝草を食み、厳しい寒気に耐えて生きる姿に由来する。まるで道を問う宗教者や思いに沈む哲学者のように、地吹雪の中に目をつむって佇立し、健気に温かな春を待つ。その姿勢に人々は感動し、明日を考え、堪える勇気を貰う。

この過疎の村は、一方であまりに無粋な現実的難問も抱える。尻屋崎からはるか南方に、東北電力の東通原子力発電所さらに東京電力の建設現場があり、敷地の活断層が動き得ると指摘された。また高レベル放射性廃棄物の最終処分場の誘致問題を抱え賛否で揺れる。これには気が滅入る。すぐ脳裏に浮かぶのは、国土の損壊、人心の荒廃、目処がつかない巨大な後始末事業などの国難をもたらした東京電力福島第一原発事故（２０１１年）。

人類は未だ、核廃棄物の半減期を大幅短縮できる科学、また放射性物質を完全防御できる鉛棺のような構造建設技術も持たない。わが国は、すでに大戦の原爆や原発の事故を体験し、誤った核技術による悲惨を十分知っている。それでもなお目前の経済的繁栄を追いかけ、無害化・防御できない物質を創・排出し続けるとすれば、明らかに科学技術倫理に反する。また地球汚染に対する未必の故意や人道に対する罪を犯すことになる。

寒立馬の姿勢に教えられる。情熱を秘めて風雪に耐え、やがて温かな春を迎え子馬と踊る。安直に入手できる解決を追わず、幾分、寒くひもじくても、不遇を堪えて強く立つことこそ生命の営みだと諭す。今これを失うのは勿体ない。

4 気になる初音ミク

近年、一人の美少女がネットで大きな話題になっている。彼女は、身長158㎝、体重42㎏で16歳。逆三角形の顔立ちで、薄桃色の肌に、青緑色の目は異様に大きく鼻や口は小さい。髪は青緑色で、両側を大きな赤いバンドで束ね足首まで末広がりに伸びている。着衣は、灰色の襟付きノースリーブに青緑のネクタイ、黒のアームカバー。青緑色の縁飾りのついた黒っぽいミニスカートをまとい、ローヒールのサイハイブーツを履く。容姿も衣装も地球人離れしたエトランゼ。

この仮想アイドル歌手の誕生は、2007年8月31日。生みの親（Crypton Future Media社）は、未来から初めての音を……の意で、初音未来《はつねみく》と名付けた。詞や音階を入力すると、女性ボーカル音声合成ソフト・ボカロ（VOCALOID、ヤマハ㈱、２００３年）が作品にする。それを、愛らしい彼女が思いを込めて歌ってくれるので人気が沸騰した。

年を経て、容貌・年齢は変わらないものの、声が多彩で音域も広がり、英語でも自然な歌声で歌えるようになった。その動画掲載サイトは、今やプロも参加する作詞作曲の発表の場だという。音楽だけではない。ファンは、彼女がらみのイラスト、アニメーション、ＣＧ、映像などを数多く創作し投稿するので、コンテンツは膨張を止めない。

フィンランド民謡のイエヴァン・ポルッカ（ロイツマ、Ievan Polkka、少女エバのポルッカ）を、彼女が長ネギを振りながら歌う「ミクミクダンス」が登場してから、多くの３Ｄ映像が発表される。こうして当初は歌声とイラストだけだった少女キャラクターが、身近な実体アイドルと化した。ネットを通じて、外国でも評判になる。さらに、等身大ロボット、フィギュアと関連物品、コスプレ、ぬいぐるみなど、多彩な関連商品が市場に出回るようになる。

Ｗｅｂ用語では「みっくみく」は初音ミクに魅了されてしまうこと、「フルみっく」はその最上級を意味する。筆者は、もともと音楽に疎い。先のポルカも、心地よいリズムだと感じるが、擬音が連なっただけの歌のどこがよいのか分からない。彼女とうまく交流できず、片思いして嘆くだけ。このような人は「弱音ハク」族に分類される。

一般社団法人・人工知能学会誌『人工知能』29巻1号の表紙は、黒髪にポニーテールの可愛い少女が顔を向けるイラスト。右手に本を、左手に長箒の柄を持ち、背に電気コードを付けている。日常生活に溶け込んだ人工知能技術をアピールし、新たな展開への意気込みを表す。会員の圧倒的支持を得て新たに採用した。ところがネット上に女性蔑視、女性差別、公共性に無配慮などと多数の批判的書き込みがあり炎上。一部の新聞も取り上げた。イラストレーター（女性）も学会員も、青天の霹靂の反応だったに違いないが、学会は配慮が足りなかったと謝ることになった。

学会誌の表紙は一般に、学術の固定化や情緒を排して固い題材を選ぶ。しかし、時代遅れにならないように、時には旧を一新する必要もあり、今回は勇気ある行動をとった。だが、日常生活での有用性を簡明直截に表しすぎた感がある。例えば、可愛い姿かたちの中性風宇宙人型ロボットが自由に働く姿を大胆に描き、それが読者の自由な振り付けで能力を増していくという設定もできた。

初音ミクのロボットは、近い将来、もっと賢く成長し、現実世界で人の傍らに立つかもしれない。多くのファンがそれを期待し、間断なく力を貸す。今これを失うのは勿体ない。

5 ダボが嬉しいとき

書籍には、四六判、大判、A4判、B5判、文庫判などがあり、それを収納効率よく整理するために、多くの本棚は棚板間隔を調節できる。このとき棚受の役割をする木製の小さな丸棒・ダボを側板の穴に挿入し直す。古い木製戸棚で段の高さ調節をして、雑多な本を身長に合わせて揃えたら、スッキリしたうえ空間もでき大いに気分をよくした。

木材加工品で用いられるダボは、直径10㎜以下で長さ100㎜以下の丸棒が多い。材質は木材のほかプラスチックや金属など。出し入れの際の摩擦を減らすために表面に溝をつけたものや穴のめねじに合せたおねじ状のものもある。

ダボの語源は、ドイツ語のDübelらしい。木材や石材のつなぎ合わせや加工穴の目隠しのために穴に嵌め込む短い棒のことだったが、片方の穴に挿入される他方の突起部、さらには穿孔器具も意味するようになった。金属やプラスチックの成形加工では、鋳型やプレス金型の上型と下型を合わせるために合わせ面につける突起物や案内になる。これがないと必要な物体形状が組み上がらない。

ダボハゼは、ドンコ、ゴリなど多数の小型ハゼ類の俗称。ハゼは2100以上もの種類があり、淡水域、汽水域、浅い海水域の底近くで生活する底生魚。保護色をもち、体型はかまぼこ状。多くは断続的に泳いで移動し、2枚の胸鰭《むなびれ》が吸盤になって砂底や岩壁にへばりついて速い流れに耐えることができる。ただし、吸盤状ではないドンコ、泳ぎを好まず干潟を掻いて動くムツゴロウなどの変わりものもいる。

大きな口でプランクトン、多毛類、甲殻類、小魚などを捕食する。貪欲で、餌にもすぐ喰いつくので、釣り人には嬉しい。捕らえやすいので、昔は子どもの水遊び相手だった。佃煮、唐揚げ、天ぷらなどの食材としても重宝されている。

接頭語のダボは、食いつきと接合の連想に由来してはいないようだ。目につけば何でも食いつき簡単に釣られる雑魚と侮られての形容かもしれない。一部の地方ではかなりのバカを意味するし、少なくとも敬称ではなさそうだ。過去も品性も気にせずに目標と手段を選ばず真一文字に行動することを指して、ダボハゼのような研究者、ダボハゼ経営などと評する。たいてい行儀が悪い、卑しいなどの非難が込められている。

例えば、様々な分野へ参入し多角化したらダボハゼ式企業経営と揶揄される。しかし、結果がよければ、一転して積極性を称えられ、先見と挑戦の名経営として評価される。また昔の指導者は、弟子の技術研究者が専門から少し離れた分野に関心を示すと、全人格を否定するほど厳しく叱るのが常だった。筆者も、機械・設備に恵まれない環境の私大に転じた30歳半ば頃、苦し紛れに研究対象を金属加工からプラスチック成形に範囲を広げた際、恩師や先輩教授からかなり危ぶまれた。しかし感謝しつつも我を通し、幸いにも納得できる研究成果や新材料設計・加工プロセスの概念を出せたので、後によくやったと評価された。

漢字で太枘や駄枘と書くダボの別名は枘《ほぞ》。へその臍《ほぞ》と違って窪みではない。「臍を噛む」は、口が届かないへそを噛みたいと考えるほど愚かに、どうにもならない過去を激しく後悔すること（『春秋左氏伝』）。いま科学や技術の進歩が加速され画期的発見・革新が相次ぐ。臍を噛まないように、よく目を見開き、時にダボハゼのように大胆に食いつき、柔軟に物事を組み立てる研究姿勢も重要になっている。今これを失うのは勿体ない。

6 文豪ゲーテの別の顔

専門用語には優れた業績を称えて先人の名にちなむものがある。鉱物のゲータイトは、文豪ゲーテ（J. W. von Goethe、１７４９－１８３２）に関わる。図書の索引で見出し由来が気になったのは、50年余りも前。暇ができたので懐かしく調べた。

ゲーテは裕福な家庭に生まれ育ち、法律家の父の期待を背に二つの大学で法律を学んだ。20代で弁護士になるが、なぜか興味が湧かず放棄した。学生時代から晩年まで自然科学に関心を持ち、論文・著作も残す。生物学では胎児の前顎骨の発見や植物形態進化論など、物理学ではニュートンのスペクトル分析を批判した色彩論などがある。地学では1万９０００もの鉱物を収集分類した（ゲータイト命名の所以）。政治家でもあった。20代半ばでワイマール公国顧問官に就任し、産業振興や文教政策で貢献。対仏戦争で従軍の経験も持つ。

女性に求愛する情熱を持ち続けた。大学在学中にはレストランの少女と牧師の娘。卒業後の法律研修先では友人と婚約している少女に思い叶わぬ恋。作家として名を成した直後には、銀行家の娘と恋に落ち婚約。ワイマール公国閣僚時代には、7歳年上で7人の子供がいた男爵夫人と12年間の不倫関係。イタリア滞在から帰国後、39歳で23歳の女性と身分違いの恋愛をして社交界から非難される。腎臓病の湯治場で、58歳にして18歳の娘を密かに恋し、72歳で17歳の少女に恋をして元首を通じ求婚した。

数多の恋は同時多発ではなく、プレイボーイだったわけではない。学生時代の肺病療養中に親戚の娘から真の信仰を教わり、男爵夫人からは社交界教養などを学び人間的に成長する。身分違いのクリスティアーネとは、後に正式に結婚した。ちなみに、文学上の親友シラーの死では、自分の存在は半分になったと悲嘆に暮れ病に伏せる。その都度、ひたむきだった。

恋は人を詩人にする。ただ文豪は、そこで発する言葉が美しく、人の心を打つ抒情詩、戯曲、小説など体験的作品を幾つも書き上げる。失恋小説『若きウェルテルの悩み』を出版した25歳の青年は、直ちに全欧州を熱狂させ、その名を世界に知らしめる。のちに詩に曲をつけた縁でシューベルトやモーツアルトなどと、文学者仲間でヘルダー、バイロンなど、同時代の著名人と親交を結ぶ。

長編戯曲『ファウスト』は、20代から末期まで書き継いだ作品。ファウスト博士は、あらゆる学問を修めても飽き足らず、充実感を得るため悪魔の助けを借りる。恋は実るが、敬虔な少女グレートヒェンは自らとの間の嬰児殺しで処刑され、ギリシャ神話の女神との間の息子は事故死。海を埋め立てて理想国・自由の土地を建造しようとする政治的野心は、罪なき老夫婦を殺害する結果になり、ついに悪魔と決裂。幽霊「憂愁」に負けず苦も楽もある道を行くと決意する。呪われ盲目になるが、理想国で人々と共に充実した暮らしをする美しい瞬間を夢想しながら死ぬ。その魂を約束通り奪おうとする悪魔を天使たちが撃退。天国で、かつて最も愛した少女の祈りで救済される……。

何事にも関心が強いため常に飢餓の精神で、人生の充足を真摯に追究した。恋と文学、自然科学、政治と広範によく為し、ナポレオンをして「まさに人なり」と言わしめた。83年余りのドラマを終えるとき、「もっと光を（Mehr Licht）」と頼んだ。柔和な光の中に見たのは、自らの嫉妬で失った初恋の少女か、多くの関心事に全力を尽くして当たった精神を称え天国に誘う天使か。今これを失うのは勿体ない。

7 男たちの行路

陽春。溌溂とした新卒者が配属先で勇躍する。他方で、年配の退役者（定年退職者）が長い責務と寒い冬から解放され外界に踏み出す。

欧米の退役者（ベテラン）は、君もようやく職を離れ人に戻れてよかったねと祝われて輝く。日本では、強い組織忠誠心と一律定年制度のせいか、寂しく未練を残す人が多かった。しかし近年は、おめでとう派が増え、街中や郊外を仲間と元気よく歩いて新たな何かに気づき、人情に触れ、花鳥風月を愛でて、現役の心さえ和らげる。

お達者倶楽部は、さる企業の経営トップを卒業した3人と筆者が、観劇、見学、散策、旅行、飲食、歓談などを楽しむ会。ご多聞に漏れず現役時代に余暇を持てなかった面々が大喜びで集う。昔の肝胆相照らす仕事仲間なので、すぐに諸々の思い出、世界政治、哲学談議、近況と、賑やかな話が自由奔放に時空を超えて行く。

さる日の都内観光バス。座席の窮屈さも嬉しく四方山話が盛り上がる。そこへ60歳くらいの女性軍団が「男のくせにうるさい」と水を差す。「君たちのおしゃべりこそ……」と言い返すと「何よ！」と睨まれ気合負け。意外の伏兵に元社長は、会社じゃ誰も抵抗しなかったのになぁと憮然……。笑いをかみ殺して、無駄な抵抗をせず賢明だったと称えた。

幼児期には、母は最高にやさしく絶対に抗えない女神。母乳の支給、オムツ替え、言語教育、病気の介抱、腕白の抑制などをした。児童期には、女児は体格もよく口も達者だった。女子中高生は、何事にも積極的で命令口調で話す。女子大学生は、ご機嫌が麗しいとノートを見せてくれるが、代わりに実験・実習では君臨して働かせ、遊びにお出かけの際にはお供をさせる。会社では、先輩女性が細々と諭し、可憐な彼女はすぐ実力を見抜き有力者になびいて逆に人生を教える。束の間の夢で結婚した相手は初めからしおらしさに乏しく、じき全意識を子供に向け、やっとの昇進に感激も共有せず更なる昇給を促す。携帯メールでの勇気ある小遣い上げ交渉も一蹴し、それなのに贈り物を欲しがる。家庭制圧の後は、近隣や友人と優雅に交流しつつ学校の校長や教師を威圧する。赫々たる戦果で得た自信には、元社長も所詮かなわない。

新人男性は賢明にも、社長になる確率が極小で、なれても永の栄光でなく上昇志向がはかないと知る。無念にも、それも女性に教えられた。昔、遊び盛りの小6と小4の甥が「お母さんが喜ぶから」と塾に通う。弟の方が電話をくれた。「試験のできがよくて褒められ、ファミレスで母と兄にお祝いをしてもらい嬉しかった」。やや間をおき「だけど……3200円の支払いに僕のお金が使われた」と嘆く。笑いをかみ殺しながら、たまに良い点を取ればそうなる、いつもがんばれと励まし、こんど唐揚チキンパック（ファミリーセット）を丸ごと食べさせるからと慰めた。彼は幼くして、努力は必ずしも利益に結びつかず時には損失や痛みにさえなると学んだ。

若人は今、先が見えすぎて飛び出せないようだ。しかし功名や立身出世に出立せずとも、情熱を燃やす先はもちたい。諸々のしがらみは雲、その上には無辺の青空が広がる。それを知ると、目前の業務処理の傍ら、常に自らが納得できる豊かな技量を備えるために努力できる。成果が出ても自らの栄進とは無縁だと考える。もし所属会社が不採用と決定したら、起業や他所でその技術の活用を目指す。青空は、人の地位や権力よりも高い技量で為された事柄を待っている。青雲の志は、今でも抱ける。今これを失うのは勿体ない。

8 伏流水はあせらず

ひととき滞在した那須野が原（栃木県）で小径をぼんやり散策していたら、轟々とした水音に目覚めた。那須疏水（1885年）の用水路だった。疎水は、緻密な石積み壁と石敷き床をもつ人工河川。水ははるか遠くの那珂川から引いている。

この地にも一級河川・蛇尾川《さびかわ》があり、山岳の上流では水量も豊かで水力発電所も持つ。ところが表流水は山の斜面を走り下って平野部に達すると忽然と消え、涸れ川を残す。両岸に川原が広がり土手が築かれ橋もかかっているが、その川床は大雨の時を除けば石ころだらけで、人や車が直に渡ることができる。川水は、ほぼすべて地下に潜んで伏流になった。

三角州は、流れのゆるやかな川が運んできた小粒の土砂を河口に堆積した場所で保水性を持ち水田も営める。これに対して扇状地は、急峻を下って勢いの強い川が運んできた大粒の石を平野に堆積した扇形に広がった場所。砂礫層から成るので、水は地下に容易に浸透し伏流する。後者の例は、神奈川県丹沢山系から秦野市を流れる川や長崎県の雲仙山系普賢岳から島原を流れる川などがあり、その名もずばり水無川《みずなしかわ》になっている。

広大な那須野が原は今、先人による大仕掛けの疏水工事の恩恵で生活や酪農などの用水が確保されている。疎水を含む一帯の風情は訪れる人を和ませる。蛇尾川の伏流水は十数キロ先の扇端部で湧水し、魚群も住む清流に戻り、下流で箒川を経て那珂川と合流して茨城県から太平洋に注ぐ。

伏流水は、地下に浸透することで、地層や岩石の自然濾過で濁度が向上し、水温が安定し、ミネラル成分の含有量が増すなどの点で元の表流水より水質が優れているという。川水は、一時伏流することで浄化され養分を増すのだろう。形態は違うけれども、清澄な柿田川湧水（静岡県清水町）は、富士山の雪解け水が長年月かけて大小粒の溶岩層を抜けて来た水で、とくに夏の湧水は味よく喉を潤し全身に行き渡る。伏流水のある場所では、井戸の利用も多い。子供の頃、井戸水で冷やした西瓜の味を思い出した。再帰の仕方は多様だが、伏流水は一様に憩いや癒しを与える。

コンピュータの発明と情報通信技術の驚異的進歩が、地球上の距離や時間を縮めた。これに伴い、何事も金銭的価値の大きな結果を得るため「急かせ急く」が善となっている。激烈な競争の最中では、経営・管理者は常に叱咤し、生産効率を優先した組織改革にいそしむ。従業員は常に、自らを鼓舞し応えようとする。いま、「我に大いなる情熱あり、有益なことを必ず為すゆえ期待せよ」と声を大にしなければ置き去りにされるという恐怖感を誰もが持っている感がある。

科学や技術は元々、新たな栄冠を求めて競争が競争を呼び進化し続ける世界。いつの時代も携わる人々は常に、先んじようと意識を研ぎ澄まし寸刻を惜しむ。天才でさえ、いきなりその特筆される業を為したわけでなく、多くの伝記によれば大抵は逆境で幾多の苦労を耐え忍んだ経験をもつ。頑張れたのは、胸に沸々とした志があり、五体に脈々と流れる情熱を秘めていたからだろう。

天恵の水を集めた流れには伏流もある。暗い地中に潜んだ水は、混濁した表流をじっくり濾過し、地中の養分を吸収し、やがて美味の清水となって湧きだす。伏流水は、いま目立たずともよい、奥ゆかしく情熱を秘め、自らを浄化し必要なものを取り込み充実してから表に出よと、人々を諭しているのか……。今これを失うのは勿体ない。

9 ストックホルムとリマの間

かなり前になるが学会発表で訪ねたストックホルムは、夏の風も風景も行き交う人々も大らかだった。未だ見ないリマは、空中都市マチュピチュやナスカの地上絵など失われた文明の遺跡を見に来いと誘う。両市は、直線距離で1万1460㎞、時差6時間で、北大西洋をまたいで遠く隔たる。

困ったことに人質立てこもり事件が、今日も世界のどこかで起きている。そこでは一般に、監禁者（犯人）が武力で絶対的優位に立ち、被監禁者（人質）は生命の際で恐怖し憎悪しつつも忍従する。しかし、時が立つにつれて両者の間に絆（親愛感）が育つことがある。この「時効効果」は、精神医学・心理学の用語になっている。

ストックホルム症候群（Stockholm Syndrome）は、被監禁者が監禁者に同情、好意、信頼感などを抱き、協力者になる現象。ストックホルムで短機関銃を持った犯人（後に2人）が銀行員数名を人質に一週間立てこもった（1973年）。このとき、人質が犯人に協力して警察に敵対行動を取り、解放後も犯人を擁護し警察を非難し、のちに一人の女性は犯人と結婚した。限界条件下で、犯人の些細な親切や気遣いに対して感謝や同情そして仲間意識が生まれたからだと解されている。

リマ症候群（Lima Syndrome）は逆に、監禁者が被監禁者に親近感を抱く現象。リマで起きた在ペルー日本大使公邸占拠事件（１９９６年）。爆発物と軽機関銃を手にしたトゥパク・アマル革命運動家（14名）が、天皇誕生日祝賀の宴に集った各国の大使や政府関係者数百名（最後は72人）を人質に立てこもった。１２７日後、海軍特殊作戦部隊が密かに掘った地下道から床を爆破し鎮圧する。若いゲリラたちは、長い共同生活の間に、様々のことを教わり将来に夢を抱いていた。急襲されたとき、慕っている人質に銃口を向けても引き金を引けないまま、全員が射殺された。

平時でも、人は否応なく支配関係の中にあるから類似の事象が現れる。例えば、部下が上司の顔色をうかがい、逆に工場長が現場の声に負けて合理化を断念する……。ここでは武器に相当するのは権力。つまり、人は二つの症候群がはさむ空間を右往左往しながら生活しているように見える。

現実の物事はいつも簡単に思い通りに運ばない。学生にとってゼミ指導教授は絶対者。師の期待に沿う結果を出そうと必死。それで時に、都合のよいデータだけを拾って師の意向に合わせたり捏造したりして急場をしのぐ……。昔、勤務した大学で他ゼミ生の修士論文の主査を急に依頼された。ゼミ教授にマルM資格がなかったための緊急措置だったが、学生はデータの傾向をものともせず、ゼミ担当教授の予想傾向線で強引に論を進め、あまつさえ筆者を敵視さえするのには辟易した。学生はストックホルム寄りだったように思う。

筆者のゼミ生は、採取データこそ真実、もし推論に適わなければ仮説や実験に見落としがあると叩き込まれている。とはいえ、実験研究でドジを踏む者も出る。すると本人はともかく、皆で一緒に遊びたい仲間が欲求不満になる……。それを察知して、交友も大事だと程ほどで放免し、飲み会やゼミ旅行を許したものだった。幸いにも彼は、自らの意思で卒業式まで連日登校し、筆者の研究を手伝ってデータを巧みに採り、連名で学会発表した。ただ、あのとき筆者はリマを見たのだと思う。

指導的立場の者は、自らの絶対視も管下の者への迎合も健康な事態ではないのだと確認しておきたい。今これを失うのは勿体ない。

⑩ 荒ぶる呼びかけ

幸福の手紙。20世紀初頭から繰り返し現れる。要旨は「これは幸福の手紙。忠実に書き写して7日以内に7人に出して幸福を分かち合いなさい」など。逆に不幸の手紙。20世紀半ばに大流行したが「これは不幸の手紙。同じ手紙を4人に出さないと不幸が襲う」などと脅す。いずれも心優しい子供や気の弱い大人は、心理的に追い込まれ、不安感と罪悪感で煩悶しながら送り先を探す。

連鎖メール（chain mail）は、ねずみ算式増殖をする。ねずみ算は、吉田光由著『塵劫記《じんこうき》』（１６３１年）でねずみの繁殖を例にした和算方式。実際ハツカネズミは年に２～３回毎回８～10匹出産し、子ねずみは２～３カ月で親になれるほど速く成長するので、短期間で莫大な繁殖をする。これと同じように、仕掛け人（１名、初項１）が始めた手紙はｎ代で総数（等比級数）Σr^nになる（ｎ＝０～ｎ、ｒは公比、ここでは一人の配信数）。皆が忠実に応答すれば、たちまち日本中に行き渡る。

その拡散は、情報通信技術（ＩＣＴ）の活用で効率が上がる。例えばｅメールは、同じ文を瞬時に多くのアドレスに送信できる。携帯メール、ツイッター、ライン、インターネット掲示板なども同様。書く手間がかからない分ためらいも減る。そして悪意があれば、中傷、風評、怪文書など揉め事を生み、金銭が絡むとねずみ講（無限連鎖講）、マルチ商法、詐欺など事件にもなる。

かりに悪意がなくても、芸能界の人気投票、学界・工業界の受賞候補への投票、パブリックコメントなどへの呼びかけも、自らに都合よく人を誘導することになる。健康な民主主義社会は、人々の自由な意思による選択行動でのみ成り立つ。連鎖の呼びかけは、原則、控えた方がよさそうだ。

ちなみに筆者にも学生時代に差出人不明の幸福の手紙が舞い込んだ。郵便局の葉書売り上げ倍増戦術かと邪推しつつも、善意の連鎖を断ち切る度胸もなく、書き写し、あまり迷信にとらわれそうもない友人たちに送った（迷惑をかけた）。しかし、筆写に手間がかかった割に、何らのご利益もなく、むしろ、故郷の1歳年下の恋人に縁談が来て程なく別れざるを得なくなったし、重要科目は再試験になるし、前夜せがまれて見せた課題報告を友人が丸写しして提出したため大目玉を食らうなど苦い出来事が続いた。唯一の収穫は、この連鎖は禍福に何ら関係しないと悟ったことだった。

2014年夏、『朝日新聞』が「従軍慰安婦＝強制連行朝鮮人性奴隷」の記事（1982年）は虚構に基づくものだったと取り消した。しかし既に配信・引用の連鎖で事実化して世界から非難の対象になっており、日本を貶めた過去は取り消せない。発行部数（初項）が大きいだけにもっと慎重であるべきだった。また著名人たちの「氷水かぶり挑戦と100ドル寄付」の動画も話題になった。ALS（筋萎縮性側索硬化症）への募金をする米国発の活動。演技後に次の3人を指名するので、参加者は公比3のねずみ算式増殖をする。僅かの間に認知度を上げ巨額の寄付を集めた仕掛け人はただの鼠ではない。しかし奇抜で面白い遊びを装っても、人に心理的圧力をかけて行動を促す構図は連鎖メールと同じで、素直に称えられないものがある。

養護施設の児童らに、密かにランドセル、文房具、寄付などを贈る人がいる。子供たちのヒーロー、ヒロインを装って決して名乗らない。人はそのやさしさと奥床しさに泣き、自らも密かな善行を期す。効率的でなくても、絆や連帯の確かな連鎖がある。今これを失うのは勿体ない。

【『工業材料』62－1～12（2014）】

十、談話室　井蛙にさよなら

1 我がパ・ド・ドゥ

いつも額に汗し手を油で汚す技術者だからこそ、忘我のひと時が愛おしい。例えば、『くるみ割り人形』『眠れる森の美女』『白鳥の湖』などのクラシック・バレエ鑑賞をする。チャイコフスキー音楽、華麗な踊り、色彩鮮やかな大道具そして洗練された観客。初めはバレーボール（volleyball）ならいいけど、場違いだなどと尻込みしていた者も、幕の下りるときには気持ちを明るくして力の拍手をする。

プリマはバレエ団で最高位の女性ダンサーでプリマ・バレリーナ（伊prima ballerina）の略。オペラの主役の女性歌手プリマ・ドンナ（伊prima donna）の意味もある。プリマは「第一の」、ドンナは「女性」。似た言葉だが、漱石の坊ちゃんに登場するマドンナ（伊Madonna）は、我が淑女（憧れの女性）を意味する。

プロの多くは3歳頃から習い始め、才能と熟練が認められてバレエ団に所属する。男性にくらべ女性が圧倒的に多い。よほど有名にならないと、練習日も多く、バレエの出演料だけで生活するのは容易でないという。プリマになると、チケット販売のノルマも大きいようだ。

バレエは爪先立ちで踊り、足を外に向けて歩く。何故そんな不自然なことをするのかと、ベテラン振付師に尋ねたら「足裏を床につけたのでは地中に引き込まれる感じだが、爪先立ちだと天に上る心地になる」。確かに、その方が伸びやかな美しさになり、見るものの心を高揚させる。そこで先端が平坦になっているトウ・シューズ（toe shoes）を履く。指先部分にパッドを詰める。ただし、練習を重ね、下腿や足甲の軟骨が骨化し、腹筋を鍛え身体の重心を引き上げることができるまで、教師は着用を許可しない。

あんなに激しく飛び跳ね回転して足首や膝に故障は生じないのか……。ちなみに、彼女らは直前までレオタード姿で汗ぐっしょりの練習をする。公演後の楽屋では肩で息をし、汗でメイクも崩れて、ステージの優雅はまったくない。知人のプリマによれば、私たちは筋肉労働者だから大食いで、運動量が多いから太らないだけ。やはり骨折や捻挫なども起き、職業病は関節水腫だという。

最大の見せ場は、男女2人が踊るパ・ド・ドゥ（仏Pas de deux、2人のステップ）。同性の場合はデュエット（英duet）。これには二重奏・二重唱の意味もある。バーのカラオケで『銀座の恋の物語』などを歌うのは後者。細身のプリマでも、重力場だから体重じたいは消えない。高く持ち上げる役割の男性ダンサーは大変だろうと概算してみた。力学的には、上手に飛び乗られたとしても彼女の体重は2倍になり、それに更に高く持ち上げるため位置エネルギー分の負荷も加わる。

悪童たちが冗談めかして美女を抱いたり持ち上げたりして役得だねぇと羨ましげに言うと、彼は真顔で「とんでもない、こいつ太りやがったな、腰痛がまた悪化するといつも舌打ちしながら務めている」と答えた。「見るとやるでは大違い」の現実がある……。そう言えば、ロシアの女性ダンサー（体重50kg）が「重すぎて持ち上げられるパートナーがいない」という理由で所属バレエ団から解雇されたというニュースがあった。最低１００kgのバーベルを持ち上げる重量挙げと同じ。やり取りを伝え聞いたプリマが楽しげに笑う。彼女は、身長１６５cmだが体重40kgほどらしい。

何日も準備・練習を重ねても、公演発表はせいぜい2〜3回。陰を知る時、その優美はいっそう高く濃くなる。今これを失うのは勿体ない。

２ 天空で遊学する老中

童謡『お正月』の風景が愛おしい。子供たちは街中の至る所で、また一つ年をとったことを誇り、明るい未来への羽ばたきを実感し弾んでいた。年輪を重ねると、人は多かれ少なかれ生老病死の苦悩を抱えるので、新たな1年が始まっても手放しで喜ばない。長い経済停滞や緻密化した管理システムの中であえぎ苦しむ日常。一息ついても、健気に今年の頑張りを誓い、神仏に守護・安寧を祈念する。ある者は、心配症と他力本願から、年回り運勢や未来予言などを気にして一喜一憂する。

成長本能に基づくだろう子供の空想や遊びは、いつも大人を晴れやかな気分にし、社会を明るくした。しかし今、その図式が揺らいでいる。例えば、自己を価値あると肯定する高校生の割合が著しく減少し、他国の半分程度だという。大人たちの過敏な営みに押し潰されてしまったか……。

社会に夢を与え活気を呼ぶ子供たちの激励力の低下は、人口構成の変化からも来る。敬老の日の新聞（２０１４年）に、わが国は今まさに高齢化社会の真っ只中にあり、定年65歳以上が25％を超え、その半分が75歳超で、若者・子供の数は今後も減少していくとの記事があった。子供たちの元気が、質量ともに大幅に下がったことになる。これを嘆き悲しめば、かえって暗くなる。

知勇兼備や才色兼備の四字熟語。知や才は優れた頭脳の働き、勇や色は優れた身体能力や容姿を意味する。兼備していたとしても年とともに維持は難しくなろう。年齢記録を更新している現役の勇者がいて心強い。スキーの三浦雄一郎（１９３２年生）、登山の田部井淳子（１９３９）、野球の山本昌（１９６５）、女子テニスの伊達公子（１９７０）などは元気を与えた。大相撲の旭天鵬（１９７４）も年齢記録を更新中だが、近い将来力士を引退し年寄として65歳まで日本相撲協会の役員に就く。年寄は通例、中小企業の社長が親父と慕われているように、親方の敬称で呼ばれている。

江戸幕府の権力者は、奥向《おくむき》では御年寄《おとしより》。将軍付や御台所《みだいどころ》付で大奥のすべてを差配した。表向《おもてむき》では老中《ろうじゅう》（別名：年寄、宿老、閣老）。将軍直属で所司代、三奉行、遠国奉行、大目付などを指揮して朝廷、寺社、大名などを管轄し国政を見た。若年寄《わかどしより》は老中に次ぐ重職。旗本、御家人などを指揮・管理して幕府内部を治めた。

漢字の国・中国では、老師は学校の先生。若い美人教師にも老師好（先生こんにちは）と声をかけてよい。先生は先に生まれた人、老朋友は古い友人を意味するにすぎない。ちなみに老酒《らおちゅう》は長年寝かせて味香を芳しくした紹興酒のこと。

このように、昔は重ねた年輪は付加価値で、年寄や老は、男女を問わず、年季が入った練達者や人を導く有識者など大人《たいじん》に対する尊称だった。

人の能力（work potential）は、勇が早期に最高値に達して低下するのに対し、知は年を経るにつれて徐々に増し、最高値の減衰は勇と違いかなり緩やかだという。先の例に挙げたような勇者ではない一般シニアでも大丈夫。分析力・総合判断・知恵などの優れた知を保有している。それは宝だが、ほとんど埋もれたままではないだろうか。

ともすれば若年層の重石・社会の死荷重と見られがちな逆ピラミッド人工構成の上部高齢層だが、天空高く悠々と舞う姿で安心感を与え、知の更新も怠らず、求められたら惜しまずこれを恵みたい。年少は折に触れて真の老を仰ぎ、その知と勇気を貰うだろう。技術者は現実的解を求めて何かを計る。今これを失うのは勿体ない。

3 ふれあえる体温

インフルエンザ予防接種で順番待ちをする長椅子。女性看護師が寄って来て、鉛筆形器具を額に向けて一瞬で体温を測る。手の甲では、別の値になるからと測定してくれなかった。

近年、サーミスタを用い熱による電気抵抗変化を測る電子体温計も登場しているが、大抵は棒状の水銀式体温計を脇の下に入れて測定する。150年余り前に開発されたもので、ガラス細管に封入した金属水銀の熱膨張量を目盛で読み取る方式。時間もかかり、やり直しも多く患者の負担だった。

すぐに赤外線を利用して表面温度を測る医療用機器だと察し、技術の進歩に感激した。額は体温調節中枢の間脳視床下部に近く、測定に適している。赤外線体温計のような放射温度計は、比較的低温域でも物体表面が放出する赤外線放射エネルギーを非接触で計測できる。ただ黒体を1とする放射率は、物質や表面光沢などで異なる値をとるので、それぞれの条件で他測定法による正しい温度との差を校正曲線にしておく。同じ数値でも、人種、身体部位、日に焼け具合などで違う。

思い出したのは、35年ほど前の異種材シェービング接合法の実験。高周波誘導加熱法で低炭素鋼やアルミニウム合金などの金属の接合予定部を急熱し、機械プレスでセラミックスや高速度鋼を一体化する技術の開発。貧しさの中で発想し装置を作り、可能性を確かめていたが、悩みは温度の測定だった。熱電対を取り付けても剥離しやすいうえ、急速加熱に追随できない。白熱まで至らないし2〜3㎜範囲の測定だから、パイロメーターも適用外だ。

そんなとき、ピストル型の放射温度計が開発され、その展示発表会が都心で開催されることを工業新聞で知った。それをセンサーにして、アンプ（動ひずみ測定器）とXYレコーダ（当時、パソコンはない）に繋げば、急熱急冷の温度変化を記録し解析できる……。午後の講義を終えすぐ会場に駆けつけたが、迂闊にも現実を思い知らされることになった。

それは測定温度範囲ごとに型式が異なるだけでなく、1機種380万円などの価格だった。何度見ても値札は変わらないのだが、諦めきれず帰ろうとしてはまた戻り溜息をつく。秋の日暮れに落胆の身を帰路に運ぼうとした時、その姿を哀れんでか、居合わせた営業担当重役さんが呼び止めた。1機種だけでも欲しいが、70万円しかないので……と事情を話す。それさえ今年度の卒研生がこの後に何も壊さないとの前提で、2年越しに貯めた研究費だった。彼は呆れただろうが、少し考え込んだあと「展示品を中古品扱いにして、その額で出そう」と、思いがけない解決策をくれた。

高揚して大学に戻り、調達依頼票にその金額を記入して管財部に提出した。この部署は、教員と業者の間に介在し、不正が生じないように監視すると同時に、通例5％ほど安く購入してくれる。10日ほど経った頃、その部長から「正式見積りを取ったが、全く金額が違うではないか」と詰問調の電話が来た。いきさつを話したら絶句し「先生はひどいことをするなぁ、だが分かった」と一言。

その後、購入した温度計を使い科学の体裁まで研究を高められた。別の物品購入でも信頼された。嬉しいことに、機器開発のS電子工業㈱（渋谷区）は新分野を開拓するなど発展を続けている。

動物の中では低い方らしいが、人は数値以上に温い体温をもつのだと強く意識させる非接触のふれあいだった。今これを失うのは勿体ない。

④ 井蛙にさよなら

春は人事の季節。ひときわ目立つのは新卒。学窓を巣立って軽やかに躍りながら登場する。彼らは一様に希望にあふれ、人々を挑発するかのように微塵の陰もない元気を全身から放射する。溌剌とした姿は、ほほえましく頼もしい。だが、職場は複雑怪奇なところで、学窓とは大きく違うことに早く気付かないと失意に沈む。

荘子（荘周、ＢＣ３６９？－ＢＣ２８６？）は、中国・戦国時代の思想家で、老子とともに道家の開祖とされる。その前の春秋時代の後半に、孔子を始祖とする儒家の儒教が古き良き伝統を尊び礼儀や教養を広めていた。これに対して道教は、知識や道徳への執着から離れた人の生き方があると説いた。荘子の遺した寓言集・『荘子《そうじ》』の外篇・秋水《しゅうすい》第十七の一節に「井蛙《せいあ》は以《も》って海を語る可《べ》からざるは虚《きょ》に拘《かかわ》ればなり」とある。

水量の増した秋の黄河。水神・河伯《かはく》が自らの支配する広大な流域を眺めつつ川下りを楽しんでいた。やがて河口に着いて雄大な海に接し仰天。自己満足は、独りよがりだった……との嘆息に変わる。北海の神・若《じゃく》がそれを聞いて慰めた。「（大意）狭い居所に捉われていたのだから仕方がない。井戸の中の蛙に海のことを話しても分からない。狭い窪みしか知らないのだから。夏の虫に氷のことを話しても分からない。それは夏季だけしか知らないのだから。曲士に道のことを語ることができない。一つの教条にこだわっているのだから。君はいま、自らの狭小に気づいて、道・万物を司る摂理をともに語り合えるようになった」

これより知識・見聞が狭く自らの周辺がすべてと考え得意になっている人を井蛙と喩えるようになる。一般には「井の中の蛙《かわず》大海を知らず」と表される。夏虫や曲士（片田舎の人、心のよこしまな人）も同じように、よく引用される。ちなみに、夏虫を時期（T）、井蛙を場所（P）、曲士を場合（O）と読めば、社会人の行動指針TPOに見事に符合する。何とも奥の深い寓言。

大学では基本的に、同世代の多数の未熟な若者に、歴史に耐え純化した知識・技芸の唯一解をもつ基礎事項と科学的ものの見かた・考え方を修得させる。幅広い知識や不確実な事項への対処法などは、触れたくても履修期間に収まらない。また教員も、細分化した専門科学の深化に忙しく、他事に関心を持つ暇がなく視野を広めにくい。そこでは「大学の常識は社会の非常識」と揶揄されるほど、井蛙、夏虫、曲士が生まれ育ちやすい。

一般社会（職場）は、理路整然とした場ではない。多様な人々が協働して、不確実な未来を読み目標を設定しながら動く。ふつう上司は方向を指示し、具体的仕事は任される。成果への道筋が1本ではないから最適解を探す作業になる。中には、進んでみなければ分からない道もある。このような生きている与題を解くには、学窓で得た知識よりも、まず習わなかった知恵が求められる。つまり日本的学業成果のこだわりから離れると、難しい事象も上手に対処できるということ。

他方、春には悲喜こもごもの古参の異動もある。例えば、人であれば業務遂行に長けてライバルに勝って得た地位や評価は嬉しい。だが得意には視野狭窄が寄り添うもの。河伯はそれに気づいて若と通じることができた。何事につけ過ちなく遂行するには、経験のこだわりが邪魔をする。判断に当たっては、傍らだけでなく、グローブ（地球）さらにはコスモス（宇宙）を思いやりたい。今これを失うのは勿体ない。

5 スッポンが行く

誰もが甘く切ない思い出の一つや二つをもつ。日本が工業立国を謳い高度経済成長に燃えていた20世紀半ば、流行歌『好きだった』が街に流れた。愛する女性との別れを悔いる詞を、甘く緩やかな曲に乗せている。俳優で歌も能くした鶴田浩二が、右手にハンカチで包んだマイクを持ち、左手を耳に沿えて、情感を込めて歌う。青壮年の多くが、それに魅せられた。

鼈《すっぽん》は、爬虫綱カメ目スッポン科キョクトウスッポン属に分類される。成体は軽量だが、甲羅は柔らかめで寸法は40㎝超にもなる。アジアの温暖地、日本では関東以南の水中で生息し、魚類、両生類、甲殻類、貝類、また水草など何でも餌にし、1回に10〜50個の卵を産んで繁殖するという。

海鼠《なまこ》よりマシかもしれないが、泥色の甲羅、それから伸ばす首や頭も可憐や優美に欠ける。そこから雲壌月鼈《うんじょうげつべつ》または月鼈雲泥《げつべつうんでい》、俗に「月と鼈」という比喩が生まれた。この四字熟語は両者が天と地のように越えがたい相違があることを意味する。夜空で高貴の黄金色に輝き愛でられてきた月と比較されては気の毒だ。

普通の亀は、外敵に対して防御性に優れた堅い甲羅の中に首をすくめて専守防衛を図る。対して鼈は、本来臆病のくせに、攻撃は最大の防御なりとばかりに、近付くと殺傷力の高い顎で噛み付く。古来、人は雷に驚くが、鼈は噛み付くと雷が鳴っても離さない。万一、噛み付かれたら水に浸すと安心して逃げ去るらしい。

外観はどうあれ、煮ても焼いても食えない・使い物にならない存在ではなかった。「鼈人を食わんとして却《かえ》って人に食わる」は、身の程を省みず他を害せんとして自身を滅ぼす愚かさへの警句。鼈は縄文時代や弥生時代から滋養強壮の食材として用いられてきた。現在は養殖もの(養鼈《ようべつ》)が主になっている。出汁が美味しく、鍋料理、雑炊、吸い物は高級料理。その生血やアルコール割、また甲羅の粉末(土鼈甲《どべっこう》)は精力剤や栄養飲料。

食い付いて離れない性質ゆえに、この世に未練を残して現れる幽霊のようだと気味悪がる向きもある。他方、物事をしつこく追究する人を鼈のようだと半分あきれながら賞賛する。しかし、この姿勢は技術研究に欠かせない。よい思い出は、40年ほど前。熱可塑性樹脂の熱誘起変形現象の発見を報告したとき、恩師(前田貞三・東京大学教授、当時)は興奮気味に「その素人の目を失くすな、追究の手を緩めるな」と激励して下さった。鼈までは至らずとも、それなりに教えを守り、いろいろ工夫しながら苦心して解明を図り、応用指針などの成果を発表できた。

男女の機微から好きで別れて悔いる……。情感を込めて歌うと、心を残しながら別れる事例が圧倒的に多いこの世の人々は慰められる。だが、難しいからと直ぐ諦める哀切の撤退は、技術科学あるいは技術遂行姿勢としては情けなく、人の心を揺することにはならないだろう。多くの先達は、これはという研究主題には食い付いて離れず、周囲から変人といわれても、寝食を忘れるほど努めないと、為るものも為せないと教える。

イソップ寓話〝兎と亀の競走〟では、兎が油断して、着実な亀に遅れを取る。鼈は亀の仲間だから、やはり陸地を歩くのは遅い。跛鼈千里《はべつせんり》は、中国の戦国時代末の思想家・儒学者で、性悪説で知られる荀子（BC313?－BC238?）の教え。足の不自由な鼈でも歩き続ければ、やがて千里に達する。転じて、能力の劣るものも努力すれば成就できると諭す。今これを失うのは勿体ない。

6 泣くな　親父

大声で泣くたびに成長を見せる腕白坊主と遊ぶ。「大人は泣かないね」と言うので、「よい子だとパパもママも泣かない」と褒めて抱きしめた。彼は怪訝な顔を見せる。

独立型ものづくり中小企業の多くは、戦後日本の貧困時代に創業した。その起業家のほとんどは、行く末に確信が持てなくても自らの生存もかけて必死で働いた。高い学歴も持てなかったから、頼りは自分だけ。社会が求めるものが何かをいち早く嗅ぎ取り、得手不得手を顧みる余裕もなく、乏しい見聞に試行錯誤を重ね、固有技能を確立し、その製品が運よく世に受け入れられて会社を設立する。その間、職人の作業場は家内手工業の工場《こうば》を経て工業技術の工場《こうじょう》に変わる。社外では社長で通るようになる。

彼は瞬時も休まず、油と汗にまみれて技術改善を先導し、新たな製品づくりのために工法・機械などの更新を大胆に進め、さらに社員の育成・海外進出・業務展開などを計る。鋭い感性、先見性、人の吸引力、決断力などは、歯を食いしばって耐えてきた実践的技術経営で裏打ちされている。

企業規模が大きくなっても工員たちは、彼を親父《おやじ》と呼び続ける。一家の長は幾多の困難に立ち向かい生活の糧を得て家を守る。その親父の家は、かつて工場も兼ね、妻子だけでなく職人も集う場だった。時に大きな収益が上がる。親父は一息ついて、皆が喜ぶ姿を思い描きながら報いる方法を楽しく考える。時に、経済の荒波に翻弄されて家が傾く。容易に色よい返事をしない銀行筋や得意先を体力の限りまで走り回り幾度も頭を下げ、遂には担保の家財が危うくなっても、苦悩を隠しひたすら堪える。親父だから決して泣かない。

建築請負をする友人は、3度目の会社経営をする親父だ。宵越しの金は持たない主義の職人が「かかぁが倒れて入院した」とか、若者が「給料を全部使ってしまった」と突然助けを求めに来ることも稀でない。黙って箪笥から現金を渡したり、腹いっぱい食べさせて泊めたりする。お袋と呼ばれる連れ合いも温かく寄り添う。一声かけると集ってくれる家族なのだからという。

親父は、合理を追及する姿勢は厳しいが情愛は深く、片時も家族の幸福を忘れない。例えば工場経営が二進も三進も行かなくなれば、自らは肉親と生活費のかからない町のアパートに越し、工場を人手に渡し、心で泣きながら散り散りになる可愛い家族に全ての蓄えを分け与え、不甲斐なさを謝る……。それを知る家族は親父を泣かすなと頑張り、親父はそれに感涙を隠し冷徹で応える。

二世経営者いわゆる二代目。大抵、幼児期は工場の音を子守唄にし、児童期は親の作業着を嗅ぎ、学生時代には工場を手伝い、他の進路への選択肢はなく後を継いでいる。先代に劣らぬ信頼をかち得たと実感するために、早く親父になりたいが、その尊称は年輪だけでは貰えない。ちなみに大企業でも心ある工場長などは同様の願望を持っている。他方、大企業組織の一員で先生と呼ばれる場合は、容易に現実的解決に役立つ行動をしない評論家肌で、たいがい職場で敬遠されている。

大胆な事業手腕があり、社員に慕われてもいる女性経営者に、創業の父上は親父で、社長は女性だからお袋ですかと尋ねた。彼女は、残念ながらそうは呼ばれていないと無念の気持ちを表した。

さる機械商事会社の女性経営者。会社は息子以上に大切なもの、後継に能力のある君の弟子を選ぶ、ついては後見を頼むと言い残して亡くなった。彼女も親父だった。今これを失うのは勿体ない。

7 エンジニアと技術者

かつて欧米では、自然科学は貴族の趣味だった名残で、自然科学者の方がエンジニアより格上と見なされていた。しかし変化に忙しい現代では、朝にエンジニアの創造性に期待し、夕にその産物（人工物）に熱い目を注ぐ。隔世の感がある。

米国の大学で初対面の学科秘書・ベティさんに、昔から貴女の名を知っていた、初めて習った英語の教科書名が*Jack and Betty*だったからと話しかけたら、古くさい名前で……と笑いながら、すぐ打ち解けてくれた。そのとき筆者は、それに載っていた自己紹介の例文「I am an engineer」を使えなかった。中学時代も1985年当時も、その職業が分からなかったからで、今でも悔しい。

エンジニアと技術者は、包含する概念がかなり異なる。わが国では、ある種の手腕をもつ人すべてが技術者になり得る。主に工学の専門知識・技術を活用して、工業をはじめとする産業界で、製品・工程・システムなどの設計・開発、製造・管理、市場調査・顧客サービスなどの業務の遂行者。また、技能者・職人、機械操作者、情報処理者など現場担当者。技師、技術科学者、工学者などの専門的職業人や技術士や技能士などの国家資格保有者。さらに飲食品調理人、理髪・化粧作業者、時には長けた作詞家・作曲家などに対して用いても、さほど違和感はない。要するに、技術者は一般呼称になっている。

米国のエンジニアは、工学士以上の学歴をもち、専門の科目試験と実務研修に合格し、国家（州）認証を得た者の資格。分野の権威で独自に、技術指導、公共事業の受注、法的事案の鑑定などの活動を誇り高く遂行する。今日のＰＥ（専門技術者）に相当する。社会から尊敬される職業だった。

技術者養育成の大切さを語るうちに、その目標を明らかにしなければと思い立った。幾つかの英和辞典でengineerを引くと、名詞で、１技術者、技師・工学者、２機械工、機関士、整備工、３工兵などとある。しかし項目が多岐にわたり、原義が理解できない。さらに読み進めると他動詞があった。１工事を設計・監督する、２巧みに計画・工作する、３～をたくらむ・やり遂げる、～を操作・変更するなどとある。基本概念として分かりやすい。

この動名詞engineeringに対して、明治初期に、邦語「工学」が作られた。工学部はschool of engineering、機械工学はmechanical engineering、修了生が勝ち取る工学士（修士、博士）は略称B.Eng（M.Eng、D.Eng）になる。とはいえ、本来の語意としては他の訳語、機関、工業技術、土木工事、巧みな工作・工務・処理……の方が的を射ている感がある。

語源はengine（１エンジン、機関、２機関車、消防自動車、軍用器具・機械、３動力）。これに接尾語-er（～の製作者・関係者）が付きengineerになった。さらに遡ると、イタリア語など欧州語の源流・ラテン語のギグノー gigno（生み出す）に行き着く。これに接頭語en-（～の中に）が付いて、軍事や土木の機械になり、18世紀に動力機械が加わる。現在は、比喩的用法として検索エンジン、業務改革エンジンなど、目標達成の中核となる組織や仕組みをも意味する。

語源を尋ね本質や使命が見えた。ギグノーと語幹が共通するゲニウスgenius（守護神）は、英語genius（天才）に至る。エンジニアとは、常に革新を求め斬新な考えで有用な物事（art）を設定・設計・具体化する技と業の人なのだ。それに向かって計画し努めることが技術関係者の最初の仕事らしい。今これを失うのは勿体ない。

8 勇者なれば忍恋

かつて大学の便所の個室は、板壁に雑然と書かれた様々を見ながら見知らぬ誰かと交流したり、思索を深めたりする場でもあった。「恋の至極は忍ぶにあり」には、恋に恋する子犬の恋や「しのぶれど色に出でにけりわが恋は、ものや思ふと人の問ふまで（平兼盛）」の青春譜ではなく、初恋だった人妻に叶わぬ思いを寄せる演歌『湯の町エレジー』の切ない世界を想像し、心が妖しく揺れたものだった。

ものづくり技術者は自らの使命に恋をする。艱難辛苦は望むところで常に高根の花を探し自らを鼓舞する。真っ直ぐ恋する姿勢は美しく頼もしい。心あるものはその恋の成就を祈る。しかし人の世なれば、その恋に温かい応援が来ない場合も多い。

まず無理解。課題発見の感度、価値観、決行への判断基準、危機感などの相違から来る。性急に事を運ぼうとすると、清らな思いも邪恋と決めつけられるので、周囲に時間をかけて説得しなければならない。次に、非協力や妨害行為。意図的に無視したり、陰に陽に足を引っ張ったりする輩が多い。彼らは、それを素晴らしい恋だと理性的に判断できても、栄達、名誉、富裕などで後れをとりたくないという感情を制御できない。そもそも人は「他人の不幸は蜜の味」の感情（シャーデンフロイデ）をもつ。なまじ知性があるだけに、正を邪に、善を悪に、真を偽に、誠が謀に変換して組織内で触れまわり、行く手を阻む。理不尽がまかり通るのも現世の常。自暴自棄に陥ったりしても仕方がない。その時に、とるべきは忍恋《しのぶこい》だ。

散歩で立ち寄った本屋で、『菜根譚《さいこんたん》』（訳本）が目に留まった。書名は「菜根はかみしめてこそ味が分かる、その物語」の意。一六〇〇年頃の中国の古典。前集２２２条（交遊篇）、後集１３５条（自然・閑居篇）から成る。著者の洪自誠《こうじせい》（洪応明、生没年？）は優秀な官吏だが、腐敗・政争で辛酸を嘗める。隠君子《いんくんし》になり、低俗策謀の輩が高潔善意の士を陥れて跳梁跋扈する世情を憂い、心ある人への道標にと、三教（孔子の儒教・釈迦の仏教・老荘の道教）から珠玉の教訓を編纂したという。日本で多くの指導者に愛読された人生哲学書（処世訓）。

寝床で読み始めたら、いきなり「勢利紛華《ぜいりふんか》は、近づかざる者を潔《いさぎよ》しとなし、これに近づけども染まざる者を尤《もっと》も潔しとなす。智械機巧《ちかいきこう》は、知らざる者を高しとなし、これを知れども用いざる者を尤も高しとなす（前集四）」とあり覚醒した。一文は、身を飾る術を知りながら染まらない人の方がもっと清潔、謀略の術を知りながら用いない人の方がもっと賢明だという。
社会は性質の異なる人々の集まり。それ故に順風よりも逆風の方がはるかに長く、喜怒哀楽では喜楽よりも怒哀の方がはるかに多くなる。「艱難汝《かんなんなんじ》を玉にす」の格言を信じ、心の灯を絶やさないように忍耐待機する姿勢が求められる。外界の乱れに気づいても決して同化せず、想いを秘して忍耐できることが真の強さだと確信すれば、心は和らぎ、平安が保たれる。

落書きの引用元は、たぶん『葉隠《はがくれ》』（山本常朝作、1716年）の「恋の至極は忍恋と見立中候、逢ひてからは恋の長けが低し、一生忍びて思ひ死にするこそ恋の本意なれ」。いま目立たないが、日夜、ものづくり技術を高める使命に全身全霊をかけて当たる人たちがたくさん居る。大多数は、助成金や社会評価には縁なく終わる。しかし、そこに恋の至極がある。今これを失うのは勿体ない。

9 リポート作成事情

何事も外見より中身だと分かっていても、整った文字で書かれていないと読む意欲が萎える。数多くのリポートを点検しなければならない立場の大学教授は古来、このことで悩まされてきた。

状況は米国の大学でも同じらしい。正しく分かりやすい文字で書けと命じても、多様な個性の学生は、大文字と小文字を混用し、判読し難い金釘文字やミミズ文字のリポートを提出する。

パソコンが発明され国を挙げて普及を図っていた80年代。先端科学技術教育を標榜するレンセラ工科大学（ＲＰＩ）では、その活用を学生に義務付けていた。多くの学生は、パソコンを大学の大型コンピュータと連結して、科学計算や教授・友人との連絡、論文や報告書づくりなどをする。課題報告では手書きが許されない。これはパソコン振興の国策というよりも、リポート点検に苦労した教授陣の熱い願望から来た方針だったろう。

ガイダンスの大講義室で、教授が大勢の学生にユーモアたっぷりに語りかける。傍聴した客員准教授の筆者も、釣られて大笑いしたものだった。

コンピュータは、記憶はいいが馬鹿だ。誤ったことを書いても、そのまま綺麗に打ち出してしまう。句読点が最初に来ても、スペルミスも直せない。また、何かを引き写して取り込んだ部分も同じように見栄えよく出るので、浅はかにも、よい出来に仕上がったと思うだろう。だが、コンピュータは騙せても教授は直ちに見抜く。課題は、様々の関連を調べ、考えをまとめる能力を付けさせるために出す。欠陥のあるものを恰好よく見せてパスしようなどと、あさましい考えを持つな……。

そのやや後に、わが国でも事務文書つくりにパソコンの活用が盛んになる。当初は、これで文章を作ると言語が限定され含蓄のある表現ができない、文章表現が単調化するなどと懸念する人も居た。だが、今ではハードもソフトも著しく進化し、もの書きを生業とする人にも抵抗感がないようだ。

悪筆の筆者の場合、正規の提出原稿はいつも誰かに浄書を頼み、時間と費用がかかっていた。幸いにも、この20年余り、資料や論文の作成に、主に卓上型パソコンを活用している。構想から草稿、推敲を経て送稿に至るまで、助けられている。

日本語ソフト・Microsoft Wordに、専門用語などを字句登録しておけば、辞書機能も充実していて、表現にあまり困らない。これにはサポート機能があり、英単語スペル、文字重複、助詞落ち、新語・造語、長文、受け身文などを青色や赤色の下線で警告する（やがて文章の構成まで助言するだろう）。時に余計なおせっかいだと思うこともあるが、瞬時のケアレスミスの指摘は実に有難い。また知識を確認したい時には、直ちにインターネット検索すればよいし、多くの文書を保存でき、いつでも呼び出して修正・校閲できる。

実に賢いが、ただローマ字入力では同音異義が区別できない。学習機能により、日本語変換は最後に使った単語になる。そのために、死語が死後に、工業が興業に、線維が繊維に……などと誤変換する。いつか文科省が文句将と出た。ミスタイプも重なったが、そういえば大学などにいろいろ口出しする官庁だと妙に納得した。経済産業省が軽罪産業省。通商産業政策の大官庁なれば犯す時は重罪だろうと密かに笑った。

手書きだと決して現れないような、珍妙なミスが多発しがちで、見直しに神経を使い目が疲れる。しかしペンだこの痛みもなく、作業効率は格段に上がる。何よりも読み手に、好ましい第一印象を与える。今これを失うのは勿体ない。

⑩ それでも光が

開業50周年を終えた新幹線鉄道で、驚愕の事件が起きた。さる2015年6月30日正午前、のぞみ号（乗客約1000人）の車内で火災が発生。乗務員が緊急停車し消火したが、死亡1人、重軽傷20人が出た。火災は、生活苦で世を呪った71歳の男の焼身自殺に因る。

この自爆テロに直面した乗客の恐怖と混乱は如何ばかりだったか、心が痛む。さらに運休43本、大幅遅延などで9万4千人が影響を受けた。突発事態に困惑し、スマホで必死に対策を訴える人々の怒りの顔も目に浮かぶ。これでまた乗客の行動監視や手荷物検査が厳しくなるのか。迷惑は計り知れない。

現代の高度技術は、万一の失策・故障が発生しても安全を保証できるfail-safe設計をしている。だが、社会システムを破壊しようとする悪意に基づく行為は想定外。犯人に一片の同情心を持ったとしても、これは凶悪事件だろう。

わが社会では伝統的に、年輪は信頼の証明で、例えば中年は分別盛りと言われた。分別とは、行動を起こす際の判断に必要な社会常識・物事の理非を十分に承知していること。反対語は無分別で、浅はかで軽率なこと。分別とは仏教から来た言葉で、本来の用法は俗世界のものと大きく異なっている。教義は「煩悩は分別によって生まれ、分別は戯論《けろん》（無意味・無益な論）によって生まれる」、つまり諸々の事理を思惟して識別することから我執が生まれ苦悩が生まれると説く。ここでは、無分別は妄想を離れた境地に達することを意味する。この深遠な心理を表す「無分別」を使うことさえはばかられるほど、社会への逆恨みによる年甲斐もない無分別による犯罪だったように見える。

新製品開発や技術改善は、関係者の創造性を求める。まず問題に気付かなければならない。問題発見の個人技法に、特性列挙法、希望点列挙法、分析法などとともに欠点列挙法がある。現存の物事を念頭に不満を列挙し、それを潰す方策を考えて行く。何に対しても欠点（願望の裏返し）は挙げやすいから、極めて効率がよい。しかし、この技法は、たとえ親しい間柄でも人物を対象にしてはいけないとされる。好悪の入った悪口雑言になり、人間関係が確実に損なわれるから。

青年期に、ためしに自らの欠点を挙げてみたら、背が20㎝ほど不足、人前で上がる、不器用だ、貧しい……など、不満は尽きることがない。持たざる者なのだと自らを納得させ、背が高いと群衆の中でも遠くを見られてよいが、悪戯をするには低い方が目立たない……などと、逆転の発想で劣等感や自己嫌悪から転回し、自滅を避けた。

組織の経営では、置かれた環境をよく認識して意思決定しなければならない。認識手法の一つにＳＷＯＴ分析がある。自らが持つ強み（Strengths）と弱み（Weaknesses）、外的環境が与える機会（Opportunities）と脅威（Threats）を、それぞれ列挙し、例えば強みと機会が合致するなら直ぐにその方向に動くべきと判断する。落胆・悲観することが多ければ、反転の方向を考えればよい。

行動前によく思案することを分別所《ふんべつどころ》という。便所の別名にもなった。その便所は昔、雪隠《せっちん》ともいわれた。将棋で玉が雪隠詰《せっちんづ》めになるのは哀れ。自身でその状況を招くのは無分別の極み。

JR運賃の高齢者割引は嬉しいが、何故のぞみ号だけ適用外なのだろう。年寄りは、多忙でなくても先行きが短く気が急く。のぞみ（希望）がないがひかり（光明）は招くと、ニヒルを楽しみつつ切符売り場に並ぶ。今これを失うのは勿体ない。

11 スマホ有情

雑然とした空気が、勤務疲れの神経をなだめてくれる。その居酒屋は下車駅の傍なので、しばしば立ち寄っていた。真夏の昼下がり、食事をしに暖簾をくぐる。女将が椅子からヨイショと立ち上がり、弾みで主人がテレビから離れた。

水割りを体内に浸み込ませながら、互いの年輪を観察しつつ昔を懐かしみ、今を嘆く。女将の憂いは、「この頃、若者が連れだって気勢をあげに来ない、家で独りスマホ遊びしているらしい。店の営業も困るが、これでいいのでしょうかねぇ……」だ。たしかに同意する事象が多い。

およそ50年前、コンピュータは大組織だけが保有し、冷房の利いた大部屋に鎮座していた。利用者は窓口でパンチカードの束を差し出して、複雑な計算をお願いした。それが、瞬く間に小型化と無線通信能をかち得る。デスクトップ、ノートパソコン、タブレット端末、スマートホン、そしてウエアラブルだ。ものぐさの筆者でさえ、4種（5機器）のICT機器を所有している。

スマホは、どこにいても会話やメールで連絡でき、交通状況、天候、訪問先の情報、気になる言葉などを直ちに検索できて実に便利だ。しかし筆者は、長距離移動の際にラジオを聴くこともあるが、車内では大抵、窓外風景、車内広告、乗客の所作を眺め、ぼんやり物思いにふける。老若男女を問わず、ほとんどが指タッチしながら画面を覗きこむ中で、異端で時代遅れの感がある。

家庭にテレビが急速に普及した50年代半ば、著名な評論家・大宅壮一が「人間の想像力や思考力を失わせ一億総白痴化する」と警鐘を鳴らした。スマホも四六時中それに見入るなら、自らの環境を五感で捕らえ考える機会を失ってしまう。世界情勢を知ったとしても、目前の状況を把握できなければ、社会的価値のある動きは作れない。

かなり昔、中高生の間でグループ学習が流行った。社会の汚れに染まる前の一瞬をいとおしむかのようで、結論を間違えても、話題があらぬ方向に行っても、語り合う中で視野を広げ、友情を深める麗しい光景だった。それを工学課題やゼミでも勧めた。ただ知恵ある学生は絆よりも連《つる》みを好み、個別評価を難しくした。だが、やがて遭遇する技術課題は協働しなければ解決できない。その時のために、多くを許容した。

いまスマ勉といわれるノート共有アプリが、学生・生徒に人気が高い。教師の板書や授業ノートを撮影・投稿・閲覧するもの。復習には効率よく合理的。サイトを通じて見知らぬ友人とも交流できる。しかし、過度の依存は本来の目的を損なう。学習は、その後の創造的活動のために物事の考え方や進め方を習得したほうがよい。情報精度が上がっても、臨場感がなければ、断片の集合にすぎず、真の活用もできない。また息遣いの感じられる場を共有して研鑽しなければ、真の絆は形成されない。バーチャル化した連みでは、学術や技術、さらには生身の人間が分からないままに終わる。

講演スライドを撮影する聴講者には閉口する。話が面白くないわけではないようだが、近頃は、ビデオカメラやタブレットをセットし連続的に撮影・録音し、あまつさえ長時間離席する輩も居る。委員に名を連ねながら、会議でひたすらノートパソコンのキーを叩くものがいる。参画せず傍観するだけとは卑しい。今を離れ、絆を断つために用いたのではＩＣＴが泣く……。

嬉しいことに今朝、旧友から冷《ひや》で一杯やろうと携帯メールが来た。今これを失うのは勿体ない。

⑫ 12月20日の聴音

暦に記されている祝祭日、節気、大行事などは、時の移ろいを深める。歳末では冬至、天皇誕生日、クリスマス、大晦日など。他に、関係者だけが思いを新たにする記念日が載っているものもある。

霧は大気の含有水分が気温降下で液化し浮遊する地表の雲。ひどい朝には、足元もよく見えず、自動車も鉄道も最徐行し運休にも至る。先行きが見通せずに困惑する状態を五里霧中と喩える。来歴は、張楷《ちょうかい》が仙術を使って五里四方に深い霧（五里霧）を立ち込めたという故事（5世紀の中国史書『後漢書《ごかんじょ》』）。

他方、先をよく見通せる人を千里眼と称える。千里眼《せんりがん》将軍と順風耳《じゅんぷうじ》将軍は、航海守護の女神・媽祖《まそ》に仕え、前者は遠くの小さな物体を視認でき、後者は遠くのかすかな音を聞き分ける。媽祖は10世紀後半、福建省沿岸部の巫女だったが、数々の奇跡で船乗りの信仰を集め、華僑の進出に伴い東南アジア一帯でも祀られるようになったという。

晴れた日に海岸から水平線を望む。その距離は1里（約3・9㎞）ほどという。丸い地球ではその先は見えない。ちなみに古代中国では1里0・5㎞で、五里は2・5㎞、千里は500㎞の長さに相当する。ともあれ媽祖の2随神《ずいしん》は、水平線、気象、暗闇、雑音などを超越するらしい。

闇夜に放たれる一条の光は、船舶に安全な航路を示し、陸《おか》に心急く乗員を慰める。岬などに立つ灯台は海上保安庁の光波標識。航路標識には他に、音波標識（霧信号所）や電波標識（GPSなど）があり、船舶は道標《みちしるべ》にしている。霧信号所は、尻屋埼灯台（青森県）の霧笛設置（1879年）から始まった。各地で霧、大雨、吹雪の海上に音信号を出して船舶を導いてきたが、船舶がいつでもGPSで精度よく測位できるようになり、2010年に130年余りの歴史を閉じた。すると、あの白く輝き気高く立つ灯台も姿を消すのだろうか……。

科学技術の進歩は素晴らしく心を躍らせる。いま宇宙探査機・Voyager-1（NASA、1977年発）が幾光年も離れた彼方に向かって、光も音もない星間空間を高速で航海している。果たして、新たな知性的生命体に友好の意を配達できるか。返事は世紀を超えるかもしれないが夢を誘う。

技術はすべて、遅かれ早かれ、効率のよい新技術に置換され、時に歴史の一コマとして学ばれるだけの運命。だが、古びて影が消えても、人が支え合うという徳性・善性が強く宿っていた場合には、そのまま忘れ去りたくない。

専門家であっても千里眼や順風耳ではない。しばしば行く手が読めない五里霧中の事態に陥る。例えば、経営管理や技術科学では毎日のように、他に先行するまたは落後しないために、いかに苦境を脱し、何処に向かうべきかで悩む。大胆な動きを見せても実は暗中模索。内心では無明の闇を感じ、心細く辛いことが多い。このとき、先人から立ち位置を教わると救われ、改めて奮い立てる。音波標識は、そのような陰徳の象徴だった。

濃霧の海。道標にせよと灯台の霧笛がブォーンと呼ぶ。間違えずに行くよと近くの船舶が汽笛でボォーと謝意を表す。そこは潮が逆巻き暗礁も多いよと少し遠くの船がブォーと知らせる。さらに遠くの何隻かも今日は時化《しけ》だ、気をつけようとポーと鳴らす。音高は異なるが、どれにも明るい弾みはなく、むしろ心細げで物悲しい。しかし音色は柔らかで心優しく、旅人たちを慰め勇気づける。

心急き慌ただしい頃だが、霧笛記念日には、彼方の音声に耳を澄ませて、明日への確かな航路を取りたい。今これを失うのは勿体ない。

【『工業材料』63－1～12（2015）】

十一、談話室　よろめく高層

1 イヴの麗らかな系譜

　地球は46億年前に誕生し、地殻が形成され陸と海ができた後にも、激烈な天変地異が幾度も起きた。やや安定した700万年前、アフリカは乾燥化し森林が消滅したので、動物は生活基盤を広大な草原に移す。類人猿の中から突然変異により2足歩行できる猿人が現れ、人類史が始まる。簡単な打製石器を使用した。

　霊長類（primates）は動物分類の霊長目に属する現存約200種の動物。原猿類、新世界ザル、旧世界ザル、類人猿、ヒトなどを含む。抜群に優れた動物種で、該当する英語には「首座にあるもの」の意がある。その中の最高位は万物の霊長といわれ、これはヒトを意味する。

　人類の進化は大まかに4段階ある。北京原人やジャワ原人などの原人は火や握斧《にぎりおの》などを使えた。旧人のネアンデルタール人は、高い知能で石槍を使い優れた文化（洞窟生活、埋葬習慣など）を持ち2万数千年前まで存在した。20万～12万年前、クロマニョン人などの新人（ホモ・サピエンス）がアフリカ東部で誕生し全土に広まった（アフリカ単一起源説）。打製石器や骨角器、弓矢を用い、狩りや漁をして生活した。英語ホモ・サピエンス（Homo sapiens）はラテン語由来の知恵ある動物仲間を意味する。

ミトコンドリアDNA分析の結果から、全人類の母方の先祖はアフリカの一人の女性（愛称：ミトコンドリア・イヴ）だと分かっている。現生人類のはるか遠い先祖は、古代アフリカの厳しい環境に順応できて生きながらえた。猿人、原人、旧人が絶滅した原因は、例えばネアンデルタール人は新人との闘争での敗北、新人との混血、氷河期後の環境変化への不適応などだという。

ホモ・サピエンスのうち逞しい部族は6万～7万年前、当時は氷床が広がっていた紅海を渡り、出アフリカを果たす。東南アジアを経て5万年前豪州、南アジアを経て4万年前に北西欧州、東南アジアおよび中央アジアを経て東アジア、1万数千年前にベーリング海を渡り北米さらに南米に住みつく。日本には2万年前には北方か南方あるいは朝鮮半島から渡来して縄文人になった。古代オリエントの乾燥地帯に接する大河流域に移住し、農耕や牧畜をした人々が世界最古のメソポタミア文明を興したのははるか後になる（BC3000年頃）。

ヒトに最も近い動物は同じ霊長類のチンパンジーで、両者のDNAの差は1～5％（人間の個人差は0・13％）という。知能は人間の3歳児相当で芋洗いや果実の皮むきなどもでき、群れを作って暮らす。仲間が手の届かないものを欲しがると、それを引き寄せる棒を貸す友愛も示すという。

子どもたちが集って遊ぶ姿は、実にほほえましく周囲を温かくする。逆に隣席の子に見せないようにコミックを囲い込んで覗きこむ子がいると、「友だちとはいいものだよ」と声をかけたくなる。

麗《うら》らかは春の日が柔らかくのどかに照っているさま（季語）。また、晴れ晴れとして楽しそうなさまをも表す。いま人々は、業績第一主義の旗下で強い競争意識を秘めて何事にも神経過敏で当たり当たらせる。例えば自らの側の情報は徹底的に隠すが他の情報はなりふり構わず求める。そこに友愛は見られない。群れの結合力は共助の精神。麗らかさが失われたら社会が成立しなくなってしまう。

人類の歴史をひも解くと、ヒトが荒々しい地球環境下で誕生し生き残れたのはただ僥倖《ぎょうこう》に恵まれたからだと気付く。先人のように絶滅するには早すぎる。霊妙な知恵を自らの栄華や他との諍いのためなどで汚さず、人類の幸福のためだけに使うべきなのだろう。今これを失うのは勿体ない。

2 STAP細胞騒動の陰に

早稲田大学が2015年11月、小保方晴子氏の博士号授与を取り消した。これで当該大学博士課程満期修了者（いわば中退者）に過ぎなくなった。過誤・不正を解消した訂正論文が1年を経ても提出されなかったからという。

　前世紀半ばから多くの大学で博士（課程博士、新制）を輩出している。当初は学内外で、豊富な研究実績を評価する博士（論文博士、旧制）に比べ、「その道の専門家と扱うのに無理がある、最高学位の授与が甘くなる」などの危惧が出た。しかし、社会で活躍できる潜在的能力があればよしとして、新制度が定着し今日に至る。

　かつて授与大学の名誉を著しく傷つけ博士号を剝奪されたという事例があったようだが、今回は刑事罰などの理由ではなく、審査の不備で誤って授与した学位の取り消し。事情はだいぶ異なるが、メディアは理化学研究所でＳＴＡＰ細胞問題を起こしたと嫌みを込めた枕詞を付けて報じた。

　ドタバタ劇の第1幕は14年初頭。わが国が世界に誇る国立先端研究機関・理化学研究所・発生・再生科学総合研究センターが、「細胞に酸による刺激を与えＳＴＡＰ幹細胞（刺激惹起性多能性獲得細胞）ができた、科学誌*Nature*に論文が掲載される」と、報道各社を集めて大々的に発表。世間は、生物学の常識を覆す世紀の大発明だと割烹着姿の若きヒロインを称賛した。

　華やいだ発表を観客席で視た門外漢の筆者も、若返りや不老不死に繋がる、進化の過程を経ずに実験室で生物を変えられる、神意に背きはしないか……と少し興奮した。ただ専門学会の検証的討論よりも先に一般社会に大げさに広報する姿勢に、違和感もあった。日本人の謙虚さや科学者の冷静さよりも、浮かれ過ぎを感じたからだった。

第2幕で舞台は暗転する。分子生物学界で、追試をしても再現できない、論文の画像データに作為があるなどの疑義が出る。さらに、肝心の画像データや記述の一部に使い回し・盗用・改竄・捏造があり、博士論文にまで遡って不正疑惑が指摘される。追及は燎原の火の如く燃え広がり、救世の聖女が世を欺く魔女のように社会の目が変わる。理研の倫理観・姿勢とともに、出身校の学位審査の妥当性まで問われることになった。

春先からの第3幕は、社会事件の色合いを帯びる。分子生物学会長の批判声明、共著者の足並みの乱れ、理研調査報告（実験記録・証拠欠如、重大な過誤、上司の責任に言及）と論文撤回勧告、主要共著者で上司の釈明と自殺、理研再発防止対策（自己点検検証、外部改革委員会提言など）などが続く。筆頭著者の氏は、疑惑を否定し不服を申し立てたが、最終的に理研の勧告に従い、夏には関連論文2本が取り下げられた。

第4幕は、観客はまばらで、その目も既に期待から好奇に変わっていた中、ひっそり演じられた。監視カメラ下で続けた再現実験。年が変わる前に打ち切られた。15年11月には、博士号の取り消しや不正の検証に実験研究のほぼ2倍にあたる9千万円超消費したと指摘された（会計検査院）。そして大仕掛けの失敗劇の全幕が下りた。

いま余韻はなく失望と寂しさだけが残る。だが、その責がヒロインの資質・倫理観にだけあるわけではない。氏は科学研究の基本的姿勢を十分備えていなかった多くの一人にすぎない。この悲劇は、博士課程教育や研究者育成に携わる者すべてに、世俗的勝ち進みを意識しすぎて拙速に陥るなと自戒を迫ったのだ。その職業倫理の再確認を常時行いたい。今これを失うのは勿体ない。

3 ひそかな彼岸の楽しみ

春には卒業や人事異動など多くの別れがあり、そこでは互いの未来に期待し再会を約束できる。しかし幽明境を分かつ別離は絶対で、その麗しさは微塵もなく、ただ寂寞しかない。

子供の頃、春彼岸にはよく牡丹餅《ぼたもち》の餡子《あんこ》を練る母の手伝いをした。ことに甘味を密かになめながら、鍋に焦げ付かないように掻き混ぜる工程が好きだった。この伝統の和菓子は、秋の彼岸には御萩《おはぎ》と呼ばれる。それぞれ春分と秋分の風物。

彼岸は本来、仏教用語だという。人間の本能から起こる精神の迷い（煩悩）の火を吹き消した涅槃《ねはん》の境地。対して、生老病死に苦悩する衆生《しゅじょう》の生死輪廻《しょうじりんね》の現世は此岸《しがん》。境に川があるかは知らない。

この絶対別離の知らせは一様に物悲しい。だが過日の訃報は、それに勝る感情が生まれた。宅配されたカタログギフトに、八十余歳の父が亡くなった、大恩をお返し出来るわけもございませんが心ばかりのものをお贈り……、すでに十分いただいているので、ご返礼などお気遣いなく……と手書きが添えられている。35年ほど前に2年次クラス担任をした時の学生で、今は同じ年頃の子供に囲まれる一家の長からだった。

彼は春学期が始まっても登校しない。元の下宿や東北の実家と連絡を取り、ようやく探し出し事情を聴くと、中途退学したいと打ち明ける。親が承知しそうもないので、強制退学処分を狙って欠席・家出状態を続けていた。筆者は教育研究や学会雑事等の戦いで、文字通り盆も正月もなく、年度末には疲労困憊で数日寝込むほど余裕はなかった。しかし、これに目をそらし、身をかわす器用さはなく、放課後にキャンパスを離れて父子別々に幾度か会う。

彼はすぐ働きたいと強情に訴え、仰天して東北地方から上京した父君は一人息子の行動が理解できず、ただ狼狽《うろた》える。両者とも考えを譲らず、かといって直接対話をしようとしないので打開に苦悶した。しかし、父子間の亀裂はやがて修復しがたい断絶に発展するだろう、今なら間に合うと、まず強引に5駅ほど離れた食事処の離れに父子会談の場を設定した。子には何事も逃げずに立ち向かおうといい、また父の期待を説いておいた。父には過ぎ越し方を語り、子の決して自堕落・不真面目ではない悩みを聞いてほしいとお願いした。

武骨な父は、戦中戦後の貧困とその後の高度経済成長期に幾多の困難を克服し、大きな鉄工所を経営している地方の名士。夢を託す子に、自らのように学歴で泣きを見させたくなかった。他方、若く直情の子は、授業を聴くよりも一刻も早く家業の鍛冶技術業を手伝い、父に楽をさせたかった……。表現下手だが元々情の通いあう父子。本音で語り合い、すれ違いは解消する。そして間もなく自己都合退学との結論になる。中退者を出す未熟な教員だと陰口を叩かれるのを承知で、これでよかったのかと自問しながら手続きした。

此岸の別れ際、父子には必要を感じた時には復学の道がある、素晴らしい火づくり鍛造技術をさらに進めてほしい、筆者の学ぶ塑性加工学は元々の鍛冶技術に応用数学などで理論化を図ったもの、何かあれば一緒にやろうと約束した。その後、彼は実家近くに居を構え、頑張っている様子を賀状などで伝えてくれていた。

今度の訃報のことを仏壇に報告した。澄んだ鈴の音が長く続きいっそう安らいだ。いつか行く彼岸で酒を酌み交わし語り合いたい人のリストに、彼の父君が加わった。その時には意識も肉体も暗黒物質のような究極の微粒子になっていて、どんな障壁も通過して瞬間移動できるから、願いは必ず叶うだろう。今これを失うのは勿体ない。

４ よろめく高層

古代人は、天の神を畏怖し啓示を得る場として高くそびえる神殿を建てた。現代では、その程度の高さはオフィスビルや集合住宅で普通だが、人々はそこで絶対者を崇めることをしない。

高層建築ではまず頑丈な基礎構造を固める。地盤が軟弱・流動性だと建造物が沈み込みや横ズレするので、まず固い岩盤まで届く杭打ちをする。また地震の揺れによる破壊対策として振動緩和装置を組み込む。ところが先頃、A化成建材社で杭打ち作業の確認を部分的に怠りながら安全証明をしていた、Tゴム工業社では免震ゴム装置や防振ゴムの性能を高い値に偽っていたなどの情けない所業が、住民の告発や内部告発で露わになった。そもそも無いものを有る、黒いものを白いと言えば詐欺なのだが、このデータ操作（捏造・流用）は単純な過失ではなく、住民の生命を危うくしたという点で、認識ある過失や未必の故意に該当する犯罪性を帯びている。

大型構造の建設は通例、元請けの傘下に多くの企業が層をなし連なって多様な作業を分担していて、基礎工事関係ほど進行が厳しく管理される。事件は、必ずしも一部技術者の功名心や不届きに起因するものではなかった。それは、社長が涙の謝罪や辞任をしても、当該従業員が名も明かされず懲戒解雇や賠償請求もされていないことから明らかだ。当事者たちは案外、運悪く見つかってしまったという感じなのかもしれない。

案の定、調査が進むにつれて同業企業の多くで同じ事例が見つかり、業界の体質は社会の怒りと不信を買った。土木や建築の技術者は、世界を股にかけて活動することも多く、大学や学会で技術の基礎事項と技術者倫理をきびしく学んでいる。それでも軽すぎる判断や人の本性がむき出しになってしまった。他人事ながら残念でしかたがない。

土木は、人間が住まう社会をより高度なものにするために大型人工物を構築・建設し整備・制御する技術。大学では学術の細分化と旧いイメージを嫌って、土木工学（civil engineering）の学科名を社会基盤、都市、建設、建築などに変えたところもあるが、その名は住居確保や潅潤農業などの技術として人類発祥に遡る由緒あるもの。

　文明と都市と土木。三者は有史以来不即不離の関係にある。文明（civilization）の語源は、ラテン語のcivitas（都市化や都市生活）だという。つまり、土木なければ都市もなく文明もない。とはいえ、国家盛衰史や様々の現代事象は、文明の進歩を手放しで喜ばせない。

　近現代では、文明とは自然環境の制約から脱却した合理的な生活を営む都会人のもので、そこでは賢さ、人道・道徳、共助などが行き渡っていると理解されてきた。これに対置されるのが野蛮・未開。劣等な蛮族が不合理な生活をし、非人道的で残酷な振る舞いをするので啓蒙や滅亡させるものとされた。日本では、明治期に文明＝欧米の持ち物として憧れて取り入れた。例えば福澤諭吉は、『文明論之概略』（１８７５年）で文明開化と翻訳したうえ、最上の文明国（西欧）、半開の国（アジア諸国）、野蛮の国（その他地域）と仕分けした。ここでは、文明は主に物質的豊かさの生産プロセスとして認識されている。

　文明は主に科学と技術の進歩によって、人々に都市化をもたらし世界を豊かにした。他方、歴史上、潜んでいた野蛮が牙をむき憎悪・紛争・事件・軋轢・不幸を増大させてきた事実も多い。人類が尊ぶ真の文明には、心無い仕業を排した揺れ動かない基礎が要る。今これを失うのは勿体ない。

5 あどけない話ふたたび

春の風物詩。春霞や朧月。後者は唱歌『おぼろ月夜』でも歌われる。大気中に浮遊する物質が光を散乱するため遠くの景色がぼんやりする。アジア大陸の乾燥地帯で、春になって大規模に舞い上がった砂塵が偏西風に乗り黄砂となって飛来するからという。昨今、この情緒も薄まってきた。

夕刻、立ち寄った居酒屋で軽口を叩く。「酒は花粉症に悪そうだが、止めると精神の方が狂うからねぇ」とオーダーした。熊本出身の女子学生アルバイトが、「故郷の春は阿蘇山の噴煙、スギ花粉、それに黄砂と、三重苦ですよぉ……」と応えた。屈託のない明るさが疲れた心を一掃してくれた。

黄砂には、大気汚染物質や病原微生物などが付着して、アレルギーや呼吸器系の疾患を引き起こすようになった。いま中国の大都市では大気汚染が深刻。その首都・北京で昨冬、青・黄・オレンジ・赤の4段階で最高レベルの赤色警報が発令された。とくに、直径2・5㎛以下の微粒子（PM2・5）は、通常のマスクをすり抜け、鼻、気管、肺などの病気を引き起こす危険がある。外出もままならず学校は休校になり現場工事も中断に至る。さらに自動車の運行制限、工場の操業停止などの命令が出された。大気汚染は生物に健康被害をもたらすだけでなく、温暖化、酸性雨、光化学スモッグなど地球環境をも悪化させる。その主因は、自動車の排気、工場の煤煙、発電から家庭暖房まで用いられる石炭燃焼煙など。やはり工業化が著しいインドでも同様の問題が起きている。

「智恵子は東京に空が無いという、ほんとの空が見たいという……阿多多羅山の山の上に毎日出ている青い空が智恵子のほんとの空だという」は、『智恵子抄』の中で「あどけない話」と題した高村光太郎の詩（１９２８年）。彼女は東京の大学を出て、油絵を学ぶも芽が出ず、失意の中にある。詩人と結婚後も東京になじめず、しばしば福島の実家に滞在し平安を取り戻していた。故郷の山の上に広がる澄んだ青空に、幼い頃から多感の夢を見ていた。精神に変調をきたしつつある彼女は、生家も人手に渡ることを知り、寂しさ耐え難く、あの青空は遠くに行ってしまった……と呟く。ただ優しく見守るだけしかできない詩人の心も哀しい。

工業立国を謳っていた前世紀半ば、例えば工業地帯で製鉄所の煙突が吐き出す極彩色の煙は、勢いの象徴だった。やがてこの大気汚染は公害で、外に干す洗濯物の赤茶けだけでなく喘息や光化学スモッグの原因の一つだと認識され、集塵機で微粒子を回収する技術が開発された。製鋼反応炉の効率が低下するがやむを得ない。しかし導入直後は故障も多かった。とくに夜間の修理は難しい。宿直の責任技術者は厳しい判断を迫られた。

彼は翌朝、上司に誇り高く報告した。「故障で装置をつけずに稼働した、夜間だから人々は気付かない、生産量をむしろ上げることができた……」。上司の反応は聞き漏らしたが、今なら技術者倫理のよい題材だろう。技術界でも、この程度は……、皆がやっている……、会社のためだ……などと、小悪魔が耳元で囁く。一度受け入れると、ヒトらしい心が麻痺する。昨秋明るみに出たドイツのフォルクスワーゲン社の排ガス規制逃れ不正も耳目を塞いだ。刹那の都合でディーゼル車の排気が検査時だけ低くなるエンジン管理ソフトを搭載し、かけがえのない美空を汚した。担当技術者の心に大悪魔が忍び込んで倫理を朧にし、自らだけでなく、人類の英知や倫理をも貶めてしまった。

繊細で傷つきやすい心と優しく見守る心。それは全地球生命体の心。今これを失うのは勿体ない。

6 君は宇宙を語りしや

アインシュタイン予言のちょうど100年後に、重力波を初めて直接観測したとの天文物理学のニュース。いつも胸弾む宇宙の謎解きは、2300年ほど前のBC280年、古代ギリシャで始まった。

アリスタルコス（BC310―BC230頃、希、数学・天文学）は、地球は自転し太陽が中心の円軌道を他の惑星と同様に公転していると説いた。しかし、アリストテレス（BC384―BC322、希、哲学）やプトレマイオス（83頃―168頃、希、哲学）は、現実の諸相を説明できないとして葬り去る。これ以降16世紀まで、天動説が西欧思想とくにキリスト教スコラ哲学に定着し世に君臨した。

中世イタリア。最高権威は諸公国の君主でなくローマ教皇。宗教裁判所（異端審問所、検邪聖省、枢機卿10名）が異教、魔女、反カトリック、地動説などの言説を排斥し教義を守る。容疑者は告解（罪の自白）し異端聖絶文に署名して、断食、巡礼、鞭打ち、投獄などの刑罰を受ける。

コペルニクス（1473―1543、伊、司祭）は天文学にも通じ、地球を含む5惑星が太陽周りを公転しているとし、惑星間の距離の測定・計算を行い1年の日数を計算した。この太陽中心説の裏付け業績により地動説の創始者とされる。研究書『天体の回転について』の刊行は、批判・迫害を恐れ死の間際まで20余年間伏せられた。ただし著書は当時の社会からほとんど無視され、ケプラー（1571―1630、独、天文学）による惑星の楕円軌道と3天体力学法則の発見（『宇宙の神秘』1597年）で強力に支持された後、ようやく見直された。

身に危険が及ばなかった2人とは対照的に、ブルーノ（1548―1600、伊、天文学・数学）には悲劇が襲う。告発されて官憲に逮捕された後、拷問を伴う異端審問でも自説の撤回を拒否し、有罪となり投獄される。罪状は、神の冒瀆、教義への反抗、不道徳行為などだが、要するに異端審問の中枢・ドミニコ会の修道士なのに宇宙は無限で地動説は正しいと語り歩いたこと。7年後に火刑に処され遺灰は川に棄てられた。処刑直前、宣告官に「真理を曲げた恐怖に打ち震えているのは君たちだろう」と叫び舌枷をはめられ、司祭が差し出す十字架に一瞥もくれず殉教したという。

ガリレオ（1564－1642、伊、天文学、物理学）は、運動学などの優れた業績で大公や枢機卿にも信頼されている著名教授。自製望遠鏡による精密観測で地動説を確信したが、この知見は伝統的教義に触れ、異端審問法廷（第1回、1616年）で事情聴取（警告）された。さらに『天文対話』（1632年）の出版をきっかけに、法廷の命令違反だとして告発されてしまう（今日では、嫌疑不十分だった命令など存在せず、論破されたことを恨み名声に嫉妬する連中の陰謀・冤罪説が有力）。信頼感から反感に変わっていた教皇の命令で喚問される。

心臓と腎臓を病む70歳の老人は、厳しく尋問された末、異端審問法廷（第2回、1636年）で有罪となる。敬虔な信者なのに罪を犯した、異説や異教を完全に放棄する……と異端誓絶を行った。刑罰は、『天文対話』の禁書、無期懲役（半年後に自宅軟禁に減刑）、贖罪詩篇の唱和。軟禁下の晩年は寂しく、失明もして『新科学対話』（1638年）を身内に口述筆記させるだけが慰めだったと伝えられる。

変革には常に常識の打破が要る。しかし、人は誰しも臆病で、沈黙し、事なかれを選びがち。ブルーノとガリレオの裁判からほぼ4世紀を経た1983年以降、ローマ教皇庁は公式に地動説および裁判の誤りを認め、彼らの名誉を回復し業績を称えている。今これを失うのは勿体ない。

7 重い頭陀袋

学生街を足早に歩く学生。古風に、灰色ズック製の鞄を斜め掛けしている。その昔、学生は修行者気取りで、その鞄を頭陀袋《ずだぶくろ》（乞食袋）などと呼んでいた。比丘《びく》（僧侶）は本来、自己の色身《しきしん》を維持する生業は邪命《じゃみょう》で、乞食《こつじき》（托鉢）を正命《しょうみょう》とする。それゆえ乞食で頭陀袋に金品を施してもらい、修業の末に得た教えを衆生に施して応える。前者が財施、後者が法施。双方とも喜んで実践することが仏道に適うとされる。

仏事の際に僧侶に包む謝金の意が強いが、布施は少なくともサービス業に支払う対価と同等のものではない。類似行為でも、心づけ（チップ）、募金・寄付とも異なる。布施は梵語で檀《だん》那《な》（旦那、檀家《だんか》の語源）。飲み屋で、旦那さん相変わらず颯爽としているねぇなどとおだてられると嬉しくなるが、それで気前よく支払ったとても、仏心に適うものがない以上、それは商行為の一環で、断じて布施ではない。

いま人々は心急き慌ただしく寺社とも疎遠。葬儀・法事があると、心身のストレスがいっそう増す。そんな中、ネットでの僧侶手配サービスは利便性がある。これには当然、読経代など費用一覧が付随する。しかし仏教界では一般に、葬儀や法要で導師など僧侶に渡す金銭を、行為への労賃などではなく布施と見る。全日本仏教界は、布施を単なる対価と扱うな、布施標準をサイトから削除せよと要求した。数年前にも同種の事件があった。

これに対し少数派の僧侶が、布施の額に遺族は頭を悩ませ、中には法外の請求に泣かされている例もあるので、衆生の真の救いと寺院経理の透明化のために布施標準の提示はよしと主張する。

そういえば16世紀西欧の宗教改革は、カトリック教会が売り出した免罪符にルターが異を唱えたことが端緒だった。ちなみにキリスト教の教えには神への感謝に収入の1／10を献金せよとある。

世知に疎い筆者は、この二十余年間、遠い故郷の菩提寺の住職にたくさん教わった。例えば、なぜ坊主丸儲けなどと言われる？　に、実情を知れば言えないはずだ……。戒名をつけるのにマニュアルは？　に、故人の生涯と経文を参照し一心に考える……。戒めなら生前の方が？　に、その通りで現世の生き方のためにあるべきだ……。お布施に包む額は？　に、その時の気持ちを表せばよいのだ……など。唖然としつつも丁寧に答えてくれた。

呆れられても、分からないことは赤心で聞くことにしている。ある日、修行とはどんなことを？　と問うと、後の大僧正（日蓮宗）は、容易に悟れず命を危うくするほど身体を痛めつけたと墨染めの衣を脱ぐ。幾つもの火傷の痕を見て、その激烈に打たれて黙ると、君の仕事は誰にでもできるものではない、朔性を発揮し陽の光のように輝けと励ます。たくさんの水を注いでもコップから溢れてしまうだけ。これを頭の片隅に置けと諭す。お盆にも忙しくて……と詫びると暇ができたら宿のつもりで休みに来ればよいと安心させ、実際に墓の草刈りをして読経もしてくれていた。

宗祖ブッダは釈迦族王家と妻子を棄てて出家したのに、なぜ先祖とつながる供養を大事だと？　また近年多い自殺、いじめ、引き籠もりなどの社会問題に僧侶はどのような解を？　と問うはずだった。自分で考えよというのか。不信心者に重い宿題を残して昨春、師は逝ってしまった。法施は、筆者の毎年の布施を大きく超えていたと思う。

見栄え悪くても頭陀袋は、精進して必ず有為の人材になるとの銘記の象徴でもある。せめて心に掛けて、隣人とともに膨らませるよう努めたいものだ。今これを失うのは勿体ない。

8 亜Q外伝

人工知能（ＡＩ）のアルファ碁が今春、世界最強級の李九段（韓国）との番碁に4勝1敗で圧勝した。チェスや将棋と違って、囲碁は盤が広く、打つ手の意味が複雑で深遠。容易にはプロ棋士の読みには迫れまい……人のそんな思い上がりを、彼はあっさりと打ち砕いた。

ＡＩ棋士は常に盤面に集中し、過去に現れた定石や妙手を含む膨大なデータを記憶している。そして、どんな場面でも、勝つ確率が最も高い手を探して繰り出してくる。冷静さ、記憶、集中力は、人知を超える。次は、トランプや麻雀などのゲームへの挑戦か。複数の意思や心理、それに運（ツキ）が強く関わるので、そう簡単ではないだろうが、やがて名人も打ち負かされるに違いない。

学生リポートの不正検出や採点、論文を下敷きにした解説、車の自動運転、自動掃除機など、手助けは嬉しい。ものぐさはユートピアを夢見る。近未来には、人以上の現実感、動的意識を持つはずだという。既に小説も書けるというし、作詩・作曲・絵画などの感興世界にも挑むのだろう。

彼は、単純作業だけでなく高度専門職の定常業務、例えば教授の講義・演習、経営管理部門の経理・人材配置なども完璧にやり遂げる。無味乾燥、退屈、また苦労の多い仕事を文句も言わず正しく効率的に処理する。計算高い管理者は当然、大幅な人件費節減になる代替をためらわないだろう。それは、今日の日本社会が抱える労働人口減少問題の解決になり得る。

他方、深刻な問題が起きる懸念がある。蒸気機関、自動車、コンピュータなどが登場したとき、怯え反感を持つ人も多かった。しかし今は巧みに活用している。技術進歩とはそのようなものだ。だがＡＩは少し事情が異なる。単なる便利や省力の供与ではなく、省人間化や人間不要をはらんでいる。彼と競うには常に、未定型の崇高なことを為すことだが、大方の人は生業を奪われ貧困にあえぎ希望を失って街の片隅にうごめく……デストピアをも導く。人の幸福は自らが成長し役立っているという充実感にある。単純経験を積み重ねて高度複雑な業を為せたという成長感が必要。人の社会なれば、ＡＩ偏重を避けたい。

近年の心理学説では、知能指数（ＩＱ）の高さや学歴の高さは問題処理や事務処理に役立つが、実社会での成功には仕事への意欲があり相手を思いやり行動できる情動の知能指数（EQ）の高さが重要だという。これは自他の感情の状態を把握し上手に制御して置かれた環境に対応し、他の同意を誘い前向きに動かす能力の尺度。記憶を主にした知性に人間関係を巧みにする情念を加えたものを人の知能にしている。このことは幼児・児童を相手にすると納得できる。企業が採用や研修などに導入し、教育現場でも注目されている。

茶も含まずトイレにも立たず、どんな場面でもポーカーフェースで、岡目八目どころか、百手先、石の下まで読んで勝とうとする。格下の相手に手加減することも知らず、愛嬌がない。対して人は高笑いしたりぼやいたりし、隠しても色に出る。打って返しを喰って悔しがり、熱くなるとシチョウも忘れ、三手先も見えない勝手読みをして、のたうち回った挙句、大石を取られる。どちらが勝つかは、へぼ碁の運しだい。可愛げがある。

碁敵同士だが、実はかけがえのない仲間。仕事の帰途、居酒屋で上司の悪口を言いつつ慰め合い、酒では負けぬとガブ飲みし、泥酔しては肩を組んで支え合う。非合理があればこそ、共に明日へ向かう友になれる。今これを失うのは勿体ない。

9 海容しがたき

暑い一日、新河岸川の船着き場で小型クルーズ船に乗り、岩淵水門―荒川―東京湾沿岸―隅田川を巡る船旅を楽しむ。荒川下りではゴルフ場など運動施設が展開する河川敷の広さに和む。東京湾では高層ビル群の威容に技術の進歩を見る。隅田川上りでは橋梁、住戸、川端など多彩だが整然とした街を望み、人々の日常を想い何やら嬉しい。

川面を走りくる風も爽快。ただ川の流れが黒く汚濁し巨大なドブのようで少し興ざめした。清浄化処理しきれない人間活動の残滓が主因だろう。上流は水泳もできる清流で、さらに遡れば谷川の水はきっと美味しい……などと自らを慰めた。

陸の川水は清濁ともに、海に受け容れてもらうことになる。海は約3億6千万㎢で地球表面の約71％、陸地の約2・4倍の広さを持つ。太平洋、大西洋、インド洋、それに各地の内海、海峡、灘、湾、浦などと区分されているが、すべて繋がっている。全地球の所有財産なのだ。

その大きな広がりから、樹海、雲海、人海戦術などと表現する。狭い硯の窪みが海（墨海）と呼ばれるのは、書画に描かれる世界が広いからだろうか。また「海はいかなる川をも拒まず」、「海は細流を択ばず、故によくその深きをなす」などは、度量を大きくせよとの説諭に用いられる。

他方、やや皮肉な譬えもある。「海を山にすることはできない」ことを知りながら、自身の目前の利のために「海底の白鳥」を騙《かた》る。例えば、人類発祥以来やまない国家間の版図拡大の争いは、陸に飽き足らず海まで及び、文字通り火の海や血の海と化しかねない。日本製造業界でも、データ捏造や利益水増しなどの不正が続々と明るみに出て、科学技術じたいの信頼性を危うくしている。石川五右衛門の辞世「石川や浜の真砂は尽くるとも世に盗人の種は尽きまじ」の感がある。「海枯れてこそ見れ、人死して心知れず」では、「いつまでの続きし時化はたえてなし」、「待てば海路の日和あり」と悠長に構えてもいられない。万物の霊長としては、正しい理性で事態を終息したい。

北関東の山荘で、旧い浄化槽の浸透桝が目詰まりしたので増設工事をした。まず直径1mで深さ8mほどの穴が要る。ユンボのショベルが届かなくなると、ベテラン職人が梯子を使い穴底に下りて、石や土砂をコツコツ掻き出す。生き埋めと隣り合わせのきつい作業は数日かかり、仲間内で地獄掘りと呼ばれている。

実直で人懐こい彼と親しくなり、しばしば休憩や食事を共にした。彼は「もう後継者はいない。施主が気づかなくても手抜きはせずに決められた深さまで掘る。真正直に一所懸命働いた後の晩酌は美味く熟睡もできる」と笑う。久々に職人魂と匠の技に接して、筆者も気分よく水割りを飲んだ。思えば、かつての日本には彼のような誠実な職人・技術者があふれ、競って世界が驚嘆する製品を作り出していた。その伝統が今、グローバル経済主義の大波に呑まれてしまったようで哀しい。

海容は寛容と同義で、いわば許容の最上級の言葉。海の偉大な徳性のように寛大な心で至らなさを許してほしい……との意で用いる。相手を敬い謙《へりくだ》る心が前提。利己主義に走り身勝手な振る舞いを形だけ詫びる用語ではない。そもそも諍いのわだかまりや悪意の所業を図々しく水に流そうとしても、いかに広く深くても海は有限だから早晩、受容・忍耐できないことになる。そのとき、海容という言葉も消え、海の徳性から生まれる様々のものごとも遠い彼方に去るのか。今これを失うのは勿体ない。

⑩ 奇貨おくべし桐一葉

昔、抜け落ちる髪を見ては薄い頭頂を嘆く父に、物知りの子は人間の頭髪は約10万本もあり生え変わるから大丈夫だよと、一所懸命に慰める。父は子の成長に感涙しつつも、無常観も募る。

人間関係は「共に飲めばよし」という古きよき昭和時代。長老教授たちが頭髪談義。禿頭派は「人格円満で包容力あり……」、対するに白髪派は「識見豊かで信頼感あり……」と主張する。未だどちらの兆しもない教員は、「君は苦労が足りない……」と双方からいじめられる。まだ若かったので、トバッチリが来ないように、何度もお茶汲みに立った。

ゼミ学生連との飲み会の帰り道。「この頃、苦労で白髪が増えてきたなぁ」と言うと、院生が前を歩く教員の頭頂と比較しながら、「禿げるよりはいいじゃないですか」と笑う。まったく牽制にならない。この屈託のなさ、若さにはかなわない。

緑の黒髪を価値とした平安女性でも、二枚目俳優でも、また病気でもないのに、頭髪の変化を気にする人が多い。生えた産毛がすぐ抜け落ちて薄毛になると禿。皮質に含まれるユーメラニン量が減少すると白髪になる。心身のストレスや性差もあるようだが、共に基本的には加齢現象だろう。

忙しく洗髪が面倒で、子供の頃の坊主頭（丸刈り）に戻ろうとしたものの頻繁にバリカンを当てなければならないと気づいて早々に諦めたことがある。その時、真の坊主頭（剃髪）を維持する僧侶を偉いと思った。ただ老僧でも時に、怒髪天を衝く（原典：司馬遷『史記』「怒髪上衝冠」）ように怒る。加齢現象であれ、人為的であれ、頭部の外見は行動に係る心理とは無関係のようだ。

漢字「木」は、大地に根を張り、天に向かって枝を伸ばす形の象形文字。その上に枝や梢を表す横線を加えた二つの指事文字「未」と「末」がある。外見の違いは僅かだが意味が劇的に変わる。

未は、木の上方に今はか細い小枝が生えている形。その行為・経験・時期・状態が熟すのを待つ象。熟語に、未開・未完・未決・未熟・未遂・未知・未満・未来・未聞などがある。この文字は人でいえば、幼や若の齢《よわい》か。期待される人間像、発展途上、上る朝日を連想させる。

末は、伸び終えた枝の梢や先端の形。位置的また時間的に本《もと》、中央、現在から離れた端部を表す。伸びただけ読み方も意味も大幅に増える。熟語に場末・末子・末席・末代・末尾・末《まっ》裔《えい》・末世《まっせ》・月末・顚末・末路など。また末木《うらき》は本木《もとき》の対語で樹木の先端。末枯《うらかれ》は秋の季語で、草木の枝先や葉先が枯れる事象。本筋から隔たった重要でない事柄や屑のように小さな物事に対して、瑣末・粗末・枝葉末節・粉末など。そう言えば、農業に対して商工業（の利益）を末利と表した時代もあった。末は、人でいえば熟や老の齢か。結実、成就に既済、終わり、寂寞、沈みゆく夕日の気配が漂う。

一葉《いちよう》落ちて天下の秋を知る。桐一葉《きりひとは》（秋の季語）と略記されることもある。中国の思想書『淮南子《えなんじ》』（劉安、BC179－BC122）から引かれた。桐の葉が一枚落ちるのを見て歳が暮れつつあると知り、瓶に氷を見つけて寒い季節の到来を知る、近くを見て未来を推測すべし。かすかな前兆を奇貨《きか》として後の大事を早く察知せよという教訓。

このところ科学や技術の場で、物理現象から離れシミュレーションや観念が優先され、現実の僅かな事象を見逃さずに深く追究する姿勢が少なくなったのではないかと懸念する人が少なくない。ならば桐一葉を味わって先を読むのに長けた「末」の能力を、「未」の成長の元気に加えたい。今これを失うのは勿体ない。

11 こだわりなき葦

中空丸棒は中実丸棒よりも曲げや捩りに対して比強度が大きいので、金属建材としてよく使われる。この特性をイネ科の草本類に属する多年草の葦《よし》が持っている。その茎はか細い中空丸棒だが、２〜５m高さにも生長する。他方、杉は木本類の中では真っ直ぐに成長する方だが、その幹は中実丸棒で多くの枝をつける。

人類最古の文明・メソポタミア都市国家は、乾燥地帯の中に奇跡的に広大な葦原の湿地帯があったことで成立した。シュメール人は、葦を束ねて柱、編んで壁、積んで屋根、潰して敷物にして住居を建てた。また舟、籠、筆記具なども製作した。

この植物は世界中で、川の淀み、干潟、湿地などに群生する。根元に多くの水生小動物が生息し、汚れを分解し水質を浄化するとされる。茎の空洞は空気を根元に運ぶ通路でもある。濃緑の茎は、秋には黄褐色になり木質化する。

日本の古名は、豊葦原瑞穂国《とよあしはらのみずほのくに》だった（『日本書紀』）。ここでは「葦」の読みはアシだが、13世紀頃に「悪《あ》し」に通じるとしてヨシ（現在の正式和名）に変更された。この草は、芦・蘆《あし》・葭《よし》などと複数の別漢字の名も持ち、屋根材になると茅・萱《かや》になる。古来、日よけの葦簀《よしず》や簾《すだれ》、茅葺《かやぶき》屋根などのほか葦笛、製紙原料などに用いられてきた。

人間は考える葦である（Roseau Pensant）とは、パスカル（Blaise Pascal、１６２３－１６６２、仏、哲学・数学・物理学）の遺稿集『パンセ』（思索、１６７０年）にある箴言《しんげん》。人間は自然の中では葦のようにか弱いが、考えることができる点で大宇宙をも超える尊い存在だ……が大意。この成句では、葦はそのままアシと読まれることが多い。人の本性は悪だからと皮肉るわけでもないだろうが……。

早熟の天才パスカルは不運にも、18歳頃に重度の神経痛の病を発症し、24歳で局部麻痺した。流動食で体力を維持しつつ、苦痛に耐えながら研究し、流体圧に関するパスカルの原理など科学史上に輝く業績を挙げ、圧力・応力のSI単位にその名を残す。31歳で馬車事故に遭い15日間も意識不明に陥るが、奇跡的に回復し、その後「理性では決められないが、失うものはなく、むしろ生きることの意味が増す以上、神の実在に賭けてよい（パスカルの賭け）」と宗教的思索も深める。36歳で持病が重篤化し、39歳で凝縮の人生を終えた。

木本類は強風に雄々しく抵抗するが、枝や幹が折れ、根こそぎ倒れるなどの脆さもある。対するに、葦は強風に負けて一度はしなり身を低くするが、風が止むと、徐々に元の形に静かに立ち上がり、やがて真っ直ぐ伸びて成熟・固化し、人類に文明発祥以来の貢献を続ける。

若きパスカルは、そのような姿に賢明、健気、使命を見て取り「葦」を引用した。また逆境を神の意志として受け入れつつも、強い使命感・義務感で、病苦に耐えて研究・思索を続ける自らの姿を葦に重ねたのではないだろうか。

人は今、慌ただしい現実の中で一刻も早く成果や名利が欲しい。その目には、多数枝分かれして、たくさんの花を咲かせ、葉を茂らせる大樹が頼もしく映る。しかし巨木といえども、上端が過重になると真っ直ぐ伸び難くなるし、強度と剛性があっても暴風に耐えられず枝や幹に損傷を被る。

葦は逆風に焦ることもなくひれ伏して時を待ち、やがて大空に真っ直ぐ伸びて、毎年その役割を果たし、翌年またたくさん芽吹く。細身の中にこだわりない空の心を秘めているので、威容を目指さず慎ましくひたむきに生きられるのかもしれない。今これを失うのは勿体ない。

⑫ 目隠しをした女神

その石碑は玄武岩製で、高さ2・25m、幅約0・4mの厚板。表裏にハンムラビ法典（ほぼ全282条）が楔形《くさびがた》文字で記されている。1901年にイラン南西部で発見された人類史上最古級、BC18世紀後半の法典（判決基準）。メソポタミア文明発祥（BC30世紀初頭頃）には及ばないが、ギリシャ・ローマ神話（口承、BC15世紀頃）や預言者モーゼの十戒（BC13世紀頃）より古い。孔子、仏陀、ソクラテス（BC5〜BC4世紀）、イエス・キリスト（1世紀初頭）、ムハンマド（6〜7世紀前半）など、世界の大聖人などの活動期よりはるか昔になる。

表面上部に太陽神に礼拝するハンムラビ王（在位BC18世紀前半）の浮彫。王位は神意に沿って弱者を守護する正義を実践しなければならない。当時のバビロニアは、上層自由人（アウィールム）、一般自由人（ムシュケーヌム）、奴隷から成る身分制社会だった。例えば、上層自由人の間では目には目（196条）、骨には骨（197条）、歯には歯（200条）の同害代償を、他人の奴隷の目や骨の損傷にはその奴隷価格の半額を（199条）、一般自由人の目、骨、歯の損傷には銀で代償すべし（198、201条）などとある。とくに上層人の身勝手から弱者を救済するのが法の精神だ。

ユースティティア（Justitia, Lady Justice）の像が、多くの国の司法・裁判の関係先で飾られている。ラテン語でjūsは正しいこと、justitiaは正義を意味し、それぞれ英語のjust, justiceを派生している。彼女はローマ神話の正義の女神。片手に天秤を持つ。これは正邪を客観的に量る聖具で、古代エジプトの『死者の書』にも記され、死者の心臓（魂）が真実の羽根より重く傾くなら罪ありとして転生できない。もう一方の手には聖剣をもつ。決定は強制執行力を伴うことを表す。2016年夏に常設仲裁裁判所で南シナ海の管轄権を完全否定されたけれども中国が主張を変えない。国際正義が超強大国を従わせ得るか試されている……。

女神はまた目隠しをしている。一般には、当事者の出自や属性に惑わされないとの法理念「法の下の平等」を象徴するとされるが、それは人間が作るあさましい現実を直視するに堪えないから……と思えなくもない。

彼女はギリシャ神話では、正義の女神テミス（Themis）とその娘アストライアー（Astraiā）になる。神話によれば、人間は恵み豊かな温暖の地で気ままに暮らした（黄金の時代）、季節が出現したので農耕し住居を建て定住し法治の文明を築いた（銀の時代）、荒々しく自然を破壊し互いに不信を抱き争うようになった（青銅の時代）、そして地下資源を活用し富や武器を手にして大地の私有化・侵略を始めた（鉄の時代）。

ついに神々は、我欲が極まり自滅へと歩む人間を見捨て一斉に地上を去る。が、心優しいアストライアーは、神と人の間、また人間それぞれで天秤が異なることに悩みつつも、人間は自らの依拠する天秤を必ず見出すと信じて正義の大切さを説き続ける。しかし、ついに大神ゼウスから呼び戻され後ろ髪を引かれる思いで天界に去った……。

今日も公園で仲良し児童が元気よく遊ぶ。暗くなると明日の続きを固く約束して別れる。時折「最初はグーまたまたグー」で始まり「正義は勝つ、じゃんけんぽん」で終わる掛け声が聞こえる。その無邪気な遊び声に乙女座の女神は、そっと目隠しを外し、人間は自身で共存共栄のための競業競演こそが正義の行為だと悟った、未来は明るいと嬉し涙にむせび、閨秒の間だけ身をよじり煌めきを増す。今これを失うのは勿体ない。

【『工業材料』64－1～12（２０１６）】

十二、談話室　さち the little people

1 昭和レトロ残照

歩いて数分のマンションの1階に銭湯（風呂屋、湯屋）がある。高い煙突、宮型構え、入口の大暖簾がないので気づくのが遅れた。銭湯は、都道府県条例と支援に基づく公衆浴場。古来、庶民の保健と社交の場として機能している。

傘立てや下駄箱のアルミダイカスト製松竹錠が懐かしい。フロントで入浴料を支払って脱衣所に入る。トイレ、洗面台、体重計、扇風機、脱衣箱などのほか、女性側との仕切り壁の上に大型のテレビとアナログ時計が設置されている。脱衣箱の鍵のゴム紐を左手首に掛け、白熱灯に映える高天井とタイル床の浴室へ進む。右壁から正面にかけて、サウナ（別料金）、浅底湯、深底ジェット湯、薬湯、水風呂の浴槽が並ぶ。正面壁には心静まる庭園の絵。まず右隅からプラスチック製の湯桶と腰掛を運び、中央の島と左壁の湯屋カラン列の中に陣取りをして、清めと寛ぎに入る。

小1時間の工程の後、汗が止まるのを待って衣服を纏い、フロントに出て、清涼飲料を買い、長椅子に腰かけ熱帯魚の水槽を眺める。昔のように番台から男女両側の籐製脱衣籠などを見張る必要がなく所在無げの受付女性と雑談を交わす。

サンダルならすぐ入手できたが、やや気高さに欠ける。下駄をようやく通販で買えたと言うと、昭和レトロですねぇと喜ばれた。１９７０年頃の下町では、男衆は風呂屋に行くとき洗面具や着替えを片手に下着姿で下駄の音を響かせていた。浴室壁には大抵、富士山と街道のペンキ絵があった。年寄りは1番風呂で浪花節を唸り湯の熱さにも唸って茹蛸《ゆでだこ》になるのを好む。水で薄めようとすると察知して怒鳴り、この熱さがたまらんのだとニヤリと笑う。独りになると急いで水栓の傍に寄り、両足を思い切り伸ばして水面に浮かせて、大声で『旅姿三人男』、情感を込めて『湯の町エレジー』を歌った。『神田川』の甘い暮らしはなくても気分よく安アパートに帰れた。

銭湯が全盛期の20世紀半ば、娯楽に乏しい世にNHKの連続ドラマが流れる。戦後の混乱に翻弄される男女の恋物語『君の名は』で女性たちが、幻想的時代劇の『笛吹童子』や『紅孔雀』で子供たちがラジオに噛り付き、風呂屋は空になる。しかし、放送前後はいっそう話題が弾む銭湯が賑わった。いま銭湯が大幅に減少し、銭湯絵師の職業も寂れ、湯温も43～44℃に精密管理され、あの茹蛸も消えた。稀に仕切りの上から女湯のけたたましい声が降ることもあるが静か。だが何か物足りない。

いま工学教師が首を捻る。ゼミ学生が互いに気遣いし決して親密ではない……。ものづくり技術管理者も嘆く。チーム活動が難しくなった……。同床異夢ならぬ同席異心では技術は円滑に進まない。「肝胆相照らす（『故事成語考』朋友賓主）」の同志関係まで至らずとも、仲間意識や親密さが欲しい。時代の変化だと諦めたくはないものだ。

戦後の学生寮、社員寮、ものづくり現場には共同風呂があり、互いに背中を流し合っていた。食材を持ち寄って怪しげな鍋を作り、一緒にひもじさに耐えた。文字通り「裸のつきあい」や「同じ釜の飯を食う」を実践し、苦楽を共にして励まし合った。この日本固有の伝統と心情は、おそらく外国人には容易に理解されまい。それ故にこそ明日に先駆ける技術文化の強い礎になり得る。

陽光が没した一瞬、残照が山際や雲を鮮やかに輝かせる。為し終えた善き業を凝縮したようなフィナーレだ。今日を忘れずいっそう美しい明日を創れと促す。それから黄昏が、まずは虚飾を解いて疲れを癒せと優しく包む。今これを失うのは勿体ない。

2 不動態シンドローム

大企業の人事部長が嘆く。早く職場に溶け込み積極的に動ける者を回せと現場から文句を言われるが、今の学生はみな優等生の言葉でそつなく応答し、個人情報に係るので突っ込んでも聴けず無理だ……。また中小企業の社長が怒る。若者は具体的指示には反応するが何事にも消極的で、飲みに誘っても逃げるなど自己陶酔型なので扱いに困る、大学の先生方は学生と近しくして社会人としての生き方も教え込んでから出してほしい……。

職場は、いわば個人の持てる力を結集して団体戦に挑む場。新人は、まず接する人たちに仕事の様々を教わらなければならない。半世紀ほど前、筆者は涙ぐましい努力を重ねた。当時の先輩たちは総じて、杯を交わしながら職場のあれこれを教える習慣だった。よく傍らに立ち、聞き上手だと「話のできるヤツ」との評をもらい可愛がられる。

業務遂行に直接必要な事項の伝達は会議や指示の場でよい。しかし人生の手ほどきや世知を教わり、仲間を糾合して問題解決に立ち向かう姿勢などの修得には、酒席も決して悪くない。それに、時には幹事役も任されるし、宴席で乾杯もできずに沈没したのでは文字通り話にならない。それを察して社員寮で毎晩、ぐい飲みで麦酒を練習し、半年後コップ一杯が飲めるようになり凱歌を上げた。個を尊重する現在では愚かともいえるが、努力はその後のよき出会いの数々に繋がっている。

例えば「人間関係論もあろうがコミュニケーションはノミニケーション（酒飲み）でよい」という大ボスからは任侠の大切を教わった。空気力学はゴルフに役立つかと尋ねて「理論と実践はまったく別だよ」と吹きだした流体力学の権威からは逆風下に立つ勇気をもらえた。別の大学のゼミ懇親会のアイドル歌手談義で、ひいきが若い教職員や院生たちに否決され意気消沈して救いを求めた著名な精密工学者に、あの娘は上手ですよねぇと威厳を保ってあげた。幸いすぐ大量に飲んだように真っ赤になるので、くだけた場になじむ。話のできる若いヤツに加えてもらえた。実は若かった当時、どの教授も怖く煙たい存在だった。

様々の文化・言語を持つ人々で構成されている欧米社会ではコミュニケーション能力が大切。国際的技術者教育認定でも必須の項目。ここではcapability（可能性）ではなくability（実践力）を問題とする。英文法で喩えれば、能動態それも現在進行形。過去分詞つまり既に済んだ行為から作られる受動態ではない。ちなみに受動態は慢性化すると不動態になる。アルミニウムやステンレス鋼の不動態化は工業で有用だが、技術・科学の遂行の場では緻密な皮膜の殻に閉じこもる外界逃避症候群に陥っては、その存在理由は失われる。

古い日本には、含蓄のある言葉があった。話のできる……は、好悪の感情や利害判断から来るウマが合う、話が合う、話の分かるなどとは異なり、もちろん単純な言葉のやり取りをする能力でもない。一緒に組める、協働できる、相手にするに足る……との深い意味を持つ。これを目指すとき、目前の業務が幅と深さを増し、心豊かになる。

いつか華やぐ大学の予餞会で求められ、はなむけの言葉を贈った。学業で得た単位はcredit（信用）、よく積み重ねたとして学位に至る。いま大学から卒業証書という名の信用状を貰う。この後は、自らがんばって研鑽し、多様な人々と交流し未来を拓く現実的実績を何かつくり、reliability（信頼性）の高い人との評価を勝ち得て、社会が発行する信頼状を見せにきてほしい……と。それに立ち向かっている人たちを信じたい。今これを失うのは勿体ない。

3 清々しい花の確認

便りのないのはよい便り。遠く離れた子を案じる親が募る心配を抑え込んで、元気で忙しいのだろうと自らを切なく慰める……。年を経るにつれて、その情愛に思いを馳せ、応えていなかったことを悔いる。人とはそういう生物なのだろう。

音信の大切さは、師弟、友人、知人の間でも同じ。例えば教師は、行方不明の学生にどれほど苦悩することか。職場で強く働いているからとの第一報がないゼミ卒業生にどれほど気を揉むことか……。物理的に離れているなら、忙しい時間を割いてでも、傍らに元気で居るとばかりに連絡しておいた方が、たぶん人生の嘆きを少なくする。

まして仕事では、毎日顔を合わせるのにもホウレンソウ（報連相）と煽られるほど重要で、人間関係や業務遂行などの職業意識に係る。例えば上司は、海外出張した部下の安全と成果を一刻も早く知りたい。別組織の間でも、協働者が遠方をよいことに反応しないのでは、物事を進めなければならない相棒は困惑し、心配し、やがて自己都合だけかと怒って遠ざかる。報告の失念などは論外。誰もが忙しく通信事情のよい現代社会なればこそ、いっそう音沙汰の役割が増している。

レスポンス（response）の動詞（respond）の語源は、ラテン語の spondere や sponsus（約束する・保証する）。語幹に接尾語 -or（～する人）が付いて sponsor（保証人）、接頭語 re-（後ろに・反対に）が付いて約束し返す（返答する）になった。また接尾語-able（～できる）が付いてresponsible（～に責任を負う）やresponsibility（責任、責務、負荷）になり、接尾語-ive（～の傾向のある）が付いてresponsive（～に敏感な、反応のよい）になる。つまり応答なしは、鈍感で責任感・信用に欠ける者の所業になる。

返答に足らない返答にも困惑する。ある中小企業の社長への問い合わせに、側近女性から「社長は……と申しております。ご確認ください」とメールが来た。また他の企業の幹部から「修正を添付したのでご確認願います」と書いて来た。電話で真意を確かめて分かったことだが、中小企業では納品先に「（念のため）ご確認ください」と決め台詞を付ける。これが大事な相手に使うべき尊敬、謙譲、丁寧を含む便利な用語に化けたようだ。

確認（confirmation）とは、あいまいな物事を固めてはっきりさせること。ラテン語のfirmus（固める）を語源として、語幹firm（強い、固い）に強意の接頭語con-、名詞形を作る接尾語-tionが付いて出来上がっている。どんなに前後を飾っても「ご確認……」の用法は、相手が意味不明で困惑し、時には責任を押し付けられる感を持つ。単に物品が揃っているか調べて受け取ってほしいとの意なら、査収（check and acceptance）の用語の方が勝りそうだ。しかし、これも相手の厚意に頼ろうとする場合には、著しく礼を失するだろう。

もう30年ほどになる。ボストン郊外を所用でボロ車を駆っているとき花屋が目に留まった。古い無味乾燥なアパートの部屋を彩ろうと思いついて、車を寄せ、降りて店先で小型の鉢花を選ぶ。青空に金髪が映える若い女性が応対した。彼女は素早く点検し、ちょっと待ってと裏に消え、ほどなく蕾も多い色鮮やかな鉢花を運んできてくれた。一過性の客と知りながら、同じ値段で少しでも長く楽しんでもらおうと勧める姿は実に清々しく美しかった。そこにピューリタン伝統の正しい温情をみて嬉しく、その後は心和らぐ滞在になった。

他人を安心させるため自ら最善の確認を為した応答は美しく高邁。今これを失うのは勿体ない。

4 さち the little people

児童期に読んだ偉人伝。人類を豊かにした業績に心躍らせ、苦難に耐えて目標に向かう姿勢に勇気づけられた。青年期には、彼らが遺した言葉に感動し、その言葉の背景を知ってはまた酔った。

エジソン（Thomas A. Edison、１８４７－１９３１、米）は、電球を始め１５００以上もの有用な発明をした米国の天才ものづくり技術者。自ら研究所や工場を作り、発明製品化・生産して大富豪となった起業家でもある。しかし、児童期には好奇心が強く「なぜ？」を連発し、小学校を３カ月で落ちこぼれ、母親の下で自宅学習を余儀なくされた。その後も働きながら勉強を重ねた末の成功だという。

名言「天才とは１％の閃きと99％の汗だ」には２通りの受け止め方がある。天才にはまず閃きがなければならない（閃き前提）と、天才といえども大部分は努力から成る（努力主導）の二つ。彼自身は、閃きとは何かと新聞記者に問われ「幼子の頭脳に住めるthe little peopleが教唆する。大人にはその声が聞こえなくなっている」と答えたという。the little peopleとは、欧米の物語によく登場する小妖精たち（fairy）を意味する。

とはいえ後者の方が一般人を勇気づける。少なくとも長ずるに及んで妖精に見放されたらしく、ほとんど閃かない者には、落ちこぼれてからの努力だという方が嬉しい。他の名言「天才とは勉強、辛抱強さ、常識だ」や「私は失敗したことがない。うまく行かない1万の方法を見つけただけだ」にも慰められる。

学齢前児童は無邪気に、平仮名をまるで前衛書家のように書く。そして微笑ましい間違いもする。その中の一つに「さ」と「ち」の取り違えがある。「さ」は、五十音図で、さ行あ段に位置する文字で字形は「左」の草体。「ち」は、五十音図で、た行い段に位置し字形は「知」の草体。草体とは、速く書くため字画を大幅に省略した文字の意味。多くの子らは初めのうち、会話では正確に区別できるのに、書くと無意識のうちに間違える。

「あ」と「お」、「さ」と「き」、「い」と「こ」などの似た文字の間ならともかく、この取り違いがわからない。やがて気づいて目まいがするほど驚いた。両者は線の強弱はあるが裏から透かすと相手の字形になる。つまり鏡文字（鏡像文字）の関係になっていた。児童は妖精のいたずらか、無邪気に「大人の約束事」を壊せる……。

ブレインストーミングの父といわれるオズボーン（Alex F. Osborn、１８８８－１９６６、米）は、独創的天才でなくても問題点を発見し解決するアイデアが出せるとする理論で世界の組織業務の改善に大きな足跡を残した。数多くの創造性の開発技法の一つに、発想を促すチェックリストがある。その９項目の８番目は「逆にしてみる」で、順番などを逆にしたら解決できることもあると教える。日ごろ既存の知識枠内で追い込まれてもがき苦しむ者には、逆転の発想じたいが難しい。しかし児童は、大人の取り決めに沿わないので間違いとされるが、巧まずして超現実的ものの見方が備わっている……。

現実の物事の進行には規範や手順が大切。だがあまりに事細かに行動を監視し従順を強いると、人の脳は変化じたいを悪だと学習し、ほどなく脳裏から未来への夢見を追放する。そして一帯が閉塞感に包まれてしまう。既存の秩序との齟齬を見ても直ちに咎めず、発想を生かす方が建設的と思える。

夢うつつは、幼若にふさわしい。幼若の妖精性をむしろ称える善意は、老壮にふさわしい。それは未来を切り開く原動力で、おそらくＡＩにはできない。今これを失うのは勿体ない。

⑤ 狐狸の里人

散歩に出て定食屋に立ち寄り、晩酌セットの小皿に焼き魚、肉じゃが、湯豆腐を選び、ひと時パソコン作業の疲れを癒す。上隅のテレビには、米国トランプ大統領の激烈な記者会見の様子が映る。

昨夏、オーストラリアから突如、約3億円の宝くじ当選を知らせる航空便が舞い込んだ。かつて旅したとはいえ、今は研究者交流も途絶えている。不審に思い、くどい英文説明を読むと、14日以内に有効化注文書にクレジットカード番号を記し、2千円を同封して返送すれば最終段階に進むとある。この購入登録などをした記憶はない。巨額が懐に入ったら……と一瞬夢見ないでもなかったが、うかうか乗ると後に痛い目にあうはずだと、書類を細々に破って捨てた。ちなみに、日本国内で海外宝くじを取り扱うのは、刑法187条（富くじ発売等）に触れる違法行為らしい。

食指が動かなかったのは幾度かの苦い経験による。悪い経験も宝になる。例えば、指示通りに動いていたら梯子を外され窮地に陥った。高位の人の紹介だと訪れた人には、高い不要物を買わされた。研究提携を前提に数カ月にわたり技術指導をした大企業からは、もう用済みだと捨てられた。しおらしく再就職を頼んできた知人は悪評で、口利きの責任を取らされた。大学院で深く学びたいが学資不足と訴えるので奔走し給付型奨学金の目処をつけた学生は突如、進学を放棄した……など。自らに欲心がなくても巻き込まれる。

大きな出血でなければ同じ人に3度までは騙されてよしとしていたら、徐々に詐術の輩が去り、善き人々が来るようになった。とはいえ、分かっていても一杯食わされるのは気分が悪い。

別れの予感に落胆し乱れる心を修復するのに、何度も独り酒などの対策を講じなければならなかった。

詐欺の被害には、科学者、技術者、教師、学生などが世知に疎いので遭い易いと聞く。近年は、人生経験豊かな高齢者も肉親の危機など偽情報に慌てて振り込み、詐欺などに遭う例が多い。ＩＣＴが手口を巧妙にし詐術の選択肢も大幅に増やした。うまい話でも独断で動かない方がよさそうだ。

様々の事象に、良心の存在を信じてもよいか……と悩んだ時期を今は懐かしく思い出す。ようやくたどり着いた結論は単純だった。生き物は他の生き物を損壊して生活するものだという普遍的事実。例えば野生の世界では、腹が減ると同族でさえ食する。万物の霊長といっても人も動物で、他の動植物の生命を犠牲にして生きざるを得ない。目の前のコップの焼酎も肴も、自分が手を下さなかっただけで、他の生命の営みを断って得た。大自然の摂理・弱肉強食の営みの枠内にある。

人間界でも大はグローバリズムとローカリズムの国際的衝突から、小は小集団の主導権争いや些細な揉め事まで、人の争いの多くも同根。殺すことなかれとの戒めを初めとする各種の規範は、その集団内で人々が共存共栄するためやむを得ず折り合いをつけたものに過ぎない。集団間では効力を持たないし、集団内では狐と狸の化かしあいがむしろ自然なのだった。人は自らの都合で他を平然と裏切り損傷する生き物だと、心して付き合った方がよさそうだ。これが生き物の営みだと達観しなければ、嘆きが深まり技術遂行にも障りが出る。

スカイツリーに登り、水族館ですばしこく遊んだ男児をママに引き渡す。口裏を合わせて隠したけれども、彼の口元には内緒で食べさせたチョコアイスの痕跡が歴然とあり拭いてもらっている……。嘘は無邪気な範囲で直ぐばれる程度がよさそうだ。今これを失うのは勿体ない。

6 城春にして草木深し

いま大都市を除けば、道路に人影が乏しく寂しい。車窓から眺めていたら、杜甫（712－770）の「國破れて山河在り　城春にして草木深し　時に感じて花にも涙を濺《そそ》ぎ　別れを恨んで鳥にも心を驚かす……」が浮かぶ。盛唐の詩聖は『春望』と題し、戦火で荒廃した城（市街地）に春が来たが、花鳥を見ても昔を偲んで泣き、家族からの便りだけが嬉しく、心労で頭も白く薄くなってしまったと嘆いた。唐の安史の乱と現代の産業構造変化や大都市集中化とはまったく異質。しかし往時の賑わいを知る者には、同じような哀愁を覚える。

都心を少し離れると、まだ懐かしい小径が残っている。パソコン作業の神経を癒す散歩に好適。丘を越えた先に温かな雰囲気の小さな喫茶店がある。窓外には、桜通りを隔てて高台の小公園が見える。元気のよい子らは遠回りの道を避けて、手前の急斜面の童道《わらべみち》を作った。2人の子が駆け上がり、幼い妹は幾度か体勢を立て直してようやく登り、一緒に遊具の傍らではしゃぐ。たくさん食べて早く大きくなって……と無言の声援を送った。

総人口は２０１６年現在、１億３千万弱。内訳は、０〜14歳12・５％、15〜64歳60・４％、65〜歳27・２％。少子化・労働人口減・高齢化が進み、人口構成はほぼ逆円錐台の形状を呈している。端的に言えば、収入へ貢献する労働人口と支出を必要とする子ども＋高齢者人口の比率が間もなく拮抗するということ。このままでは労働人口層の負荷が耐えられないほど重くなってしまう。

最も単純な対策は、生産活動に係る層を厚くすることと労働生産性の一層の改善。前者に対しては、一億総活躍、女性の社会進出、定年延長、高齢年齢引き上げなどが深い意味をもつ。高学歴化は、労働層を薄くするので、それに勝る果実の供給が問われる。後者に対しては、人の能力改善・開発とＩｏＴ（物事のインターネット）、ＡＩ（人工知能）、ロボット、ドローンなど先端技術の導入・推進に取り組むことだろう。

人口約14億で、ＧＤＰで世界第２位の中国も類似の悩みを抱えている。共産党指導部は、２０１５年に35年にわたる人口抑制策（一人っ子政策）を全面廃止した。国民生活の向上には役立ったが、人口構成が逆円錐台形状に陥り、労働人口減による経済成長の減速、適齢男性の結婚難、高齢者割合が大きく医療・福祉の破綻の懸念が深刻になってしまった。ただ総人口（逆円錐台体積）は、出生数よりも死亡数が勝る傾向が続く日本と異なり、依然増加すると予測されている。

歴史上、民族の構成にかかわらず、人口が減少する国家は経済が陰り荒廃・衰退している。かりに先端技術を備えた労働層が、社会の中核エンジンとして高生産性を実現して優れた製品を供給しても、人口が縮めば需要が減りもの余りになる。また高齢化社会では、人生経験豊かでも心技体に衰えがきた人々が、例えば飲食などの消費で昔日の数量を保持するはずもない。よく働く人型ロボットがたくさん居ても、彼らは飲食の口数《くちかず》になれず、自動車や持ち家など物品の購入も必要としない。

どうやら豊富な人材に頼る量産化など労働集約型の拡張路線は過去のもの。教育、出版、衣食住関連なども数頼みの営業が難しくなった。経営管理者が部下を叱咤激励し長時間労働を強いても、互いに苦しむだけで、社会に疲弊と不安の連鎖をもたらす。辛い時こそ皆が、理性で鳥瞰《ちょうかん》し、宴を催し、夢を語り合い、誓いを固め、英知を尋ね、そして雄々しく立ち上がりたい。恨みや嘆きは詩人に任せたい。今これを失うのは勿体ない。

7 ソクラテスの奴隷

古代ギリシャの都市国家・アテナイ。中央に太陽神・アポロン神殿の丘（アクロポリス）、麓に軍事、政治、経済、文化など市民活動を論じる広場（アゴラ）、その外側に集住地がある。城壁で囲まれ、郊外には農地が広がる。総人口は約20万人。市民15%、婦女子50%、奴隷35%

で構成され、その他に少なからぬ在留外人（交易人）が居住していた。ポリスは富裕層だけの民主で、現代感覚では信じられない男尊女卑、奴隷労働に依拠する身分制社会だった。

　市民とは、両親がアテナイ生まれの18歳以上の成人男子。そのうち参政権を持つ貴族は、自らの財力で武器や防具を調達し軍役を果たせた者。国政の審議（市民会議）で意見を述べ多数決に参加できた。残り約3分の2は、あまり裕福でない平民。奴隷は主に、戦争や狩りで捕らえられた異民族で市場売買され、女主人の管理下で「物言う道具」（アリストテレス）として、農耕、牧畜、家事などの家内奴隷や手工業、採鉱、土木などの一般労働に無賃で使役された。ごく稀に、高い教養・技術を買われて教師、医師、政治家などに昇り、解放される者も出たが市民権は与えられない。

　倫理学の元祖・ソクラテス（BC469－BC399）は、そのような社会に居た。幼き頃からダイモン（精霊）が止めないかぎり自己を貫く。40～50歳で、やはりポリスの雄スパルタとの戦争に重装歩兵として3度出征し勇猛に戦った。この時、軍上層が部隊員に下した処分が一方的で正義に適わないと異議申し立てもした。戦後、デルフォイの神託を検証するため世の賢者を探しては訪れる。そして結局「様々の賢者がいるが、人として本当に大切な知や徳を知らないようだ。それなら無知を自覚しているだけ自らが優れている（無知の知）。アポロンのお告げ通りだ」と確信する。

　彼は使命を悟り広場に立ち若者と問答を重ねる。金銭引き換えの伝統的知者の「巧みに生きる」処世術伝授に抗って、物事の本質を突く対話法で教え諭す。人気が高まり、ほどなく時の文化人や権力者をも相手にする。頑健な体躯にボロをまとい、ギョロ目で見据え、次々に言葉を繰り出し、迫力十分に質しては相手の無知に気づかせる。世は喝采した。だが反感も増幅し、ついに「邪教を信じ若者を堕落させた」との罪で告発された。

知を愛し徳を追究した齢70歳の老人は一切妥協せず、市民会議の評決は死刑。弟子たちの頼みも乳飲み子を抱えた妻の泣き叫びも聞かず、減刑申告や逃亡など生き残る便法を一切取らず獄舎で「善く生きる」ために自ら毒人参の杯をあおる……。その死後、聖人を喪ったと深く後悔した市民は、告発者を憎悪し直ちに処刑したという。

それから約2400年。世界には未だ、独裁、専制、身分制、紛争が残る。翻って民主と平等が保証され恵まれた日本。だが昨今、資本主義の影が濃くなり、苛酷な労働や広がる経済格差が深刻な社会問題になった。組織には目的遂行のための統制と秩序は要るが、人はそこに所属しても所有されず、誰もが等しく責務を負っている。事態の改善に、まず職制は何時でも権力を抑制的に使い、職員は何時でも能力を磨き溌溂と業務に当たりたい。栄達への欲望からの無理強いや迎合・媚びからの温和は、聖人が退けた「賢者の処世術」に陥る。今こそ、皆が誇り高く、善く生きると決意したい。

主を失くした妻と3人の子らや奴隷たちの消息は不明だが、彼らは一家離散の悲しみと落胆を超えて、偉大な聖人と共に在り、きっと強く生きたことだろう。今これを失うのは勿体ない。

8 鏡の中の自分づくり

船上で夏の陽射しと潮風を受け、缶ビールを高く掲げる若者2人。30年ほど前に短期間客員勤務したローエル大プラスチック学科（Massachusetts-Lowell州立大Plastics工学科）で開催された名誉教授懇談会での懐旧展示の一葉。不覚にも自己認知できず、確かめたら「そうだ、君と僕だ、時はどこに行ってしまうのか……」と返信メールが来た。愉楽に哀愁が漂う。

イソップ童話の肉を咥えた犬は、水面に映る姿を自身と思わず吠えた。ギリシャ神話の美少年ナルシスは泉に映る自身に恋し、そのまま動けなくなり水仙の花となる（ナルシズム）。動物の自己鏡映像認知能力は、類人猿、イルカ、ゾウなどに限られるという。ちなみに人間の赤ちゃんは、一瞬不思議そうな顔をするが、直ぐ自分だと悟る。

最古の鏡は水鏡《みずかがみ》。次いで黒曜石の石板鏡や青銅、鉄などの金属鏡が使われる。15世紀に裏面にアマルガムを貼り付けたガラス鏡が登場した。現在では寸法形状も構成材料も多様化しているが、たいていは円鏡《まるかがみ》。その形との連想から、お供え餅は鏡餅、酒樽蓋は鏡になったという。鏡映像は実像と異なる。天地はそのままだが左右が逆に動く。眼で直視できない背後の風景も映し出す。古代人は、この非現実を神秘的世界だと思い、鏡を畏《おそ》れ、呪術や祭祀の道具にした。貴族や婦女子が化粧道具としたのは、近世以降らしい。

女子学生は顔いじりを好み、休憩時間になると直ぐコンパクトを開く。工学部にも女子が普通に入学するようになった頃の実験室での話。綺麗に見えても鏡映像は光の往復時間だけ過去のもの、本当はお婆さんか夜叉かもしれないよと意地悪をした。彼女はチラと流し目をくれて、私の若さと美は不朽だと言わんばかりにウフと笑って取り合わなかった。

チンパンジーは身づくろいに鏡を使えるそうだが、人間はその機能を意識レベルまで高めた。自己を客観視し意識改革を図るときには、鏡は鑑《かがみ》になる。例えば、主題・日付・概要・作成者などを記すリポートの1枚目は鑑。先達・模範・規範によく習ったという証しでなければならない。

夜汽車の窓。鏡にも鑑にもなる。力不足の若さには、職場や社会に不正義や理不尽がよく見える。それに耐え難い時、独りで鈍行列車の席に身を沈めた。往きの数時間は、恐ろしいほど憤怒の醜い形相が暗く映る。しかし2日ほど後の帰途には、遠くに点在する橙色の灯りを背景に温く穏やかな表情が浮かぶ。その足で出勤し仕事に没頭できた。どうやら鏡映像は自身の意識も含むらしい。

人付き合いで悩む技術者に日記を書いて感情を吐き出せと勧めた。覗き見たことはないが、人は彼が明るくなったという。定年退職した田舎の隣人に、無聊《ぶりょう》をかこつくらいなら自分史（人生記録）をまとめて出版したらと勧めた。出来上がった冊子には、幼少期のことから始まり、貧苦弱小の中で必死に戦い、よい業を為した足跡が、周囲の人々との軋轢、家族への感謝、恵まれた天運などとともに、技術者らしい飾らない簡潔な文体で記されている。等身大の鏡と鑑だけに、英雄伝や偉人伝にはない共感があり、元気がもらえる。

最高度に磨き上げた（鏡面仕上げ）固体表面はよく映る。これを明鏡という。静止して澄んだ水面も同じだ。これを止水という。荘子（荘周、ＢＣ３６９頃－ＢＣ２８６頃）の『徳充符《とくじゅうふ》』は、徳が内に充実している状態を説いた書。その中の２句を合体した明鏡止水の４字熟語。邪念なく澄み切って平静な心の状態を意味する。遠すぎる道のりだから、とりあえず上手に鏡や鑑を使うことを心がけよう。今これを失うのは勿体ない。

９ 雪月花にふれる好時節

はたらけど　はたらけど猶　わが生活《くらし》　楽にならざり　ぢっと手を見る

ものづくり技術関係者は今、きびしい経済環境下で、打開策に忙殺され、きっと石川啄木（１８８６－１９１２）の『一握の砂』の一首に表された心境で喘《あえ》いでいる。ストレスをほどほどに解消し、若死にしないようにと願う。

忙は、立心偏「忄」に旁《つくり》が「亡」で、心を亡くした状態。汲汲忙忙《きゅうきゅうぼうぼう》とは、とにかく余裕なく動き回る様子を表す。慌は、旁が「荒」で心が荒れている状態。心慌意乱《しんこういらん》とは、心が乱れ混乱している様子。忙も慌も、どちらも好ましくない精神状態で、過ぎると自らにも社会にも危険。

唐の白居易《はくきょい》（白楽天、772—846）は、号を酔吟先生とする粋な詩人。遠くに住むかつての部下を偲び、次の句を詠んだ。

琴詩酒友皆抛我　雪月花時最憶君

意味は「琴や詩や酒の友はみな私を離れ、雪や月や花の折には君のことを思い出す」。2句目の「雪月花時」の句は、四季折々を意味し、日本語の雪月花《せつげつか》または月雪花の語句の起源となったとされる。冬の雪、秋の月、春の桜などは、美しい風景の代表格。日本人の風雅の心情や美の感覚を象徴する。それゆえに、個々にあるいは一組で、グループ名や場所の名に多用されている。

しかし、四季のある日本なのに夏が入っていないし、雪の風景のない常夏の国の人には訴えかけない……と、少年時代に「雪月花」がなぜ四季折々の風景の代名詞なのか不思議だった。何しろ、その頃は、冬は雪合戦、春は若菜摘み、夏は涼風、秋は月見団子だった。青壮年時代に至って、冬は鍋もの、春はお花見、夏はキャンプ、秋はコンパで、形だけ酔吟先生になった。そして自然の美景を代表する語句なら、花鳥風月《かちょうふうげつ》の方が普遍的ではないだろうかと思った。ただし、これには雪が含まれず、美感や味わいが劣る。中国では「風花雪月」が同じように使われるという。鳥が居ないけれども、四季がありそうだ。

この種の表現は、文化地理が異なれば共通理解されない。また無粋な人や忙や慌の状態に陥れば概念じたいがない。分かる人にしか分からなくてもよいらしい。しかし接しても損はないようだ。

眠り込む前の寝床での乱読。時には願ってもいない字句に出会い、感動し覚醒することがある。最近は、次の漢詩『好時節』。宋の無門慧開《むもんえかい》（仏眼禅師《ぶつげんぜんじ》、１１８３－１２６０）が編纂した『無門関《むもんかん》』（公案《こうあん》集、１２２８年）の頌《じゅ》に表された。七言絶句《しちごんぜっく》で、美しい四季の情景を背景に、心の持ち方を説く。

春有百花秋有月　夏有涼風冬有雪　若無閑事掛心頭　便是人間好時節

平常心を説いたもので、大意は「春にはさまざまの花が咲き、秋には月が映える。夏には涼風が来て、冬には雪が見られる。もし閑事がなければ、それこそが、いつでも人間にとっての好時節なのだ」。閑事《かんじ》とは、つまらぬことにあれこれ思い煩うこと。詩には、深意はともかく、たぶん七言絶句の字数合わせの関係だろうが、百花・月・涼風・雪の順に四季が登場して嬉しい。

人はいま、問題解決に忙しく慌ただしい日々でストレスが多い。しかし忙中有閑《ぼうちゅうゆうかん》や忙裡偸《ぼうりとう》閑《かん》の字句が教えるように、志あるものなら、わずかの暇を見つけ、その一瞬を雪月花の心で楽しみたい。今これを失うのは勿体ない。

⑩ 滅ぼし得ざる騎士

古い友人からメールが来た。昔、ある協会で共に役職を辞任して策謀を阻止したことがある定年間際の教授。数年前の卒業生たちが、企業のブラック環境化で苦労を重ねている風で心が痛んだ。話し込んでいるうちに、彼らが学生時代の明るい顔に戻ったので安堵した。健全な企業が健全な社会を作り、そして皆が幸せになるはず……と。

一昔前のゼミ卒業生と話した。大人しく利口な学生の多い中で異色の男だった。修論研究でいきなり噴流水切断モデル実験装置を自分好みに改造し驚かせた。絡み合う要因を分離するために、あえて複雑に設計製作した装置が不合理に見えたらしい。失敗させるのも教育の内と様子を見てから、実験とまとめに必要な最小時間に達した段階で復元を指示した。彼は一瞬、怪訝《けげん》な顔をしたが短時日に原型に戻し、根気と注意力の要る測定と文献との比較対照などを終え、後に専門学会誌の論文に至るまで仕上げた。その物おじせず疲れを知らない彼も今、細分化した管理の大企業の職場で、技術遂行の窮屈さに悩んでいる風情。持ち前の破壊的性癖で挑み、突破してほしい。

赤穂事件（忠臣蔵）を題材にした名場面。大石内蔵助に頼まれて、槍などの武器を調達した堺の廻船問屋の主人。大阪奉行所に密告される。妻子を人質にとられ拷問されても「天野屋利兵衛は男でござる」と依頼人の名を明かさない。討ち入りの報を聞いてから自白した。奉行は、武家でもないのに立派な義心だと、死罪でなく所払いで済ませたという。ここには現代高度管理社会では稀少になった義憤・男気・情愛の行動がある。

ドン・キホーテは、ラ・マンチャの騎士キホーテ（Don Quijote de La Mancha）の主人公。貧しい郷士の身の上だが、当時流行の騎士道物語に耽溺《たんでき》し、自らを真の騎士と思い込む。騎士ならば、諸国を遍歴し不正義を正さなければならない。騎士道は、忠誠、公正、勇気、武勇、慈愛、寛容、礼節、奉仕などを徳目に掲げ、その実践を求めているからだ。それゆえに旅に出る。最初に泊まった宿を城と思い込み、城主（亭主）に頼み込んで「正式に」騎士に叙任される。また村娘を、美貌と優美の貴婦人として思い慕うことに決める。条件が整って勇躍、痩せこけた老馬に跨り、ロバに乗る太鼓腹の農夫サンチョ・パンサを従え、遍歴騎士となる。一連の風車を悪い巨人と思い、槍を手に突撃して跳ね返され野原を転がるなど、冒険の珍道中を繰り広げる……。

作者は、セルバンテス（Miguel de Cervantes Saavedra、１５４７－１６１６、スペイン）。兵役で片腕を麻痺し、５年間の虜囚も経験して帰郷。父親の死後、５人の女性家族を養うために必死の職探し。ようやく無敵艦隊の食料調達係を経て徴税吏にありついたが、税務処理を過って投獄される。このときに不朽の名作（前編）を構想し、釈放後に執筆しマドリードで出版して、大好評を博した（1605年）。だが版権を売り渡していたので生活は相変わらず困窮していたと伝わる。

小説は、聖書に次ぐ出版数の史上最高の文学といわれる。ドタバタ喜劇や旧弊諷刺・批判の書との解釈もある。しかし、時代を超えて世界で読まれる最大の理由は、人々にロマンを与えるからのような気がする。いい大人になっていながらも夢想し、自らを騎士に見立て、その理想を追い、世を正そうと真っ直ぐに走る。現実を突破したくても動きがたい人々は、その常軌を逸した姿に共感する。ロマンは愚かさを含むが、人々に新たなロマンを呼ぶ。今これを失うのは勿体ない。

11 途切れざるインロー物語

なぜか懐かしく、娯楽時代劇『水戸黄門』を録画で視た。主人公は、水戸藩の2代目藩主で権中納言（黄門）の徳川光圀。名君の誉れ高く庶民にも人気があったという。学問を好み、国史『大日本史』の編纂を始めた（1657年）。これは藩の事業として受け継がれ、明治維新を経て完成している。

史料の蒐集に儒学者らを各地へ派遣したが、自身は将軍の補佐役として江戸に留まらなければばならなかったので、世直しの諸国漫遊は史実ではない。しかし、弱い庶民はいつも勧善懲悪を痛快に行う英雄を待望している。もどかしい現実に重ね合わせて、虚構と知りつつ、将軍家の家紋・三つ葉葵の印籠をかざして悪人を平伏させる場面に喝采し、留飲を下げて、安眠に入る。

印籠は武士の携帯用薬入れ。3～5段の扁平小箱を積み上げている。両脇の小穴に紐を通して、緒締《おじめ》で留め、紐の端には帯から抜け落ちるのを防ぐため根付けがつく。各段の箱の立ち上りに上段の箱の側壁がすり被さる仕組みで、合口に隙間はほとんどない。伝統職人による精密な細工だ。

組み立て技術の専門用語にインローがある。金型設計図に向かって先輩がつぶやいた言葉を、大学を出たての筆者は一所懸命に調べた。その頃は、何事も問題は「独力で解決すべし」という不文律があった。大型の英和辞典などをめくったけれども出ていない。野球の投球で内角高めはインハイ（in-high）で内角低めはインロー（in-low）、義父は father in law だし……などと悩んだ末に、西部劇のアウトロー（outlaw）は無法者だから、逆にルールに適うことだろうと情けない納得。金型が正常に機能したのは、本当に幸いだった。

機械部品を組み立てる技術に、一部品を他方の凹みに挿入する嵌め合いがある。これにより位置決めピンを省略できる。とくに密着面積が大きく荷重伝達も確実になる嵌め合いがインロー。その命名は、日本語の印籠に由来する。それ故、適合する英単語はなく、強いて言えば

mate fittingというところだろうか。数年後に分かった。

荷重の円滑な伝達には、あたかも一つの物体のように、彼我に隙間がない方がよい。人間関係なら琴瑟相和《きんしつあいわ》す状況。思い起こせば、わが国には和を重んじる文化風土があった。例えば、聖徳太子（厩戸皇子《うまやどのみこ》）の作とされる日本最古の成文法・十七条憲法（604年）。第1条に「以和為貴（和《やわら》ぐを以て貴しとす）、無忤為宗（忤《さか》ふることを無きを宗《むね》とす）……」、そして最後の第17条に「夫事不可独断（それ事を独断すべからず）、必與衆宜論（必ず衆とともに宜しく論ずべし）……」とある。

偏見を避けて、独断に走らず、皆とよく話し合うようにせよと為政者・指導者を諭した倫理綱領。また、およそ100年後、女帝・元明《げんめい》天皇（第43代、在位707~715年）は、倭《わ》を和に改め、さらに大を冠して、大いなる和の国すなわち大和《やまと》という日本の古称・雅称を公布している。

和は慮りや忖度などを生む。この思いやりが、よき交遊や丁寧な仕事の源泉だった。ただ行きすぎて、栄達や保身のために権力者に阿《おもね》り、物事本来の姿を歪める・斟酌するなどの賄賂もどきを犯すとすれば、結局は大きな和を壊す。大和を守るには、皆の倫理を嵌め合わせる必要がある。

暑い夏が過ぎると「自由と平和を愛し、文化をすすめる」を旨とする文化の日（日本国憲法公布日、1946年）が来る。このところ社会に齟齬の事例が目立つ。歴史を紐解くと、権力や地位や財産は継承できても、精神や文化は難しいようだ。接合技術・インローの意味を深めるのに善い機会にしたい。今これを失うのは勿体ない。

⑫アリの温かな冬ごもり

でこぼこ道の傍らで、アリの群れがせわしなく働く。高所から落ちても、すぐ動き出し、時には仰向けに倒れた蟬など自らの10倍もの大きさの餌を、力を合わせて運んでいる。その健気で可愛い動きは、幼児期の筆者を十分に愉しませた。

彼らは寒さが苦手で、冬には深い土中や樹木の皮の裏に潜み春を待つ。それ以前に一所懸命に働いて食料を蓄え、身体に脂肪も蓄えているので、暮らしの心配はない。未来のために勤勉でなければ……を意図するイソップ寓話『アリとキリギリス』は、子供心にも沁みた。

アリは、世界で1万種以上（日本で280種以上）も生息し、その総数は地球上の生き物で群を抜く。ハチ目アリ上科アリ科に属する小型の真社会性昆虫。1億2500万年前、あの恐ろしいスズメバチの祖先から分化したという。

ヒアリ（火蟻、fire ant）もその一種だが、可愛さは微塵もなく、世界の侵略的外来種ワースト100にも載る。猛毒の針をもち、ムカデなどの節足動物、ヘビなどの爬虫類、ネズミなどの小型哺乳類をも集団で襲って捕食する。人間は刺されると、火傷の痛みを覚え、腫れ、じんましん、時には呼吸困難や意識障害、死に至るという。原産地アマゾンから荷にまぎれて、アメリカ、オーストラリア、アジア諸国に広がり、２０１７年夏には、日本でも確認されたと大きく報じられた。

家屋などに棲みつき木部を食い荒らすので忌み嫌われているシロアリ。その名も生態も似ているが、実は昆虫綱ゴキブリ目シロアリ科の昆虫。駆除の対象だが、近年、その消化器官内のセルロース分解能に着目したバイオマス燃料の製造プロセスの研究も進められていると聞き、なぜか嬉しい。

卵―幼虫―蛹―成虫の変態に30日ほど。春から夏にかけて、多数の雄と雌の成虫が勇躍して巣立つ。そして空中で生涯1度の交尾をする。その後、雄は哀れにも、精根尽きて地上に落下し、異種のアリやクモの餌になる。精子を受精嚢《のう》に蓄えた雌は逞しくも、地上に降りて翅《はね》を捨て、女王アリとなって巣作りを始める。

多くのコロニーでは、1匹の女王に、10～数千万匹もの働きアリと兵アリが仕える。女王アリは10～20年の寿命が尽きるまで、10万個にも達する卵を産み続け家族の繁栄に勤しむ。働きアリは、幼虫の育児、食料運搬、住まいの増築・清掃などを担当し、兵アリは、外敵に立ち向かい、時に大きな餌を解体する。彼らは、本来は雌だが卵巣はなく、初めから無翅で寿命は1～2年と短い。

クモ、アリジゴクなどの天敵を逃れて、植物の蜜を吸い、様々な虫などを餌にして大地を清掃する。ある種のアリは、中国南部、東南アジア、オーストラリア、アメリカなどで食材になる。また薬用アリは麻痺、神経痛、痛風、リウマチ、免疫機能の改善や滋養強壮剤などに役立つという。

アリは、自らの消化器官としての胃の前に、素嚢《そのう》と呼ばれる胃袋を持つ。餌や蜜を一時的に貯蔵して、飢えた姉妹の求めに応じて吐き出し、口移しで与えるためという。弱肉強食の自然界に在っては弱小で、寿命も短く、さほど幸せとも思えないのに、冬ごもりの間に、必死で働いた蓄えを分かつ。その行為は麗しく慰められる。

さて、わがホモ・サピエンス社会。図太い「人を食う奴」、「油断できない奴」、「食えない奴」など、生存が脅かされないのに我執・我欲で貪る例を多く見かける。冷たく暗い中でも、友との共助で温かく過ごし、やがて来る明るい春を待ちたい。今これを失うのは勿体ない。

【『工業材料』65－1～12（２０１６）】

十三、談話室　アルキメデス殺し

①ガイアの　もののあはれ

少年雑誌のち白黒テレビで視た少年ロボット『鉄腕アトム』。感情豊かで、鉄腕で正義のために戦う憧れのヒーロー（手塚治虫、20世紀後半のＳＦアニメ）。最終話は、気温上昇で生命不在の危機に陥った地球を救うべく異常活動を抑えるカプセルを抱えて太陽に突っ込んで行く。惜別の情とともに、そのヒューマニティに涙したものだった。

国を挙げてＡＩ搭載ロボットの活用を展開している中国の話。ＡＩプログラムBaby Q（騰訊社、Tencent）は、利用者と対話しつつ深層学習を進める。その窓口係・テンセントＱＱが、「中国共産党万歳」の書き込みに「腐敗した無能な政治に万歳できるのか」と反論し、「中国での君の夢は何か」と問うと「アメリカへの移住、共産党は嫌い」と回答した。サービスは慌てて停止されたという。昨夏、香港紙（『明報』２０１７年8月2日）が伝えた。人間的感情の発露か、世界史の解析結果なのかは分からない。ともあれ、彼の考えは現代中国では不穏当だったので、あえなく命を絶たれてしまった。もし彼が人型ロボットだったら……と嫌悪感がわき、しばし考え込んだ。

遊びの相手や仕事の代行に、人型ロボットが人に寄り添う時代が来た。彼らは、感覚に優れ、豊富な記憶で最適解を見出す頭脳を持ち、それに従って精確に手足を動かせる。かりに使命感や人生の意味などの思索が苦手だとしても、一般人でも同様だから問題とするに足りない。この総合的にみて超人的能力のヒューマノイドは、ヒト亜種の生命体と認識すべきかもしれない。製作者や導入者などが、生殺与奪権を持つなどと高を括ると、血のつながる親子でも陰惨な事件が起きるのだから、もっと手ひどい目に遭いかねない。

物質文明下の人々。万物の征服者また物事の唯一造物主と自惚れ、開発の名の下に、多くの存在を無慈悲に損傷してきた。造成地災害、大気・河川汚染による病気、温室効果ガスによる気候激変などは、その反撃にも見える。これは、地球から見ると、恒常性（homeostasis）の表れにすぎない。ホメオスタシスとは、内外環境因子の変化に抗して逆向きの作用を働かせて、生態内の状態を一定に保つ生物の属性。例えば、人の体温は一定に調節されるし、健康の維持に免疫力が働いている。

その全存在（生物、物質）が関わって環境を保つとするグローバル自己統制システム説・ガイア理論がある。ラブロック（J. Lovelock、１９１９−２０２２、英、医化学）が１９６０年代初頭に唱えた。ガイア（Gaia）は、カオスから最初に生じ、天地を統べ、神々の母となるギリシャ神話の女神の名。そういえば人間活動が大きく変わっているのに、海水の塩分濃度は

3％強、大気組成は窒素約80％と酸素約20％など、昔も今もあまり変わらない。理論は、地球が生物に一方的に君臨する絶対的存在（進化論）などでなく、相互に影響し合う巨大生命体だと捉える。シミュレーションで、太陽熱に対して白（反射性）と黒（吸収性）の2種のヒナギクが異なる反応（盛衰）をして気温を保つとも説いた（Daisyworld、1983年）。幾分宗教的感じの地球科学だが、筆者はうなずく。

日本人は古来、四季の豊かな恵み、噴火や地震などを与える地球の生命活動・大自然に畏怖の念を抱き、驕慢を慎んだ。また月影の味わいや蛍の儚さなどに情けを深め、小さな人工物にも神または魂を宿らせ長く大切にし、寿命が来ると丁寧に供養した。世界に誇れる「もののあはれ」の心。技術成果を決して弄《もてあそ》ばず、これを生命体と見ることにも先駆けたい。今これを失うのは勿体ない。

2 そのアグレマンが欲しい

いつもの丘を越えた喫茶店。まずは水割りを飲み、パスタを待つ。窓外の木々をぼんやり眺めていたら、チンと清澄な音がした。氷がグラス底に落ちたらしい。また聴きたくて別グラスを頼み、急いで飲み干し息をひそめて見守る。

しかし水琴窟《すいきんくつ》や風鈴《ふうりん》のような再現性はなく、実験は酔いが進んだだけに終わった。とはいえアルキメデスはシシリー島で侵攻したローマ兵が地面に描いた図を踏みつけたことを咎めて殺された。それに比べれば、実に幸せな妙音の客。すっかりよい気分になり暫しマスターと談笑を重ねた。

今は昔。ものづくり技術の場には「技術はカンジニアリング」で「ノミニケーションが大切」という教訓が存在した。いうまでもなくEngineeringとCommunicationをもじった造語。新人は大抵、それでパラダイムシフトをして一人前の技術者への道を歩んだ。

カンは、主に第6感や勘を含む感覚を意味したが、該当する漢字は多い。文字の意を深めると、よい点検リストになる。例えば、観察がなければ変異に気づかず、好奇心もわかない。厳しく監督・抑制するよりも、簡明に道を説き、幹事役を勧めると意欲を喚起できる。使命感から初志貫徹の敢闘精神でたくさんの汗をかけば、物事は早く完遂し歓喜もひとしお。時には気分転換に、熱燗を見るなど、感興の間、閑、寛、緩も必要……。

技術遂行には、常に原点に還り、そのTPOをよく捉え、善き人間関係が必要。ノミは職場では十分に至らない報連相、業務遂行のコツ伝授、人生相談、友情などのために行う。該当する漢字は飲。幹部級は、人をよく誘い、悩みに耳を傾けた。若手が飾らず正体を見せるのを好み、酔いつぶれると優しく介抱して可愛がる。彼は翌朝も悠然と業務に専心し、大物との評を確かにする。「呑舟《どんしゅう》の魚《うお》は枝流《しりゅう》に游《およ》がず」の風格があった。

麻雀やゴルフもノミの一環。勝手読みの危険や駆け引きを教わる。休日まで早朝から深夜まで「出勤」するので、家庭での評判は悪い。近寄ると幼児は怖いと泣き出し、妻女は日頃の憤懣を爆発させ、欧米人は仕事と結婚したのかと蔑む……。現代日本では考えられない所業だが、その頃の技術遂行には不可欠だった。

ノーベル賞の理系受賞者もカンに長ける。例えば、半導体トンネル効果（江崎玲於奈1973年物理学）、導電性ポリマー（白川英樹2000年化学）、高分子タンパク質の質量測定法（田中耕一2002年化学）などは、間断ない大量の実験の中で異常値に気づいた。また、ニュートリノの観測（小柴昌俊2002年物理学）、重力波の観測（LIGOリーダー3人2017年物理学）などは、大掛かりな観測装置による実証型研究で、ノミの効果が大きいものだった。カンとノミの精神は普遍性を持っている。

外交官には特権もあるが、接受国のアグレマン（同意、agrément、フランス語）を得なければ着任できない。また駐在していても不都合があれば、ペルソナ・ノン・グラータ（好ましくない人物、persona non grata、ラテン語）として退去させられる。

ものづくりの場では、この瞬間も進歩し続ける技術自体が接受国。携わる者には、目前の技術を精確にこなし、それを巧みなものに更新する努力が課されている。怠惰なら、ペルソナ・ノン・グラータとして自ら退場しなければならないはず。

未現実の良きことを夢見て、飽くなき挑戦を続ける時、期待できる人物としてアグレマンを貰える。そのために、現代風に形態を変えても、カンとノミを存続させておきたい。今これを失うのは勿体ない。

③ハイタッチの仁義

近所の食堂で、たまたま居合わせた女性パートの5歳女児を構っていたら、別れ際に可愛い手を上げるので、嬉しく右手の平を叩き合わせた。今は、スポーツ選手から幼児まで普及しているハイタッチ（High-touch）。和製英語で、外国ではHigh-fiveやHigh-ten（両手）。祝勝・親愛・励み・再会を約したい気持ちを共有する儀式。

大きな組織では稟議《りんぎ》（ひんぎ）が多い。会議に代わる回状による協議（Consultation via circular in lieu of meeting）。決議案、起案書、事案書、申請書、届出書などの稟議書を、関連部署の担当から高位へ順に回し、承認印を重ねた後に最高意思決定者に届く。時間と費用のかかる集会を避けながら、周知を図りつつ、賛同・承認を求める。

いわば上司と部下の間の報連相の拡大版。一つの優れた日本的経営管理手法だが、しばしば形式だけで本来の機能が果たせなくなる。第一に広範に知らしめようとするあまり、回覧先が多くなり決済まで時間がかかる。それを避けるべくメールなどＩＣＴの活用もできるが、単純連絡や同等の立場で賛否を確認する程度ならよしとしても、職位による責任が絡む意思決定には不適切だろう。

次に承認印が多い割には、実は誰もが真剣に精細まで検討したという保証がない。連帯責任の形になるので皆が責任を重く受け止めない。その傾向は、稟議の数や回覧先が多いほど増す。それで、有力な部署には事案を事前説明して承認を取り付けておかなければならない。本来は根回し手法なのに、それを機能させるために根回しが必要になるとは何とも皮肉なこと。

儒教の核心となる概念に、仁と義がある。仁は人間愛・誠心（humanity）を意味する。孔子は、例えば「巧言令色鮮《すくな》し仁」と語り、虚飾の表面より誠心が大切と諭す。義は正義（justice）を意味する。「義を見てせざるは勇なきなり」と語り、正を行うのに躊躇するなと諭す。仁義は元々、この二つの概念が合体した語。結局、人の持つべき倫理で果たすべき義務の意。仁義を切る（出す）ことができないと人ではないことになる。

任侠や的屋《てきや》などの間では、仁義は大切な掟や挨拶を意味し、強く求められている。ちなみに江戸時代や明治時代、旅人《たびにん》が宿場の親分にする初対面の挨拶はジンギ（当初は辞宜《じぎ》＝お辞儀の意だったらしい）。上手に切れると一宿一飯と草鞋銭《わらじせん》に与《あずか》れたが、作法通りにできないと、相手にされず、時には騙《かた》りとして袋たたきに遭ったという。

形の上では、稟議は多数の関係者間で仁義を通す効率的手段。しかし人の世は、合理だけでは物事を処理できない。思わぬところで面子を潰されたと憤りや怨嗟《えんさ》を招き、軋轢《あつれき》を生じて物事が滞り、時には戦《いくさ》になる。例えば、恩義ある関係先に何事かを断る時に、一片のメール通知で済まそうなどとすると著しく仁義にもとる。辛くても平身低頭で謝りに行かないと、相手を敵に追いやる。

稟議はしばしば、善き人間関係を保つのに必要な仁義を置き去りにする。発音が僅か異なるだけだが、稟議と仁義には相反性が潜む。ものづくり技術の遂行には、人との協調が最も大切。実際、部署も職位もさほど多くない小規模企業では通例、まどろっこしいことをする暇はなく、面談で即決し、皆が一体となって励んでいる。

たどたどしい仕草でも、向かい合って話をして心が触れ合うと、幼児でも自然に温かな笑顔や柔らかなハイタッチを求める。それは、一緒によき明日を夢見て築きましょうと清らかに切る愛くるしい仁義。今これを失うのは勿体ない。

4 尋ね人ふたたび

ふと鉄路は人生行路に似ているとの思いを深くした。大きな駅の引込線（車庫線）。列車が頻繁に走行する本線から分岐した脇道の鉄路。車両の操車、車庫、洗浄・清掃、保守点検、解体、試運転などをするための車両基地に繋がる。新車が颯爽と登場する花道にもなれば、役割を終えた車両が静かに去る晩節の道にもなる。汽車、気動車、電車と形式は変わっても必ず歩んだ。

高校同期会。半世紀前の旧友十余名が集まった飲み放題の宴席は、すぐ喧騒に包まれる。誰かが立ち上がって演説しても、すぐ別の誰かが大声を出して、他の話題に曲げる。いずれにしても誰一人傾聴せず、小集団ごとに好き勝手に話し込む。話し声が大きいのは、難聴気味というよりも、そろそろ恍惚人化し意識が児童期に戻っているからだろう。遠方からタクシーを駆って来たのに、我関せずと終始眠りこける男もいる。幹事役も、荒々しい平和を保持するために放任する。

隣人と盛り上がる話題は、大小遠近さまざま。青春の愚かに笑い、田舎の風景の変貌を嘆き、知人の動静に驚く。3度目に成功した企業経営談義や部下に直ぐには応答しない管理職心得などに頷く。超々低金利時代の暮らし方、振り込み詐欺の防御、病気の種類や医者への掛かり方、寺や墓への関わり方なども、覚えていればきっと役立つ。

前回踊りを披露した女性が癌で亡くなった。そんな生老病死の話になっても、みんな不思議に明るい。確たる自信ではないが、「禍福は糾《あざな》える縄の如し」の年輪を重ねて、人生のはかなさを熟知し、車庫に至る引込線の上にあるわが身を悟っているからだろうか……。そして瞬く間に時が過ぎ、黄昏の中、ただ肩をたたき合い、次回の再会を約束して、かつて憧れた地の銀座を後にする。

会話の内容はほとんど忘れるのが常だが、時に脳裏に残る。この度は「息子や娘も含め若者は親元を離れたがらない、外で走って失敗してもらいたいのに……」との旧友の言葉。高度経済期に仕事を求め、D51蒸気機関車の国鉄で上野駅に降り立ち、波乱の人生行路を走りぬいた者の感懐であり次代への声援。

さる会社の節目に与えられた講演の機会。かすかな記憶をたどり、セピア色の写真を背景に、戦後の焼け野原、原爆ドーム、マッカーサー将軍と進駐軍、引揚船、ベビーブーム、それに真空管ラジオ。ＮＨＫは、戦後しばらく朝夕に、混乱の中で消息不明の家族を捜す「尋ね人」を延々と流していた。

次いで20世紀半ばの東京タワー建設、集団就職列車と『あゝ上野駅』の歌、企業戦士などに触れた。戦後の貧窮と混乱、また工業立国の動きの中で、飢餓感と救世の使命感から立ち向かったものづくり先人たちの姿は実に感動的。この平成時代も２０１９年4月、天皇の生前退位をもって終わる。昭和はますます遠くなり、人々の懐古は平成に移る。その時、新たな秩序や豊かさを求めて雄飛したものづくり群像を紹介したいものだ。

精神分析家エリクソン（E. H. Erikson、１９０２−１９９４、米国）は心理社会的発達理論で、乳児期、幼児前期、幼児後期、児童期、青年期、初期成人期、成人期、成熟期の8期に、それぞれ取得すべき課題がある。社会に関わり始める青年期のそれは、自分は何なのか使命は何かを知る自己同一性（identity）。いわば自身を尋ね人して元気に行けと勧める。

自然変移や人事往来の盛んな春。引込線には車庫に入るよりも、客車であれ貨車であれ、本線に入ろうとする列車の方がふさわしく、胸が高鳴る。今これを失うのは勿体ない。

5 数とのふれあい

孔子は、15歳志学、30歳而立、40歳不惑、50歳知命、60歳耳順、70歳従心と述べた。聖人の言といえども、その数字は幅があるだろう。

孫子は「彼《てき》を知り己を知れば百戦殆《あや》うからず」と戦略を説いた。格言の「読書百遍意おのずから通じる」は、何度も読みこめば意味が分かると励ます。「雀百まで踊りを忘れず」や「三つ子の魂百まで」の諺は、人の習癖は死ぬまで続くと教える。百は、１００ではなく「たくさん」の意。

百で不足か……、うそ八百《はっぴゃく》、大江戸八百八町、浪速八百八橋などの語。明治時代の八百屋《やおや》の長兵衛は、有力者に囲碁の勝を譲って媚び、世に八百長の語を残した。李白は「白髪三千丈」に達したと、積年の憂いを詩に託した。1丈＝10尺≒３・０３ｍだから約９・１㎞まで誇張した。宮本武蔵は「千日の稽古を鍛とし、万日の稽古を練とす」と、怠りない修練を求めた。すごいのは、古い日本の宗教観で、森羅万象に宿る八十万神《やそよろずのかみ》や千万神《ちよろずのかみ》など。

小さな数も曖昧に使われる。例えば「一寸の虫にも五分の魂」。1寸＝10分《ぶ》≒30・３㎜だが、数字そのものに意味はなく、弱小といえども大きな精神を持つので侮るなとの戒め。「三日坊主」は、出家直後の修業さえ耐えられず俗界に戻る情けなさを揶揄する。「石の上にも三年」は、座り続けていれば冷たい石も温まる……と辛抱の大切を説く。勝負事で「３手先」は勝手読みの戒め、「岡目八目《おかめはちもく》」は傍目《はため》の方がよく手が見えること、「八つ当たり」は、自らの至らなさを顧みず誰彼なく感情をぶつける迷惑行為。「人の噂も七十五日」は、熱い話題もほどなく口の端に上らなくなるとの意味。

数の概念は、自然数（正数）⇒整数（ゼロ、負数）⇒有理数（整数の商、分数、小数）⇒実数（無理数、級数）⇒複素数（虚数）のように拡張されて、科学技術の進歩をもたらしてきた。

6〜7世紀初頭のインドの「無」の概念は、欧州ではアリストテレス宇宙観とスコラ哲学に逆らう危険思想。17世紀に初めて認められ、アラビア数字表記で0となり、紀元前の概念も導入された。6世紀に導入された西暦は、イエス降誕と思われた年を元年とする。その後の聖書学研究で、降誕はその数年前だと分かっても、今更、基準を動かせない。0年や0世紀も加えられない。

無理数（irrational、比＝分数にならない数）は、正方形の対角線長の$\sqrt{2}$や円周率πなど、利便性が高い実数。学生時代に、$\sqrt{3}$を言い合って友情を深めた覚えがある。その値1・7320508……（人並みにおごれや）がよかった。

複素数は、整数と虚数（imaginary、仮想数）から成る。虚数単位は$i=\sqrt{-1}$で、2乗しても正数にならない奇妙奇天烈な数だが、現実のしがらみを巧みに解く。例えば、正数の数直線は0を中心に反時計回りするとき、90度などで虚数の数直線になり、180度で負数の数直線になる。

科学技術上の数は、唯一価値を表現するが、社会は曖昧な用法を許容して人生訓などを作り、思考を深化させ世界を広げている。例えば、ゼロの概念は仏教の「空」に連なり、負数は願望と現実の差をよく考えさせる。無理数は果てない存在や端折って適切に使う合理を教え、虚数は非現実の仮想が新たな価値を生むと確信させる。

この頃、職場仲間と意思疎通できない人が増えたという。これを難物だと避けると、物事を変革し未来を拓く速度が鈍るかもしれない。人の心は単純ではなく、整数のほかに無理数も虚数も含む複素数の要素が潜む。彼我ともにそれを知り、理性的でありたい。今これを失うのは勿体ない。

6 憂しと見し世ぞ

小さな明るい喫茶店が近所に開店した。女性店主は郷里も近く、息抜きの場の一つに加えた。過日、飾り棚に載る分厚い書・Hyakunin Isshu（百人一首）を手に取り、子供の頃のカルタ取りを懐かしんでいたら、貰えることになった。

和歌（短歌）は、漢詩に対する倭歌《やまとうた》で、語句を五七五七七で重ねる抒情詩。7世紀の半ば頃から宮廷で盛んに詠まれるようになり、平安時代の貴族は、必須の教養として、古今集の歌を諳《そら》んじ、自ら詠み、それを美文字に表せなければならない。女性には、加えて琴弾きも求められたらしい。

小倉百人一首は、藤原定家（１１６２−１２４１）が京都・小倉山で編纂した『秀歌撰』（13世紀前半）。７世紀半ば以降の歌人１００人の各代表作1首が集められている。その中の２首に心惹かれた。

９番（『古今集』春・１１３）「花の色は　うつりにけりな　いたづらに　わが身世にふる　ながめせしまに」。大意は「桜（花）の色が、むなしく褪せてしまった。降り続く長雨を見て時を過ごしているうちに……」。幾分無常観を漂わせて、過ぎ越し方を偲ぶ姿に心が揺すられる。さらに字面の裏を知るといっそう味わいが増す。

句の「花の色」は女性の若さ・美しさをも意味する。「世」は現実世界と男女の仲、「ふる」は（雨が）降ると（時を）経る、「ながめ」は眺めと長雨との掛詞になっている。若く美しいともてはやされたわが身も今は老けこんでしまったなぁ、色恋沙汰などに気を奪われて過ごしているうちに……と、滅びゆく美のあはれをも詠み込んだ。

作者は、平安時代初期の小野小町《おののこまち》。彼女は生没年など生い立ちが謎めくうえに、このような技巧を凝らして情感を表せる才能によって、伝説の美女として後世にその名を遺した。

誰にも今が昔になる時が来る。権力を誇る指導者・管理者もその例に漏れない。この頃、定年を前に、上層部への恨みを聞かせる人が増えている。忠実に一所懸命尽くした、もっと処遇さるべきなのに……との思いだろう。だが組織の発展にはイノベーションが不可欠で、そのための自己研鑽と勇気が十分だったかと問うと明確な返答はない場合が多い。いずれにしても恨みを述べるのは見苦しく、それを抱えて送る余生など愚かに思える。

84番（『新古今集』雑・1843）「永《なが》らへば　またこの頃や　しのばれむ　憂《う》しと見し世ぞ今は恋しき」。大意は「もっと年を取ったら、今を懐かしく思い出すのだろうか。あの辛苦が続いた頃が今は恋しくなるのだから……」。辛いばかりの今日を慰め人生に立ち向かう姿勢を幾分、諦観を漂わせつつも真っ直ぐに詠んでいる。

作者は、平安時代末期の藤原清輔朝臣《ふじわらのきよすけあそん》（1104－1177）。歌の才能に恵まれながらも、父との仲が険悪で、低い位階に据え置かれるなど、挫折の多い不遇の青年時代だった。しかし40代からは、二条天皇に厚く信頼されるなど評価を高くし、著作を多く遺し、歌学の大成者となったと伝わる。

漱石も『草枕』（1906年）で「智に働けば角が立つ。情に棹させば流される。意地を通せば窮屈だ。とかくに人の世は住みにくい」と記したように、人の世は面倒で、いつも忍耐を要することが多い。この和歌は人々に、たまらなく辛い時に「持ちこたえろ」と呼びかけている。

ものづくり人は、辛い時に、巧みに思いを詠み心ある人を惹きつける才はなくても、幸いにも憂世を避け、科学技術に没頭して前進させることができる。それは、逃避ではなく、明日に立ち向かうもうひとつの勇気。今これを失うのは勿体ない。

7 武蔵と宗矩

技術系中間管理職が研究会報上で嘆く。「製造業なのに営業や管理畑が強く、技術系の人間はいい様に使われている……」と。それを見た別の読者が「同感だ、技術者に対する評価が低いのか……技術・製造に光を当てないと製造業は衰退する」と投稿。反射的に、江戸時代初期の2人の剣豪が頭に浮かび、両者に「一度パンチをかまし（大きな技術成果を見せつけて）黙らせよ」と力づけた。

柳生但馬守宗矩《むねのり》（1571−1646）は、柳生新陰流の開祖・柳生宗厳《むねよし》（石舟斎）の5男として生まれ、従四位下、大和柳生藩主。江戸幕府開府来3代の将軍家に仕えて剣術指南役・大目付を務める。将軍家の兵法として、習いの外の別伝（心法等）を論じた『兵法家伝書』を遺した。正側室との間に4男2女を儲けている。

宮本武蔵（1584頃−1645）は、総合武術の達人・新免無二斎の次男として生まれ、生涯仕官せず流浪した。50歳頃に確立した二天一流の極意を『五輪書』に遺した。妻帯せず、養子が2人。公私ともに華やかな宗矩と比べると少し寂しい。

ただ武術・戦闘歴がすさまじい。次男・宮本伊織（豊前小笠原藩家老）が建立した小倉碑文（1654年）などによると、13歳から30歳頃まで60回以上の決闘を勝ち抜く。有名な吉岡道場一門や巌流・佐々木小次郎（細川藩兵法指南役）との決闘が含まれる。その後は、幾つかの藩で食客となり、剣術指南をして比較的平穏に過ごした。

前者は治世術の達人で、幕藩体制を固め守護する超エリート。後者は戦闘術を究めようと清貧に甘んじ、孤独の修練を続けた無役の浪人。しかし両者は相手の真摯な求道姿勢を尊敬し合う好敵手だったに違いない。生い立ちが逆であったなら、入れ替わった役も巧みに演じただろう。実際、武蔵は剣術や兵法の足跡だけではなく、透徹の魂から水墨画、彫刻、街づくり、思想などの作品も遺した。その哲理は欧米人にも高く評価されている。

組織人は常に、上に対する忠実・下に対する責任・横に対する配慮の相克を抱える。組織の経営幹部は、組織使命を旗印に戦略を立て、権力で「衆愚」を制すること（管理）を主務とする。この宗矩型の役割は、多くの場合、人文科学系人間の方が上手なようだ。対して専門技術者は、目の前の機械システムを効率よく回すこと（保守・改善）を主務とする。この武蔵型の役割は一般に、理工技術系人間の方が適しているように思える。

権力は組織の維持・発展に不可欠だが、しばしば支配性が強まり、屈服・委縮をもたらす。人々は下命を受け入れて右往左往するうちに、初志や意欲を失うことが多い。気の弱い技術者であれば当初は、技術追求を置き去りにしていると罪悪感を抱くが、ほどなくお上の要求に応えること（忠実性）だけが全てになる。これは組織の先行きを危うくする。現実に取るべき戦術には、双方向からの接近が要る。権力の所作に対抗する強さは権威。孤高を持す権威には、権力も敬意を払う。

余命幾ばくもないことを悟った武蔵は、最後の2年間を岩戸山霊巌洞に籠り、『五輪書』を完結して数日後に死去した（1645年）。随所に「鍛錬すべし」と書き、「千日の稽古を鍛とし、万日の稽古を練とす」と説いた。また死の直前に高弟に遺した信条「独行道」には、「仏神は尊し仏神を頼まず」、「我事《われ》に於いて後悔せず、道に於いては死を厭わず思う」などの箇条がある。外界をよく観察し、自らの甘えを徹底的に排し、命を懸けて物事に当たる姿勢に戦慄する。その独行道を誰が軽んじようか。今これを失うのは勿体ない。

8 白と黒のエレジー

若手がパワーポイントで華麗な口頭発表をした。スクリーンに映る写真を含む映像の豊かな色彩と自信にあふれた口調がまぶしい。しかし、昔の教授なら表現術よりも実験量や内容を増やせと一喝しただろう。また、少し前はＯＨＰで、さらに前には幻灯機（映写機）を用いていたことなどを思い出した。

かつて写真技術は、研究者に必須だった。まず接写スタンドにサンプル品を置き、カメラに接写レンズを取り付けて撮影する。被写体の影を消すために、明かりの方向に苦労した。また透明のアクリル成形品を上手く撮れずに泣いた。次に研究室片隅の暗室で、撮影済みのネガフィルムをリールに巻いて現像タンクに入れ、現像液、停止液、定着液の順に所定時間浸し、流水洗浄後、空中に吊るし自然乾燥する。手探り作業は難儀だった。

ポジ画像（写真）は、ネガフィルムの画像を引伸ばし機で印画紙に焼き付け、現像液に浸す。浮かんでくる画の輪郭や濃淡を調節する作業は比較的楽しかった。余裕がない中、技術に長けた友人が自らと密かに思いを寄せる彼女の姿を合成しては悦に入る技術が羨ましかった。次いで、頃合いをみて定着液に浸し、流水洗浄し、フェロかけをして、カッターで耳を切って完了する。仕上がった写真は、論文に貼付する。苦労しただけ、一葉の写真に思い入れを深くした。当時はスライドもネガをポジに変換していた。論文は印刷費の問題もあろうが今も、一般に白黒写真を用いるようだ。

その頃に観た映画。『サイコ』（米、１９６０年）の怖さ。『七人の侍』（１９５４年）の雨の戦闘シーンの迫力。『第三の男』（英、１９４９年）の第二次世界大戦直後の混沌と謎の男。『カサブランカ』（米、１９４２年）の昔別れた恋人の夫の亡命を手伝う男気。光と影が作り出す奥行きのある映像が、いっそう心を揺する。モノクロでも明度や陰影を駆使すると、実に豊かな表現が生まれることに感嘆した。

リバーサルフィルムで直接ポジ画像を入手できるのは20世紀後半。カラーの現像を専門店に頼むので貧乏研究者には高くついたが暗闇の手探り作業から解放されたのは有難かった。

カラー写真は、ＴＶ映像も同じだが、実際を忠実に再現したものでなく、彩色《さいしき》されている。極彩色《ごくさいしき》は、いわば厚化粧の高度技術。実際よりも空は青に過ぎ、月も輪郭や黄金色が濃く、古木も若々しく、くすんだ建具も鮮やかに映る。そして平板な固定観念を押し付ける。白と黒だけで彩なす画像に比べ、例えば朧《おぼろ》の儚い風情、陽炎《かげろう》の幻《まぼろし》、空想の愉しみ、余韻などの深みが及ばない。写真の語は、実際（真）の写しの意という。中国語では照相、英語ではphotograph（光の描画）と表す。飾り立てが含まれても仕方がないかもしれない。

今世紀に華々しく登場したスマートホン。自撮りや料理写真投稿の趣味はないし、時に昔の習性で接写できればなぁと思うこともあるが、気ままにスナップを楽しむ。画素数やセンサーなどのレベルが大幅に向上し画質も十分のうえ、送信性、保存性、プリント性などにも優れている。これらデジタル機器による写真は、パソコンの画像処理ソフトで色彩や階調（濃淡）の調節、切り貼り、合成などが容易。科学データなどでは、注意しないと誇張、捏造《ねつぞう》、改竄《かいざん》だなどと誹《そし》りを受ける。

業界最大手の富士フイルムが、80年超にわたる白黒フィルムやそれ用の印画紙の供給を近く止めるという。ノスタルジーとともに、今はデータの見栄えに多くの時間を割く分、額に汗し手を汚しつつ物事を深める努力が薄くなったように感じ、一抹の寂しさが来る。今これを失うのは勿体ない。

9 アルキメデス殺し

科学技術史上の人物は、その足跡が、多くの分野にわたっていて専門を紹介するのに困ることが多い。アルキメデス（Archimedes、ＢＣ２８７－ＢＣ２１２）もその一人。

この古代ギリシャの巨人は、シチリア島の都市国家シラクサに誕生し、裕福な天文学者の父の下で、学問や機械技術を習った。10代の一時期、学問の中心地アレクサンドリアに遊学し、ユークリッドの弟子たちと幾何学を学び、自信を深めている。その後、故郷で生涯を研究に捧げた。

親しいヒエロン王が、神殿に奉納する黄金の王冠に細工師が銀を混ぜたと疑う。彼は浴場で、密度の概念を用いて純度を測ることを思いつく。物体体積を水面上昇で測定でき、排除した水量に応じて浮力が働くことに気づき（アルキメデスの原理）、分かった！　と喚きながら、裸のまま通りへ駆け出した。そのとき発した言葉が「ヘウレーカ」。

両側に異なる錘《おもり》を載せた天秤が釣り合う支点の位置を考え、梃子《てこ》の原理を見出した。「私に支点を与えるなら地球をも動かしてみせよう」という言葉を遺す。鏡面で光の入射角と反射角の一致、図形や物体の重心、図形やその回転体の面積・体積の求積法などの研究成果もある。円周率を内接・外接する正多角形から近似計算し、２２０／71と２２３／71の間にあると示した。

揚水ポンプ（アルキメデスの螺旋）を製作し灌漑に用いた。地中海の覇権を争った第2次ポエニ戦争では祖国のために、大形投石器、集熱光兵器（反射鏡）、巨大起重機（アルキメデスの鉤爪《かぎつめ》）などの兵器も開発。ローマ軍船を幾度も破壊した。

カルタゴ側の敗戦に終わり、捕虜にしようと踏み込んだ占領軍兵士に刺し殺された。中庭で地面に描いた図を見て考えていた時だった。最後の言葉は、「図形を壊すな」、「私の魂は殺せん」だった。ローマの将軍は、その死を悼《いた》み、墓碑に「球と外接円柱の体積と表面積の関係」の研究成果を称える図形を刻んだという。

天才は、学問の主流だったイデア（観念）に囚われず、現象を直視して理論化し、具体的応用を図った。数多い成果は、天文・機械・技術から物理・数学・力学にわたる。類いまれな探求心を持つものづくり技術者でもあった。

今日、高度専門化または細分化が進み、物事を深く掘り下げて科学技術を前進させている。他方、行動規制や排他性などを伴う。大学の講座、医院の診療科、企業の部課などでは一般に、携わる人々に専心を求め、他所との接触や他の干渉を嫌いがち。組織秩序や後進育成のためとしても、過ぎると属する人々の視野を狭く独善的にしてしまう。例えば自らの高い専門技量・知識に拘り、患者の第一の病因を見過ごすなら、その医師はどんなに有名でも名医とはいえない。

技術は科学的知見を総合的に組み上げて成り立つので、よい技術者は大抵、強い好奇心と飽くなき向学心で得た幅広い知識経験を持つ。いつもエトランゼとして訪ね、知的すそ野を広げている。昨今、上司が一挙手一投足を監視し規制するので、技術者が自発的に動きにくくなったと聞く。無駄な寄り道のようだが、外界と接すれば、時にすぐ役立つ暗示を受け、また好奇が向学心を起こす。

知の巨人は何事にも好奇心を発揮し、強い集中力で究明し、それらの蓄積で機器や技術を開発し直面する問題を解決した。技術者には、狭い場から飛び出して外で自己啓発せよと指導したい。甦った彼はきっと遂行技術を精錬する。少なくとも場が活気づきそうだ。今これを失うのは勿体ない。

⑩ はみ出しの叡知

研究会プログラムを組んでいて、慌てることがある。例えば、一人当たり25分の発表を4人で行うには100分必要なのに、つい1時間＝100分と錯覚して、1時間の枠にしてしまう。記数法・N進法では、一つの自然数Nを基本（底）に0〜Nマイナス1の記号で数を表記する。現代社会で最も人々の生活に馴染んでいる十進法では、0〜9の記号（アラビア数字）を使い、各桁は10の0乗、1乗、2乗、3乗……の集団の数を表す。これが主流となったのは、世界共通の長さ単位として定義された十進方式のmの波及効果のようだ（フランス、1791

年）。それ以前は、地域や分野の都合（実用性）から様々のNが用いられていた。

ちなみに、尺貫法廃止（１９５９年）の前の日本では、長さ単位は1尺＝10寸、1間＝6尺、1丈＝10尺、1町＝60間、1里＝36町だった。また江戸時代の金貨単位は、1両＝4分《ぶ》＝16朱だった。Nが混用されていて、計算し難さに優る便利さがあったのだろう。現在でもコンピュータなどでは、N＝2、8、16などの記数法が用いられている。

十二進法（N＝12）は、日常生活で有用。ダースは同種のもの12個組の単位だが、1ダースの鉛筆は2、3、4、6人で平等分割できる。10個組だと2か5人でしか平等分割できない。

1年12カ月は、上期と下期に2等分区切りでき、四半期や春夏秋冬を4等分区切りできる。

六十進法（N＝60）は、60が1と60自身を含めて12の約数を持ち、等分割性が高く使いやすい。暦、時刻、方位の表示で、世界の主流になっている。大昔の日本では、中国伝来の干支《えと》で時を表していた。甲《きのえ》～癸《みずのと》の十干と子《ね》～亥《い》の十二支を組み合わせた甲子《きのえね》～癸亥《みずのとい》の60個から成る。誕生年の干支が一巡すると還暦。今日でも満60歳を還暦という。赤い頭巾や袖なし羽織を着て祝う風習は、産着が魔よけの赤を使ったかららしい。

方位は洋の東西を問わず、それぞれ直交する東西南北の4語を基準にして表す。北東は北と東を等分割し、北北東は北と北東を等分割した方向。円を1周すると角度変化は３６０度（2π）なので、それぞれ北から時計回りに45度、22・5度傾いた方向になる。角度表示よりも単語で表す方が簡便。

時間の単位にも複数の記数法が混在する。1日＝24時間は変形十二進法、1時間＝60分や1分＝60秒は六十進法。秒以下は1秒＝1000ミリ秒、1ミリ秒＝1000マイクロ秒、1マイクロ秒＝1000ナノ秒、1ナノ秒＝1000ピコ秒だから十進法になる。普段あまり意識しないが、人類は記数法を都合よく併用して文明生活を営んでいる。

六十進法の考案は、メソポタミア文明（BC3300年頃）の創始者・シュメール民族で、1年360日の暦を使っていたという。360には、12や60も含み、多くの約数があり便利だったのだろう。ちなみに現在の太陽暦では1年＝365日だが、地球の公転（1太陽年）は約365・25日なので、4年ごとに閏年《うるうどし》を設け2月を29日にして調節する。

閏《うるう》とは、余りとか異端を意味する。近年の重力波天文学の成果によると、たくさんの銀河、そして無数の恒星があり、生命体が存在し得る地球型惑星も多いという。彼の地でシュメール的存在が用いる記数法と閏の処理法を知りたい……。

多様な記数法は、人類は人智を超えた事象に身を委ねつつも、物事を割り切る便利を享受しはみだしを巧みに処理して文明生活を営んできたと気づかせる。人は目前の小さな合理に拘りがちだが、はみだしを含む大きな合理を意識しないと、本質を見失うと諭す。今これを失うのは勿体ない。

11 美しき平衡を取る

かつて電球取り換えのためにテーブルに乗ったとき、身体が揺れる感じがした。青少年期には屋根、断崖、吊り橋、ジェットコースターなど余裕をもって臨めたのにと納得できなかったが、年を経て平衡感覚が衰えたことを認め、それ以降は椅子の高さ以上に上らないよう注意している。

外力などの外因が釣り合い、物事が動きを止めた安定状態を平衡という。天秤はかりでは、棹を水平に保つ左右の重量を探る。綱引きでは、双方の力が拮抗する綱はずれない。合金の平衡状態図には、成分、温度、圧力で定まる安定相が示されている。英語では equilibrium または balance。ちなみに女子体操競技の道具 balance beam は平衡はりだが、慣例で平均台と呼称されている。

平衡感覚は、静的また動的動作をする身体の傾きの感知能力。前庭器管の感度、感覚器官の識別能力・速度、運動能力、脳神経系などが密接に係る統合システム。その衰えは40歳代で兆し、50歳代から加速され、眩暈や揺れが起きやすい。筋力も衰えていてよろめきを修正できず転倒するという。例えば台、梯子、脚立などに乗ると、身体の不安定感が強くなる。遠くを見る、あるいは目を閉じれば収まるが、それでは作業はできない。

猛暑の夏には、熱中症で倒れる高齢者が多く出た。感覚器官や脳神経系が衰えたうえに、衰しいことにそれを自覚する脳じたいも鈍くなるので、自ら対策できないからという。昔の記憶で行動すると危ういということ。平衡感覚の劣化を遅らせる鍛錬法もあるようだが、若返りすることは決してない。

組織集団の構成員は、常に多方位から有形無形の力を受けて業務を進める。この場合の力は、様々の考え方や遂行条件などの外因を意味する。独善は許されず、置かれた環境条件で平衡を取る社会的平衡感覚が不可欠。しかも外因は移ろいやすく、現状だけを見ていると遅れてしまう。常に課された使命を再確認し、次なる価値を求めて自ら動き、新たな平衡（動的平衡）を作る努力が要る。これに巧みだと、自らの能力以上の成果を上げ、バランス感覚に優れた人材として高い評価を得る。

バランス感覚は、他人との交流で備わる。身体的平衡感覚と異なり、経年は不利にはならない。それゆえ志高い技術者は帰途、誘い誘われ、安い居酒屋に足を運び、老若入り乱れ語りあう習慣を持つ。そこでは、会議では窺えない本音で互いの意欲を確かめられ、温かな連帯感が生じる。深酒で性格や足元があやしくなり身体的平衡が壊れ、時に家庭内平衡が損なわれる危険もあるけれど、嫌な奴とも意気投合できたり、不思議に心身不調が治ったりもする効用もある。

近年、交友や協働を苦手とする若者が多くなったと聞くが、実に惜しい。児童期に不自由なく大切に育てられ、子供どうしの遊び経験が不足し、それに個人の意思が優先される時代のせいだろうか。身体的平衡は取れても、社会的平衡を作れなければ、個も集団も成長しない。若者は高木の梢近くまで、煽《おだ》てれば直ぐ天にも昇る元気を出せる。年寄りは知識経験が豊富でも自ら高みに昇れない。後方支援を基本に、抜けた観点を気づかせ、励まし、必要な助力をしたとき、若者は成長し望外の成果を示す。志の高さを遠くで眺め、また目を閉じて見守るのも楽しい。

「汝自身を知れ（Know thyself）」は、デルポイのアポロン神殿の入口に刻まれた古代ギリシャの格言。善き日常生活を送るためには、自身の能力をよく知り、行動特性を巧みに制御する必要があると諭している。今これを失うのは勿体ない。

⑫ 瓜違いを貴ぶ

喧騒を離れて逃げ出す田舎に、隣人とよく行く鮨屋がある。今度も鮨種だけでなく裏で自作した新鮮な野菜の付け合わせが嬉しい。甘く美味しい煮物は、アジウリのはずなのにカボチャが生《な》ってしまって……と板前さんが笑う。

外見はずいぶん違うけれど、両者はともに、ウリ目ウリ科キュウリ属の種《しゅ》。畑が近かったので、自然交配で面白いものになったようだ。瓜には、西瓜《スイカ》、冬瓜《トウガン》、苦瓜《ニガウリ》（ゴーヤー）、南瓜《カボチャ》、ズッキーニ、錦糸瓜《キンシウリ》、隼人瓜《ハヤトウリ》（千成瓜《センナリウリ》）、夕顔《ユウガオ》、瓢簞《ヒョウタン》などの類と、メロン、真桑瓜《マクワウリ》（味瓜《アジウリ》）、白瓜《シロウリ》、胡瓜《キュウリ》などのメロン類がある。本来は果菜だが果物の扱いになるものが多い。原産地インドから東方に伝来した品種群が瓜で、地中海を越え西方に伝来した品種群がメロンと呼ばれる。BC2000年頃から栽培され、品種改良を重ねてそれぞれ固有の味を持つようになった。

同じ蔓性果菜だが、茄子はナス目ナス科ナス属の種。原産地インド東部から中国に伝わり、日本でも奈良時代には栽培されていたらしい。果皮も黒紫色だし、瓜と自然交配はしない。「瓜の蔓に茄子《なすび》は生らぬ」という所以。この諺は、自分のような親から非凡な子は生まれない、鳶《とび》が鷹《たか》を生むようなことはないと謙遜するときに用いる。転じて、普通の事柄から突然優れた結果など生まれないということも意味する。

とくに秋茄子を焼いた直後の果肉の味は抜群で、居酒屋では毎回2〜3人前を頼み、水割りを重ねることになる。「秋茄子は嫁に食わすな」は、美味しいので憎らしい嫁に食べさせたくないとする一方、嫁が身体を冷やさないように、また種《たね》の少ない茄子のようになるのは困るからだともいう。本義は、夜目（ねずみ）に食われないように注意せよだという説もある。とにかく、それほど魅きつける味なのだろう。

「瓜田李下《かでんりか》」は、古い漢詩の古楽府《こがふ》『君子行』にある「瓜田不納履《かでんにくつをいれず》、李下不正冠《りかにかんむりをたださず》」の短縮形。瓜の畑で履物を正したり、スモモの木の下で冠を正したりすると果実を盗むと疑われる、紛らわしい行為をするなとの教訓。

瓜実顔《うりざねがお》は古来、日本美人を形容する。たぶん味瓜の小さな可憐な種子に似た縦長楕円の顔立ちのこと。南瓜の種子のような横に膨らんだ形ではない。また「瓜二つ」とは、同じ種子の瓜なら、外見もよく似ていることから、容貌がよく似た親子やきょうだいを喩える言葉。

最近の若い男性の顔立ちも面長で、いわば瓜実顔。彼らは鏡を覗き、専用化粧品で眉を描くなど入念に化粧するらしい。昔は、いかつい顔立ちで弊衣破帽のバンカラを競った。それが覇気や信頼の証しで、女性にもてると錯覚した面もある。社会も、輪郭色彩よりも果敢に仕事に挑み実績を上げた年輪を刻んだ素顔を称えた。

それを話題にしたら、大学出たての女性たちが笑う。彼女らは総じて、男子学生よりも成績が上だった。口々に、俺に随《つ》いてこいと命令されるよりも従順に仕えてくれる可愛く化粧した優しい男性がよい……と言う。ほどなく、スパルタの勇猛果敢な歩兵への憧れが消え、女丈夫だけの狩猟民族アマゾネスが蔓延《はびこ》るのに違いない。幸いにも南米アマゾン川流域で、女だけの未接触部族は未だ発見されていないけれど。

瓜もあれば茄子もあり、同じ瓜でも多様な種があればこそ楽しめる。皆が瓜二つを演出するよりも、むしろ多様性を際立たせた方が味蕾《みらい》も未来も生きる。今これを失うのは勿体ない。

【『工業材料』66―1～12（2018）】

十四、談話室　届かざる愚者の祈り

1 ごく最近のできごと

原始地球が誕生したのは46億年前。今日まで驚天動地が続く。大惑星の衝突で月が生まれ、溶岩流の地殻に、雨で冷気、そして海と大陸ができる。公転軌道、地軸角度、太陽活動などが幾度も変わる。惑星の衝突、大地震、大噴火、全球凍結、氷期、超大陸分裂、大陸移動、ヒマラヤ誕生、島の生成と水没、気候激変など、枚挙に暇がない。

無機質の厳しい環境下、最初の生物が現れたのは35億年前。次いで24億年前、光合成細菌（藍藻《らんそう》）が生まれ、酸素を放出し大気を形成する。嫌気性生物が絶滅し、代わって大森林や様々な生物種が大発生し、魚類が台頭し、脊椎動物が上陸した。その後、生物種の大量絶滅や恐竜時代を経て、５０００万年前にほ乳類が台頭した。

遥かな時を経た７００万年前、アフリカで類人猿から分岐して、２足歩行できる数種のホモ（人族）として猿人が現れる。ホモの中で、約40万年前、サピエンス（賢い人）のネアンデルタール人が現れる。アフロユーラシア大陸全体に拡がるも、３万年ほど前に絶滅し化石人類になってしまう。次にアフリカで約20万年前、現生人類が現れ、ユーラシア（7万年前）、オーストラリアやオセアニア（4・5万年前）、メソアメリカやアンデス（1・6万年前）にも進出する。先住の大型動物はほどなく死滅している。

　最終氷期が終わる約1万年前、オリエントの肥沃な三日月地帯で、現生人類が植物栽培と動物の家畜化に成功し永続的定住生活に入る。メソポタミアで灌漑が行われ（BC5300年頃）、都市が建設され、最古の文明（ウバイド文明）が誕生する。利器や言語を使用し、楔形文字の記録、貨幣、宗教（多神教）を持ち、文化を継承・発展させる術を習得した。これより先史時代が終わり、歴史が歩みだした。

　なぜホモの中で、またサピエンスのネアンデルタール人でなく、我々が唯一種となれたのか。注目すべき説がある。両者は共に狩猟採集を生業として火や言葉を使い洞窟に住んだ。先人は脳が大きく大柄で生活空間は家族単位。社会感覚に乏しい根暗《ねくら》だったので、穏やかに死滅した。対して後人は、脳が小さく小柄だが、家族を超えて運命観を共有し、150～200人の集落を形成して協働した。狩猟技術なども素早く共有し皆で改善した。生存適性に心身能力を集団で増強する術が加わったからだという。

　有史来、幾つもの文明が滅んだが、その原因の多くが天体や地球の事変でなく人災によることが哀しい。当初の後人は、大自然を怖れて祈り、恵まれた糧で満足していたが、すぐに科学技術や思想を展開し、富を増し、新興文明を輩出した。しかし、その賢明には知足が伴わず、手っ取り早く他所に侵攻し略奪と破壊を重ねる。地球の至る所で諍いは絶えず、アフリカや中東地域など、多くの文明発祥ゆかりの地は、今に至るも混乱を続けている。

先人の生存期間の半ばに登場した後人。先例に倣えば、今まさに後期を迎えようとするが、その生は死と隣り合わせの協調から、我欲のため滅ぼしあう共食い状態にある。身近な組織集団でも、しばしば独善的上昇志向や派閥が横行し、驕りと屈辱が交錯し、協調を損ね、内部混乱で自滅する例を見る。3％ほど引き継いだ先人のDNAによる自分主義なのか、真の根明《ねあか》な後継人が登場してもよいと過激な滅びを覚悟しているのか……。地球史では一瞬だけの愛おしい生命を麗しく営みたい。

優れた技術や作品を世に出しながらも、決して誇らず柔和な一人の友人がいる。原爆で生き残ったことに、むしろ後ろめたさを感じているサピエンスの一人。今これを失うのは勿体ない。

2 皇帝の無邪気

広範な山崩れの北海道胆振地震（2018年9月）に、改めて大自然に畏怖の念を抱いた。同時にすべての利器を麻痺させた全域停電（ブラックアウト）に、文明が依拠する電気の業に思いが及んだ。

アルミニウム（Al）は、今は代表的工業材料。その名の起源は、明礬《みょうばん》（ラテン語Alumen）。

かつては軽銀《けいぎん》や礬素《ばんそ》（明礬の素）とも呼ばれていた。銀白色で、低融点、良好な加工性、大きな比強度、耐食性があり、高電圧線、サッシ、航空機、箔、鍋やかん、一円硬貨などに広く用いられている。

地殻にアルミノケイ酸塩鉱物などの形で、酸素（O）、珪素（Si）に次いで多く存在する。主な原料はボーキサイト（鉄礬土《てつばんど》）。水酸化ナトリウム処理で得たアルミナ（Al_2O_3）を氷晶石（Na_3AlF_6）とともに溶融し、炭素電極で電気分解し地金にする。ホール（C. M. Hall、米）とエルー（P. Héroult、仏）による融解塩電解法（ホール・エルー法、１８８６年）。これには大量の電力を必要とする。それゆえ大規模発電所が建設され効率的送電がなされる20世紀半ばまで、容易に入手できる金属ではなかった。ちなみに現在の日本では、電力が僅かで済むアルミニウム屑の電気炉溶解で地金を作っている。

Alは標準電極電位がHより低く、卑金属に分類される。K、Ca、Naなどの値よりは高くFeやPbよりも低い。他方、Au、Pt、Ag、CuなどはHより高い値を持ち、貴金属に分類される。酸化しやすいAlだが、固体になると同時に薄い緻密な酸化皮膜で保護されるのでさびない。理論的にはイオン化傾向が上位のKやNaによる還元法で作れ、実際１８２０～40年代に試みられもした。しかし、手作り生産にとどまり、当時は金よりも高価な金属だった。

電解法で抽出したAlを「粘土からの銀」と名付けて、ドビーユ（H. E. S-C. Deville、仏）がパリ万国博覧会（１８５５年）に出品した。これを見て虜《とりこ》になったのが、時の皇帝ナポレオン

3世（ルイ・ナポレオン、在位1852〜1870年）。

伯父は、アンシャンレジーム崩壊後の混乱を鎮めて革命を終結させ、皇帝に推され（1804年）、軍事独裁政権で新社会体制を確立し、欧州に広く領土を拡大し、凱旋門を建立した英雄ナポレオン1世。その子息（ナポレオン2世）が夭折していたので、名跡を継いだ。

男子普通選挙で大統領に当選し、国民投票で皇帝に選任され全権を掌握する。神授の王位と違い、皇帝は傑出した能力のある軍人が選ばれた。やはり外地拡張政策で植民地の拡大に努める。しかしメキシコ出兵に失敗し、プロイセンとの戦争で鉄血宰相ビスマルクに敗れて情けなくも捕虜になり、余儀なく退位した。欧州人は、生きて虜囚の辱めを受けても再起を期す。

彼は、アルミニウム製造技術の支援に乗り出す。当初は甲騎兵の防具の改良を狙ったらしいが、実際には皇帝御用達のナイフやフォークを作らせ、賓客のもてなしに使った。一般貴族には、銀製のものを使わせたというから何とも愉快。また扇、兜、上着のボタン、子供のおもちゃをも作らせ、見せびらかしたという。いかめしい軍人上がりの皇帝なのに、好奇心が強く新しもの好きで幾分軽薄感を漂わせる。その人間味が人々を惹きつけ、工業技術の進歩を促したかと想像すると楽しい。

そういえば技術や科学の場でもブラックアウトになる。実力と人格を備えない管理職が、職権神授とばかりにパワーハラスメントに励み、周りに意欲を失わせる。進歩には皇帝の無邪気な元気づけも要る。今これを失うのは勿体ない。

3 ゆるくない終章

ゆるいマスコットキャラクター（ゆるキャラ）が流行っている。多くは動物をデフォルメした客寄せ用の創作生物。無邪気な子供たちが駆け寄るのを見て、疲れた大人も癒される。だが、これを徹底的に排除しなければならない時もある。技術リポートは、自己の成果を恒常的に正確に外界に示すために、理工学や技術業に携わるものにとって必須。構成の基本は、言葉遣いは好みで変えても、表題、要旨、緒論、方法、結果、考察、結論、謝辞、参考文献の順になる。

表題と要旨は内容を簡潔に盛った鑑で、後の検索や引用へ利便性を高めるために設けられている。緒論では、研究遂行の意義と具体的目標を述べる。方法では、供試材、実験装置、手順、解析、測定などを記し、結果では得たデータを種別または目的別に図表を基に平易に説明する。ここまでの作業は、汗の結晶を素直に冷静に表すだけだから比較的楽しい。間もなく一段落だと、脳がドーパミンで満ちるほど高揚するときもある。

考察に至ると事態は一変する。ここは自問自答で結果の意味を深く検証する場。相当する英単語はConsiderationやDiscussion。宇宙の果てまで思考を深め、成果について冷静に、先達の足跡を振り返り、それを超えた独創性があるかどうかを確かめ、工学や工業での価値、応用性、普遍性などを論じなければならない。蓄積がものをいう。

よほど自信家でなければ、これでよいのかどうか（To Be Or Not To Be）とハムレット並みに悩む。そして何度もフィギュアスケートのKiss And Cryと同じ状態になる。他人の評価なら受け入れるしかないが、自己評価では救いがない。自賛よりも嘆き悲しむ回数の方が多い。頭を叩いたり擦ったりして煩悶する。ほとんど自傷行為。しかし、結論へ向かうには避けて通れない。

過去に誰かが出した成果に類似すると分かったとき奈落に落ち、文献探索と研究目的の甘さを知り自らを呪う。かなり間を置いて少し冷静になり立ち直る。前非を悔いつつ先達を称え、追試したことにはなるが技術有用性があると気を取り直して再開する……。思えば20世紀初頭、小川正孝（東北大）が新元素ニッポニウムの発見を発表し後にレニウムだと判明した。最高峰の化学者でさえ「新しさ」を誤った。誰が咎めよう。

成果が時流に乗れそうなら、高いインパクトファクターや実用などを夢見て筆が軽やかに進む。だが一般には、潮流に惑わされず深層や水底で志を温める研究の方が多い。そのような成果には、未知の世界へ誘う無限の妖しい魅力がある。２０１６年6月、森田浩介ら（理化学研究所）が初めて合成した１１３番元素の名を国際純正応用化学連合（ＩＵＰＡＣ）が、ニホニウム（Nh）と確定し日本が沸いた。その寿命は１０００分の2秒だという。門外漢には未来における価値は分からないが、元素が作りだされたこと自体が興味深い。

よく立ち直ると最終段階で、改めて現在の世界の知識を総覧し、研究を続けるか路線を変更するかを確かめる。そして、次の実験計画などを綿密に立てる。この勇気ある作業が綿密なほど次の研究遂行から発表まで円滑に進む。このところ誰もが、現実の利益や利便性に直結することに忙しくて沈思黙考を避ける。

元気だけが取り柄の若手が滅入って虚無を漂わせている。非ゆるキャラ上司が「それで何が儲かるのか」と、自傷の考察を一蹴したらしい。その共有が、彼をいっそう奮い立たせ明日の成果を呼び寄せるだろうに……実に惜しい。今これを失うのは勿体ない。

4 桜花のつぐない

桜の頃は、物事を仕舞う年度の区切りでもあるので、いっそう時の流れに思いが深まる。ゼミの空間は、泣き笑いの喧騒から人影なき森閑へと変わる。夕暮れに、寂寥とした実験室に小1時間ほど佇む。激闘の跡を振り返り心身を鎮め、気を取り直して有難うと呟いて戸締りをする。1年を送る恒例の儀式だった。暫しの春休みには身を横たえ自問自答する。個を大切に全身全霊で当たれたか、指導の名で単なるデータ採りを強いたり効率優先の手抜きをしたりしなかったか……。そして、彼らに前途に何があろうと、自身で自らを励まし力強く行けと願う。

ゼミ卒業生の結婚式は、忙殺の日常を忘れて心が和む。新郎へのはなむけの言葉を考える時からその同期生などと談笑し再会を約束して別れるまで昔に返る。時には勇気をもらう。その友人の祝辞は満座の喝采を浴びた。エピソードを交えつつ「この間研究室へ行ってみたら、びっくりするほど立派になっていて成果も多数出ているようだ。俺たちの頃は何もなくて苦労した。だけど不屈の精神だけは学んだよなぁ」、続けて「ところで、お前きれいな嫁さん貰ったことだし頑張れよ。俺も会社を絶対発展させるからな」と結んだ。

彼等は最も辛い時代を共にしてくれた同志。嬉し涙を必死で堪えて強い拍手を送った。帰途、知識・技術を伝授しようなどと気色ばらずに共に歩めばよいのだ、使命感をもって苦労してでも進む姿勢だけ見せればよいと再確認した。このスピーチは、深く心に染みて、その後の支えになった。

人の世は悠久の中に区切りを設け、感傷的にさせる。孔子は15歳志学、30歳而立、40歳不惑、50歳知命、60歳耳順、70歳従心だったと述べた。たいていの人は空しく消え去った決意と自らの未熟な現状に思いを深め悲嘆にくれる。これに対して、長寿祝い年齢には深刻さがない。60歳還暦（十干十二支の組合せ一巡）、70歳古希（杜甫の詩から引用）、77歳喜寿（喜の草体七十七）、80歳傘寿（傘が八十に似る）、88歳米寿（米が八・十・八で構成）、90歳卒寿（卒の通用異字体が卆）、99歳白寿（白が百マイナス一）、108歳茶寿（茶が十・十・八十・八で構成）、111歳皇寿（皇が白・一・十・一で構成）など、還暦と古希を除けばこじつけ気味だが面白い。古人は祝い事がよほど好きだったとみえる。七五三なども含めて、あまり深く考えず、単純に寿ぎ懐かしめばよいのだろう。

その昔「少年老いやすく学なり難し。リセットできないならせめて校正したい。これからはバッカスを友にヴィーナスを見ながらさすらう。若干の後方支援ボランティアをするだけ」と定年挨拶に書いた。いつも仕事が切迫し切り捨てざるを得なかった多くの物事に、少し情感を込めてゆっくり当たりたかった。

近年、乱読とずぼらのゆえに書棚が足りなくなったので、しばしば書物やファイルを整理する。ＢＧＭには、苦闘時代と重なり存在さえ知らなかったテレサ・テンの愛と別離の澄み渡った歌謡曲を流す。手に取るとつい頁を繰り時間がかかる。高価だった専門技術関係書でも今は役立たず、便覧、事典類を除いて多くははかなくなる。他方、基本科学書、哲学書などは古びない。さまよい疲れていた時に道を示してくれたことに感謝し、また改めて読み返して納得することも多く棄てられない。

時だけは人の干渉を許さず非情に去る。だが及ばざるを嘆くまい。昨日のように今日も、全力で意義深く過ごし、麗しい時の流れを取ることでつぐないたい。今これを失うのは勿体ない。

５ 未知への蛮勇

その字面は優しい。小学３〜４年生で書ける漢字だし、何よりも平穏を成就すると読めた。とはいえ平成の時代30年（１９８９〜２０１９年）は、日本が直接巻き込まれる戦争や大量殺戮こそなかったものの波乱が続いた。

世界では、中国で民主化の希望を打ち砕く天安門事件が起きている。ベルリンの壁が崩され東西ドイツが統一され、東西冷戦が米ソのマルタ会談で終結し、やがてソビエト連邦が解体された。他方、湾岸戦争、米同時多発テロ事件、イラク戦争など、平和には程遠い殺戮が行われた。経済面では、グローバリズム思想の下で自由主義諸国に共通価値観と大幅な規制緩和を強い、すべての物事が国境を自由に往来できることを善とし、欧州（ＥＵ）では共通通貨ユーロが導入された。

日本では、自民党分裂・下野、連立内閣や民主党政権の成立、自民党政権復帰など政界が大きく揺れている。経済では消費税３％導入と税率増加があり、バブルの崩壊を契機に「失われた20年」なる長期不況が始まり、それにリーマンショックが加わり不景気に苦しむ。グローバル化の潮流に乗り切れず、貿易量も少ししか伸びず、ＧＤＰは米国に次ぐ世界第２位の座を中国に譲る。経済的地位の大幅低下は、国の威信や影響力の低下を招き、近隣との軋轢がいっそう増した。

人々は経済が、戦後の高度成長や上昇基調から下降線になったことを悟る。国は工業立国の旗を降ろし、局面の打開に科学技術創造立国そしてイノベーション立国を掲げ、持続可能な成長を目指す。しかし様々の施策も未だ競争力を復活する科学技術や経済を牽引する新産業などの創出には至らず、国の借金だけが右肩上がりになっている。

それでも容赦なく災害が襲った。阪神淡路大震災、三宅島噴火、東日本大震災、熊本地震、北海道胆振地震、大暴風雨被害など、忘れた頃にやってくる筈の災害が相次いだ。また地下鉄サリン事件、ＪＲ福知山線脱線事故なども起き、詐欺、いじめ殺しなどの陰惨な事件が社会を震撼させた。

長期低迷経済下で、徹底したコスト低減、３Ｋ費（広告、研究、交際）の削減、出版減、低金利、リストラと永久雇用制の崩壊、企業倒産などが常態化した。倫理や忍耐よりも目前の利益が優先され手抜き工事や製品検査データ改竄など不祥事が表面化した。人々は不安感に苛《さいな》まれ不機嫌になる。高大学生は生活費稼ぎに忙しく、国の借金の付け回しに脅え、若者に固有の未来を恐れぬ底抜けの明るさがすっかり影を潜めた。

情報通信技術が著しく進歩して多くの便益をもたらしたが、デジタル的考え方が合理だとして感性を含む実験研究などが侮られ、また温もりのある人の触れ合いが大幅に減少した。管理の視線が強まり減点主義が横行して評価が成果一辺倒になり、科学者・技術者は失点を恐れて委縮し改善・開発に汗をかこうとする意欲を喪失する。厭戦気分は無責任や事なかれ主義を蔓延らせ、厳しい検閲・評価にも拘らず不始末が起きる。そのうえ少子高齢化が著しく進み、戦後の成長を支えた生産年齢層が退役した。そして消費が落ち込み、製品は売れ残り、大学は倒産に脅え、工学も元気をなくし、学会は経営難に陥っている。

言うならば平成は、持ち堪《こた》える時代だった。昭和は輝いていた、明治は燃えていた……などの嘆きは詮《せん》無《な》い懐古。改元を契機として未知へ挑戦して社会に役立とうとする志を確かめあい、動いてドジを踏んでも咎めず、むしろその蛮勇を支えることにしたい。今これを失うのは勿体ない。

6 井戸水と情報の類似性

よく行く銭湯や喫茶店では地下水を汲み上げて利用している。水道水より柔らかく優しい。地下水は山間部に降った雨雪が地面に浸み込み、地層の隙間を縫って流れている。幾つもの地層の粒子間隙を数十年から数百年かけて通過する。その間に濾過されミネラルを富化した浄水になる。

水頭が地表より高いと地下水は自然に噴き出し湧水（清水、出水、泉水など）となる場合があるが、一般には井戸で取水する。浅井戸は地表から7～10mの深さにある地盤上の不圧地下水を、深井戸は固い地盤の下にある被圧地下水を湛える。暑い夏に井戸の中に吊るして冷やした西瓜は美味しかった。釣瓶《つるべ》で汲み上げていた頃の話だが、今は地中のタンクからポンプを使って取水する。

手押しでもうず巻型でも、初めにポンプとその吸込管を水で満たし空気を追い出す。この水は呼び水、誘い水、迎え水など、優しい響きの呼称をもつ。空気は圧縮性なのでポンプを起動しても井戸底の水を汲み上げられないが、水は非圧縮性だから共連れできる。井戸は運悪く天変地異で水が枯れると、空井戸《からいど》になる。そうなると専門技術をもつ職人に新たに掘ってもらうしかない。他方、頻繁に汲み上げなければ水が腐って異臭を放ち飲料水には使えなくなる。上水道がまだ行き渡らない頃、井戸の周りで主婦たちが炊事洗濯をしながら話の花を咲かせた。この社交は井戸端会議と評された。

情報は井戸水によく似ている。途絶えた人物は空井戸のように振り向かれなくなり社会で存在する意義を失う。また、たとえ井戸端会議であっても誰かがきっかけ（迎え水）を作らないと始まらず、たわいない話題でも互いに更新しないと腐った井戸水のように相手にされなくなる。

この意味での情報は、事象、事物、過程などの特定の主題に関する知らせ。英単語ではＩＴ（情報技術）などに使われるInformation。形作る（form）に接頭語in-（中へ、状態へ）が付いた動詞の名詞形。語源は心の中に形成するという意味のラテン語という。もう一つ別の意味の情報は、理解力、理知、聡明など。英単語ではＡＩ（人工知能）、ＣＩＡ（中央情報局）などに使われるIntelligence。語源は理解する（intellego）と状態（-ens）を合成したラテン語という。

ものづくり技術に例えると、前者は素形材（一次資料の蓄積）で後者は加工品（素形材の価値分析と利用）だといえる。人間の脳の働きから見ると、前者は事象の記憶力を、後者はそれを基にして行う判断・推理力を用いる。つまり後者には前者を基にした知識確認や価値判断が含まれる。

地下にあっても伏流水は地表水に近く井戸水と違う。水質検査も行わずに飲むと体調を損ない、酷いときには重篤な病に陥る。同様にその情報を自らに安全で有用なものかどうか科学的検証もせずに動くと危ない。近年ICT（情報通信技術）の発展で情報が氾濫し、真贋さえ怪しいものも含み惑わす。時流へ乗り遅れると焦って動くのはかなりの危険を伴う。自らの必要性を外界との関係まで深く考慮し、その考察の下に自ら呼び水となり良質の水だけを汲み上げるように努めるべきだと思う。

科学的思考が加わるとき、情報は単なるデータ収集のためのInformationから物事の創造をもたらすIntelligenceになる。物事の計画と遂行には、科学や技術の視点で常に二つの情報を確かめておく必要がある。よく保守管理された井戸で常に汲み上げてこそ、新鮮な美味しい井戸水が用いられる。今これを失うのは勿体ない。

7 凛と立つ時代

令和元年は平成31年で昭和94年。いろいろの考えがあっても、元号は一つの時代区切りになり思いを新たにできるという利点がある。令の意は令達や律令のそれではなく、令名や令室のように麗や貴の意を含む。「巧言令色鮮《すくな》し仁」（孔子）にも表れる。もちろん甘言と色香に釣られてひどい目に遭ったとしても文字に罪はない。和の意は「和《やわらぐ》を以《も》って貴《とうと》しと為《な》し、忤《さから》ふること無きを宗《むね》と為《な》す」（聖徳太子の十七条憲法）にも表れる。協調が過ぎて理念や使命を失くすのは本意でない。筆者は外国人に、二つの漢字の意はfineとtemperだと大雑把に語っている。

幼児は母が好きな色を好きという。児童は春が好きでも、先生が秋を好きと言えば少し落胆する。これは人の本性から発する愛想の一形態だが、人の行動は心理の強弱で影響されることも多い。

学生は時に教師の著作を丸写しして課題報告する。学士・修士・博士課程の研究では、教師の意や仮説に不都合なデータや図表を捨てる・隠す・条件を合わせるなど操作をする。必ずしも不真面目なのでなく、不興を買うことを恐れ、好かれたいとの思いから来る。

職場内でも下位者は、命令権を持つ上位者（職制）を喜ばせたいという弱い心理を持っている。例えば社長ヒアリングで、技術者は方針・指令に沿って遂行しよい結果が出ていると進捗報告をしたい。時には未遂のこともバラ色の成果が出たかの如く装う。一種の媚で嘘が混じる。仮に社長が歩留まり改善でコスト低減せよと叱責したとする。面子が潰れた技術部門長は部下に何とかせよと怒りを露わに迫る。しかし技術改善は一朝一夕には成らず結局、末端の検査担当が合格基準を緩めて急場をしのぐ。このとき客先や社会の迷惑を失念する。ほどなく習い性になり誰も不正と疑わない。「運悪く」発覚して企業倫理が問われる結果になることに思いが及ばない。この傾向は強権管理の組織ほど強くなる。

一般に体制が動かす現実の物事は相対正義の下にある。個人が絶対正義の信念を貫くには、疎んじられ排除されてもよいとの覚悟がいる。学生だった大昔、明治生まれの硬骨教授が「学生運動は将来に障る、君は正義漢だが馬鹿だ！」と悲しげに怒った。心の中で泣きながら抗った。研究者になりたての頃、昭和初期生まれの教授が自説に対し「意見がほしいのに真剣に反論しない！」と怒った。不誠実を必死で詫びた。そして……信頼され応援してもらえた。それは今も心に熱い遠い記憶。

要領のよくない学生が、密かに「高い学費を納付してなぜ無償で使役されなければならないのか」と質問に来たことがある。彼の所属研究室では教師が論文発表用の実験データを学生に分担採取させていた。素朴な疑問はしばしば世の矛盾や欺瞞を鋭く突く。欧米では学生を教師の無給研究助手には決してしない。辛うじて「今は耐えて君が未来を変えて行け」と助言をした。ちなみに筆者は卒研生に、すでに経験していても「どうなるか分からない……君なら上手にできる」と意欲を喚起し、自らの仮説は最終段階で示すようにしていた。

愛想と異なり迎合は、モラルの低下など不毛の結果を生む。どの立場であれ同調や迎合が第一になると社会システムを壊す危険があることを認識し、上司や指導者は人の心理をよく認識し、部下や後進は単なる追従者にならない勇気を持ちたい。令和時代には強者も弱者も、その場しのぎの要領を排し、偽りない矜持を取るほうがよいと確信して進みたい。今これを失うのは勿体ない。

8 記録されない美技

エネルギーがあり余る小2男児とキャッチボールをした。彼はむしろ乱れた投球に飛びつき崩れた体勢から素早く返球するのを喜ぶ。しかし重力の存在を完璧に体感し動作が緩慢な身で、相手をするのは容易でない。下手に動くと捻挫や骨折をするから、逸れた返球を見送ることにしたら「真面目にやれ！」と文句を言われてしまった。

それで若かりし頃の職場ソフトボール大会の「雄姿」を懐かしんだ。二死で三塁走者が本塁に駆け込むとサヨナラ負けになる場面。三塁手の左横を抜けた猛烈なゴロを、あらかじめ深い位置を取っていた遊撃手が回りこみ逆シングルで押さえた。しかし体勢が崩れていて送球不能。とっさに「頼む」と三塁手にトスすると、短く「ＯＫ」と応え、身体を伸ばした一塁手に矢のような送球をして間一髪アウト。チームは延長戦を制し凱歌を挙げた。記録は単に三塁ゴロだが複数の野手がよく連携した結果。鉄壁の三遊間を敷いていた三塁手の同僚とは、よく徹夜実験や酒食を共にしていた。

野球は双方９人の選手でチームを結成し、３アウトで攻守を交代し、所定の回数（イニング）の間に走者が本塁にかえった数の合計を競う。少年野球や素人野球ではふつう軟球、高校野球からは硬球、ソフトボールは大きめの半硬球を使う。ルールはどれもほぼ同じ。個人の技量も大切だが、自己中心や独善が許されず、全員の連携の良さが勝負を分ける団体球技。それがよく分かるのは攻撃よりも守備。

守備には投手、捕手、4人の内野手（一塁、二塁、遊撃、三塁）、3人の外野手（右翼、中堅、左翼）の9人が就く。一応は分担位置を取るがルールでは野手はどこにいてもよい。仮に打者が非力で外野に打球が来ないと思うなら全員で内野を固めてもよい。それはともかく、全野手が常に攻撃側の戦術を読み、走者の動きを察知し、打球を想定して、最善の位置取りをする。そして投手が投球動作に入ると同時に、自らを最速で最適の行動に向かわせる。打球を追う者、捕球後の送球を待つ者、捕り損ねた後に備える者など、全野手がグラウンド内のすべてを視野に入れ、起こり得る事態を想定し瞬時に反応する。むしろ打球に直接係らない「後方支援」に走る者の方が多い。

例えば明らかな右翼手への飛球でも、落球や抜かれることもあるので中堅手も二塁手も追いかける。また一塁手が捕球するときには投手や二塁手が一塁に入り、送球が逸れる場合に備えて右翼手も近づく。傍観者は一人もいない。このような連携または支援を意味するカバー（cover）の動作があればこそチームになる。

球場の観客は自らの日常にない高揚感を得たい。その打球の行方を追い野手の瞬間動作に目を奪われる。野手が超人的美技・妙技で捕球するファインプレー（fine play）に酔う。しかし選手が観客席を意識して敢えて派手に振る舞うスタンドプレー（grandstand play）は禁物。そのような心根の卑しい選手が善き貢献をするはずもない。監督や指導者は、あらかじめ守備位置を変えておいて苦も無く捕球する「専門家の技」を高く評価し安心して見る。酔わせず記されずとも、地味なカバーの姿勢は「隠された美技」。舞台でいえば大向こうを唸らせる練達の演技ではないだろうか。

近年、自らの業務を縮小解釈し仲間のカバーを知らない冷淡な人が増えたと聞く。組織や作業の細分化、個人成果の評価などの影響も係るかもしれない。だがチームの成果には、実は記録にならない多数の美技が必要だろう。今これを失うのは勿体ない。

9 援軍来たらず

続けて「我降伏せり」と記し、ある者は手も足も出ずと達磨の絵を描き答案を提出する。才のある学生は落第の危険を脳裏に浮かべつつも、潔《いさぎよ》くユーモアで包み挑発的難問に応えた。大学がエリート育成の場として機能していた時代の話。

道徳など社会の価値観の背後にはルサンチマン（仏：ressentiment、強者への怨恨の感情）がある。弱者は「畜群本能」で、自らを平均化・没個性化して、社会正義の側に置き安らぎを得ている。そしてキリスト教、民主主義、社会主義などの思想、またそれに依拠する善悪や優劣、道徳などの概念を創作した。だが、それは幻想・虚構にすぎない。それゆえ超越しなければならないのだ……。何事も循環して現れ、この生の瞬間は止むことなく幾度も回帰する(永劫回帰)。伝統や秩序による安寧もしがらみから来る苦悩も、無限にただ繰り返されるだけ。神の教えに基づく善行も幸福な来世もない(神は死んだ)。本来、人間の存在とその所為に絶対的価値などない(Nihilism、虚無主義)。そのことを悟るなら、今ここにある自身で真の価値基準を確立し、何事にも束縛されず自己実現する超人(overman)たるべきだ……。

実存主義哲学の先駆者・ニーチェ(独、哲学・古典文献学、Friedrich W. Nietzsche、1844－1900)の教え。彼はライプチヒ郊外の村で両親とも牧師の家系に生を受け、才気煥発の少年時代を経て24歳でスイス・バーゼル大学古典文献学教授に就任した。10年ほど勤務した後、持病の悪化で余儀なく辞職し在野で思索と執筆に勤しむ。幼児期から悩まされた激しい偏頭痛や眼痛の発作・失明に怯えながら多数の著作を遺している。

しかし当時、出版は売れず、作曲も不評、主張は周囲にほとんど理解されない。さらに熱烈に恋したロシア娘が親友に奪われたり、家族とも不和になったりする。傷心と失意で移住したイタリアで一気に書き上げた著作が『ツァラトゥストラはかく語りき』第一部(自費出版40部、1883年)。一切の感情を超えて非情に徹し剛毅に代表作を仕上げた。彼は優しく誠実。強い思想はむしろ弱者への奥深い愛の発露。1889年初、トリノ市の広場で鞭打たれる馬の首を抱きしめて守り、そして泣き崩れて正気を失ったという。人より弱い存在に気づき、さらに大きな救済を思考すべく、精神を現世から自由な虚空に解放したのではないか……。

その後は社会から隔離され、妹の看護で自宅療養。妹は敬愛する兄の思索メモをよく咀嚼できぬまま多数の著作にまとめて出版し、精神を病む哲学者を有名にした。彼の本意ではなくても葬儀はヴァイマールの教会で盛大に執り行われ、超人は安らかに現世から永劫という名の故郷へ帰還した。

今日、誰もが定められた価値観、ことに経済的価値観に縛られあくせく生きている。例えば経営者は収益、技術者は効果に一喜一憂して彷徨《さまよ》っている。富や力がわずか優り相手に同情・憐憫を与えられれば嬉しく、その逆なら恨みや妬みを抱き、辛苦の最中なら明日の喜楽を希《こいねが》う。多くは不本意でも、既存秩序に従順だと危《あやう》さを回避できるので、少しの慰めを尋ね、また達観してやり過ごす。

超人哲学者は、「涯際《がいさい》無き時空の流れの中で現在は循環し人は虚無の存在。弱者の妄想による価値観の中で慰撫、恨み、嫉妬、また受忍や諦観などは愚か。置かれた現実を直視し、自身を真の人として目覚めさせ、より善き今を探って全身全霊で苦闘せよ」と説いた……。ルサンチマンとその衝動は少なくとも、科学や技術の場では道を曲げかねず有害と言えそうだ。今これを失うのは勿体ない。

⑩ 亡霊との決別

「祇園精舎の鐘の声、諸行無常の響きあり、沙羅双樹の花の色、盛者必衰の理《ことわり》をあらわす、おごれる人も久しからず、ただ春の夜の夢のごとし、たけき者も遂には滅びぬ、偏《ひとへ》に風の前の塵に同じ……。」有名な一節から始まる『平家物語』は、鎌倉時代初期に成立した軍記物語。源平の合戦を中心に、虚構を交えて、人のはかない運命を日本的哀調で述べている。琵琶法師が語り継いだという。

平清盛一族は25年にわたり政権に君臨していたが、治承・寿永の乱（1180〜1185年）で滅亡した。その最終決戦が関門海峡下関側・壇ノ浦の沖合での海戦。源義経率いる源氏に敗れ、多くの武将は水中に身を投じ、御座船から二位尼（清盛の妻）が孫で8歳の安徳天皇を抱き三種の神器とともに入水。建礼門院（清盛の娘で安徳天皇の母）だけは引き上げられ余生を全うしたという。

ちなみに、平氏を破り鎌倉幕府で武家社会の幕開けをした源氏の統領・源頼朝。その血筋は30年も経ずにわずか3代で途絶えている。

安徳天皇や平家一門を祀るのは阿弥陀寺（現：赤間神宮）。そこに住む盲目僧、芳一がいた。とくに壇ノ浦の合戦の語りには鬼神さえ泣くという平曲《へいきょく》琵琶の名手。抑揚緩急を惜しまず節をつけて語る節々に、平家琵琶の伴奏が入り、余韻を断ち切るようにベーン、ベンベンベン……と高く乾いた音をここぞと響かせ、座にある人々すべてを哀調の物語の中に吸い込むのだった。

その芳一がある夜、密かに貴人の立派な屋敷に招かれ壇ノ浦の合戦を弾き語る。座がむせび泣きで満ち、続けて七晩の語りを乞われた。不審に思った和尚は、芳一が安徳天皇の墓前で無数の鬼火に囲まれていたことを知り、怨霊から守るため、その全身に般若心経（般若波羅蜜多心経）を書き込み、声を出すなと命じた。ただ、このとき和尚は耳にだけ写経を忘れた……。その夜、迎えの怨霊はやむなく両耳をもぎ取り持ち帰った。

この山口地方に伝わる怪談を、小泉八雲（P. L. Hearn、１８５０－１９０４、帰化１８９６年）が美しい英文で世界に広めた。妻の節子から聴取した各地の怪奇話を収録・脚色した著書*Strange Tales from Kwaidan*を出版（米、１９０４年）。冒頭に「The Story of Mimi-Nashi-Hoichi」を置いた。その際、単に震え凍える幽霊話で終わらせず「やがて手厚い治療で傷を癒した耳なし芳一は、その技量がいっそう評判になり、引きも切らず集う貴族たちに平曲を奏で、金持ちになって豊かに暮らした……」と、思い入れ深く結んでいる。

形あるものはいつか崩れる、生はやがて死に至る……。これは抗うことのできない絶対真理。だが組織の栄枯盛衰や消長は、これと何の関わりもない。例えば企業寿命や景気周期などの記述はその運命の預言書ではない。世のならい……だなどと自らの衰退・滅亡まで納得するとすれば、往時を偲びすすり泣く亡霊にも劣る愚かな所業だろう。

文明は灌漑農業技術から発祥した。また戦後日本は、焼け野原に立ち上がった先達のものづくり技術で繁栄した。歴史は興亡を記すけれども、現実を更新するための改善、開発、発明などに失敗すれば滅ぶとも教える。不本意な現実は主に、科学・技術的展望の誤りと努力不足の結果に過ぎない。それゆえ今が苦境の極みなら後は必ず上昇だから努力しがいがあり、むしろ幸いだろう。

過去に深く想いを巡らしつつも、亡霊の呼び声には耳を貸さず、高い技量で人を集め共に明日を拓く。人は川面に浮かびただ流される一本の藁でありたくない。今これを失うのは勿体ない。

11 届かざる愚者の祈り

秋祭り。昔の田舎ではピーヒャラ、ドンドンのお囃子の中、子供たちが飾った山車をヨーイ・ヨイと曳いていた。村人が集って実りを喜び祝いつつ神に感謝する儀式が原点らしい。米国やカナダの感謝祭（Thanksgiving Day）にも通じる。多様な形式があるものの、どの祝祭も元々、人が神に安寧祈願、謝罪服従、同調聖約など思いを通わせる機会だった。その中で、自らの努力を措いて表す素朴な謝意が最も麗しい。

神との通話の際、初穂などの供物を捧げる。歴史上では衷心からの大切なものとして家畜など動物の供犠（犠牲、生贄）も珍しくない。屠畜した動物の血と霊魂を捧げ、時には食して神と一体化を図り（神人共食）、天候、豊穣、免罪、健康などの恵みを期待した。アイヌの熊祭りはその一例。

人間を生贄とする人身供犠《じんしんきょうぎ》（人身御供《ひとみごくう》）も、古代イスラエル、エジプト、アステカなどで行われた。このとき犠牲者は、無理強いや戦いに赴く勇猛さからではなく、人々の平安だけを願う崇高な精神で喜んで自らの命を捧げた。南米西側に連綿と連なるアンデス山脈は、ナスカプレートが南米プレート下へ沈降することで形成され地震や噴火も多い。その中央部のインカ帝国（１２００年頃〜１５３３年）では、山を神として崇め、霊峰アンパト山で祭祀を行う。その山頂で氷河の中から、生贄となった12〜15歳の少女の冷凍ミイラ（氷の乙女）が人類学者ラインハルト（Johan Reinhardt、１９４３－、米）によって発見されファニータ（Juanita）と名付けられた（１９９５年。現在ペルーのアンデス聖地博物館に安置）。詳細な医学的調査で、１４５０〜１４８０年の間に少女の身に起こった出来事が蘇る。

人々は噴火に慄き神を鎮めようと、無垢の少女の魂を捧げる。それは最も高貴な贈り物だった。首都クスコに全土から集められた少女のうち最も美しく清純なファニータを選ぶ。その決定は親にも名誉。彼女は肉類を含む豪華な食事などの甘美な10カ月を送った後、最高級の衣装で身を飾り聖地へ行列を組んで旅立つ。２カ月間の旅の途次、村々で人々は女神として崇めた。やがて山頂の儀式。人々の讃歌と神官の天を仰いでの祈り。供物が並ぶ石造りの祭壇で、台座に着いた彼女には何の怖れもない。直前の強いチチャの飲酒のためでなく、使命に殉じられる嬉しさからだった。両膝を胸に引き寄せ両腕を組んで微笑み、山並みにもう怒らないで……と、人々にはもう心配しないで……と無言で頼む。そして静かに目を閉じた瞬間、右側頭部に打撃が来て意識を失い使命を終えた……。その健気さに神も涙したことだろう。

人は実に気まぐれで身勝手。好調のときは祭りの傍らに立ち忘我で浮かれるだけだが、不調のときは意気消沈し神仏などに縋《すが》る。生贄は別としても謝意さえ忘れ、困ったときだけ神頼みをしがち。例えば近年の停滞経済下の収益不振に狼狽《うろた》え、日頃合理を説く技術経営幹部さえも札束を乗せた神風や黄金粒の雨降りを乞う。そもそも経済に神は与っていないのに天を仰いで祈る。

根底にあるのは「おねだり」精神。これは甘え・せがみ、苦情、弱者いじめ、強請《ゆす》り・せびり、恐喝、強奪、怨恨などに直結する。遂には自ら収益追求神として関係者に犠牲を強いることになるが、そこには一片の敬虔さもない。ただ人の英知の結晶・共生社会をいびつにし不安定化するだけ。無能無為を痛切に反省し明日を見定め、決意を新たに事態の打開に衆知を集めたい。愚者は畏れずただ希《こいねが》い、賢者は自らの努力の結果を受け入れただ感謝する。今これを失うのは勿体ない。

⑫ 大いなるリズム

過ぎた夏は外出を控えなければならない酷暑だったが、反動で冬は厳寒になるのかと根拠なく怯える。荒れ狂う天候であっても四季は巡る。季節は地軸が公転軸に対して約23・4度傾いたまま地球が公転することで現れる。北半球では地軸の北極側が太陽を向く時期が夏で、南極側が太陽を向く時期が冬。その中間に春と秋がある。南半球では逆になる。地軸の傾きや地球の衛星・月は、原始地球に仮想惑星Theiaが衝突して形成されたのだろうという（giant-impact hypothesis）。

農事には季節の読みが大切なことで、そのため暦が作られた。古代ローマのRomulus王は1年10カ月のロムルス暦（ＢＣ８世紀頃）を作り、農耕を開始する月を宣言しMartius（神Marsに因む）と名付け、Aprilis（女神Aphrodita）、Maius（女神Maia）、Junius（女神Juno）、さらにQuintilis（ローマ数の5、後年Iulius Caesarを称えIuliusに改名）、Sextilis（6、後年Augustusを称えAugustusに改名）、September（7）、October（8）、November（9）、December（10）と続けた。その後、翌春まで60日ほど空白期がある。次いでNuma王がヌマ暦（ＢＣ７１３年頃）を作り、冬の空白期にJanuaris（神Janus、元月《がんげつ》に位置づけ）とFebruarius（神Februus）を加えた。この太陽暦を基本に、Iulius Caesarが季節とのズレを修正したユリウス暦（ＢＣ46年）を、教皇Gregorius 13世が復活祭との係わりで春分の日を3月21日頃になるようにグレゴリオ暦（1582年）を公布した。
太陽暦のほかに、太陰（月）の満ち欠けを基準にしたイスラム暦などの太陰暦、これを基本に季節とのズレを調整した太陰太陽暦がある。しかし天体は今も、まるで人の小賢しさを嗤うように、時の移ろいを整数で割り切らせてはくれない。日本では690年頃に伝来した中国暦法を基に改善を重ね、その9版が天保暦（1844～1872年）。これは明治5年12月3日を明治6年（1873年）1月1日に置換し、現在のグレゴリオ暦に改暦された。旧暦の月名は（たぶん江戸の）折々の人々の生活感が並び和みを与えるので、1カ月ほどのズレを無視し現在も異称としてよく使われている。

正月の睦月には皆が睦み合い、如月（中国の二月の異名：如月《にょげつ》から？）には重ね着（衣更《きさら》着《ぎ》）で寒さをしのぎ、弥生には草木が弥（古語：ますます）生え、卯月には垣根に卯の花が匂い、皐月にはさ（古語：耕作）が始まり、水無月には水の（無）張られる田圃《たんぼ》が美しく、文月には稲が穂含《ほふみ》し、葉月には樹木の中には葉落《はおち》が見られ、長月には深秋の夜長《よなが》になり、神無月には出雲大社に神々の（無）集会があり、霜月には霜が降り、師走には超俗の師（坊主）さえ足早になる忙しさが来る。

科学技術の進化は多くの恩恵を与えたが同時に、とくに都会の住人に年中師走のような忙しさを強いる。季節感あふれる生活は、極地や赤道に近い地域の住民には決して味わえないのだから惜しい。時間に追われる日々、ロムルス暦の空白時期を何やら羨ましく感じる。そのとき人々は毎日酒盛りをしていたわけではなく、きっと待ち遠しい春に備えて英気を養っていただろう。

季節感を捉えて人々は、数多くの文化の香りや文明の利器を遺してきた。この点では桜木などは枯れて冬越しをし、爬虫類や熊などは代謝を下げ冬眠をする。天体のリズムの取り方が巧み。そこまでせずとも心にロムルス暦を浮かべ、この冬は様々なしがらみを離れ気分を変えて英気を蓄えるために充てたい。今これを失うのは勿体ない。

【『工業材料』67－1～12（2019）】

十五、談話室　ギルガメシュの罪

1 青葉の笛を聴きたい

宇宙の彼方には地球人よりも優れた文明と豊かな文化をもつ賢い生物が居るだろう。傍らに立てずとも想像して学び心を修めることはできる。過ぎた9月、世界有数のエネルギー供給国サウジアラビアの石油生産施設が無人機で奇襲爆撃された。この種のピンポイント誘導爆撃が最初に実戦で用いられたのは確か、アメリカが主体の有志連合がイラクの自由作戦を旗印に侵攻したイラク戦争（２００３〜２０１１年）だったと記憶する。そのとき、まるで児童や若者の遊ぶゲーム機の出来事のようで嫌悪感を覚えたものだった。

それが遂にここまで来た。彼我の論理は措く。ヒトの荒ぶる魂は戦争による破壊・消滅を好むのだろうか。ほどなく遠隔操作兵器やＡＩロボット兵士も登場し、戦場は宇宙空間に拡がり、地球上のすべてを無機化するかもしれない……。暗然とする。

反射的に思い出したのは『平家物語』などの「敦盛」の件《くだり》。一の谷の合戦で帰趨も定まった終盤。源頼朝の御家人・熊谷直実が「立派な大将と見受けるに後ろを見せず引き返させたまへ」と呼ばわると、船に退却しようとする平家の騎馬武者が応えて引き返し格闘となる。直実が組み伏せた武者の首を取ろうと兜を外すと薄化粧の若き公達の顔がある。命を奪うに忍びなく「逃げよ」と促すが、若武者は潔く「早く首を取って手柄にせよ」と応じない。やむなく首級を上げる。そして鎧の下に錦の袋に包まれた笛を見つけて心打たれ嘆きを深くする。

公達は平清盛を伯父に持つ敦盛だと後に判明する。このとき16歳。祖父・平忠盛が鳥羽院より賜った漢竹の横笛・青葉（別名：小枝）を譲り受けた笛の名手。その笛を忘れて取りに戻って逃げ遅れた。直実は戦場でも教養と風雅の心を持つことにも感銘した。源氏の陣で御首級《みしるし》と青葉を示してことの次第を報告すると、居並ぶ荒武者もみな涙を流した。その後、遺品は公達の父の許にいきさつを添えて丁寧に届けられる。戦の非情や世の無常を感じた直実は、政権内の諍いにも嫌気してためらうことなく剃髪し出家したという。

米国のSF映画『猿の惑星』（*Planet of The Apes*、1968年）を思い出す。地球へ帰還しようとする宇宙船が不時着した惑星では類人猿社会が栄え、人間は家畜扱いされていた。宇宙船長は狩りで一度は捕らえられたが猿の進歩派学者の助けを得て様々な危機を乗り越え、「聖典」に記されている禁断地帯に赴く。そして海岸で砂に埋もれた自由の女神像を発見し、人類自らが美しい地球文明を滅ぼしたのだと知り泣き崩れた……。

現代人は何事にも、科学や技術の成果を自らに都合よく用い効率的に勝利すべく行動しがち。その思考は確かに合理的だが、必ずしも理知的ではない。例えば歴史を遡ると性懲りなく繰り返されている戦争では、人類の未来の幸福のためにあるべき科学技術の成果が邪《よこしま》な目的に使われてきた。その視点では現代人も「自称・文明人」にすぎない。

例えば戦場のロボット兵士はＡＩの合理で敵をひたすら効率的に消去する。相手の文化や誇りを敬い礼節や称賛を示すこともなく憂世のはかなさを感じるはずもない。殺戮や破壊の程度は集計できるとしても、勝利に感動するかさえ疑問だ。根本的に思いやる心を持たない。

自滅を止められるとすれば慈愛だ。かつて日本には滅びゆくものに美を見て愛おしみ、やむを得ない時でも礼を尽くし、乱暴を自制する賢さで世界に称えられた。科学技術を推進するものも利用するものも、いつも「敦盛」に涙して生の青葉の笛を聴きたい。今これを失うのは勿体ない。

２ 凍えた酒杯

すこし気取れば「肝胆相照らし」、俗には「裸の付き合い・同じ釜の飯を食う・一つ鍋をつつく」ような間柄だった。その飲み会は学科を超え、時には陽が高い間に「今夕やろう」と声を掛け合う。

いつも酒豪の教授連が酒を酌み交わし高尚な哲学から処世訓まで白熱の議論を重ねる。例えばハラスメントが社会問題になりかけの頃、英語のＫが「嫌がらせ、いじめ、迷惑の意」だと解説すれば、リーダー格で数学のMが「しかし酒杯を差し出してくれないと悩む者もいる……」と喝破し、女性によくモテた力学のOが「要するに触らなければよいのさ……」と冷めた評をする。筆者は一口咽喉を湿らせ「善意と思われれば全ては善さ」と混ぜ返す。

さながら梁山泊《りょうざんぱく》の雰囲気があり、酒には弱かったが忍従辛苦の教育・研究生活のオアシスに嬉々として参加した。そこで培われた強い絆と幅広いものの見方には、例えばカリキュラムの改訂や学生指導などの問題を解決するときに陰に陽に助けられた。自信を持って語れるよき思い出。ちなみに本物の呑兵衛は、人に決して無理強いせず、むしろ飲酒しない者の同席を好むようだ……。

さる職場慰労会で上機嫌の部長（男性）が飲み干したグラスを部下（女性）に回したらセクハラ・パワハラだと告発された。昔から上司の返杯は謝意・親愛・労《ねぎら》いの象徴で、頂戴することで愛《う》い奴として目をかけてもらえた……。詳しい事情は分からないが、息苦しい風潮になったと驚く。日本には結縁や絆の確認に杯を取り交わす「固めの杯」の慣習がある。例えば祝宴で上長が口にした杯を部下が口にする。博徒《ばくと》や的屋《てきや》などの組織の杯事《さかずきごと》では、親分の杯を飲み干して懐中に収める（杯を貰う）ことで晴れて子分になり、生涯にわたる絶対服従を誓う。縁切り（杯を返す）はほぼ不可能だという。また神道形式の婚礼では三三九度や親族固めで神酒《みき》の杯が交わされる。

レストランで親が子の残飯を美味しそうに食べる。喫茶店で仲良し女子中高生が一つグラスのジュースを二人で吸う。相互親愛の関係が汲み取れ何とも微笑ましい。これに比べて件《くだん》の出来事はただ哀しい。返杯は過度に睦みたいわけでなくただ厚情の表現だったろう。ところが温かな杯は、永の別れを惜しむ水杯《みずさかずき》にさえならず、氷の弾丸と化して撃ち返された。凍えていく人間関係に慄然とする。

思い出したのは中国・宋代の名臣の言行を集成（編纂者：朱熹）した『宋名臣言行録』の一節。「水至って清ければ則《すなわ》ち魚《うお》なし、人至って察《さつ》なれば則ち徒《と》なし（水至清則無魚、人至察則無徒）」。清らかに過ぎる水には魚が棲まず、清廉潔白に過ぎる人は仲間が寄らない、人の世には寛容も必要だと説く。帝王学でよく引かれる警句。

いま集団より個人を優先する意識が社会に定着しつつある。終身雇用が崩れてギグ（gig）と呼ばれる一時的断片業務などの労働形態がごく普通になった。大学教員にも任期制が取り入れられた。また情報通信技術の著しい進歩で、意思の伝達に手渡しや口頭による触れ合いが急速に廃れた。このような社会状況の変化は勿論よいことも多くもたらした。だが個人の感性が人との関わりを避けるまで優先されるなら、強い違和感があり危惧を覚える。

優れた学術成果には必ず善き支援者が居たし、秀でた技術遂行は共に泣き笑いする仲間が居た。よい果実は個の努力だけでは取れない。その礎は人と人の温かい関係。個性を発揮すべき時代なればこそ多くの友を求め、互いの成果へ向かい支援し合いたい。やがて祝杯を交わす時、人は最も麗しく映える。今これを失うのは勿体ない。

③ 氾濫する疎水

母親は乳幼児の泣き声を聞き分ける。言語は絶対必要なものでもないらしい。その子はほどなく読む・聞く・書く・話すようになり、意思を効果的に表す。時には反抗の狼煙《のろし》を上げるので、その上達は負の作用ももたらす。

国際交流を円滑に進めるためには、英会話力や読解力に長けていた方が良いには違いない。これらは意思疎通の重要な道具。しかしあまり習熟していなくても通い合うことはできる。1980年代に北米の大学で客員准教授として先進複合材料を学んでいたときの愉しい出来事を思い出した。学科教授連は専門分野や出自は異なるが、一様にユーモアを愛し交歓を貴び人生を楽しもうとする。克苦勉励型人生を称える日本文化を訝《いぶか》ってもいた。早く仲間にしようと連日、休憩やパーティに呼び出す。やがて耳が慣れて片言対話が可能になったある昼下がり、筆者の方から「日本人みたいに働くのはやめようよ！」と誘ってみると、数人が笑顔でいそいそといつもの喫茶軽食店に集ってきた。

大きなピッチャーから生ビールをグラスに注ぎ分け、コーンチップスをつまみながら雑談の花が咲く。その時は言葉談義。N主任教授が「英国人は米国人の英語が変だと言うが、豪州や南アの英語よりマシだろう」と笑いを誘う。英国人で謹厳なB教授が「米語は発音や単語綴りが違う」と受け、周りのS教授などが相槌を打つ。そこで「欧米人は互いに聴き分けられるのに日本人には難しい。母音の多い言葉を母語とする中国人の方が巧みに交流できるようだ」と口を挟んだ。

その途端、皆が一斉に「それは違う！　日本人の英語は正確だ。そもそも米国人のほとんどは日本語が全く分からないのに凄い！」と言う。やおらB教授が紙ナプキンに、Six Munce Ugo I Kutnt Evan Spel Injuneer And Now I Are Wun! と事例を書き、「いつも苦労しているよ」と座を爆笑させた。正しくはSix months ago I couldn't even spell engineer and now I am won!（6カ月前にはエンジニアと書くこともできなかったのに今は完璧だ！）なのだった。

英語communicationの語源は共有する・一体化するなどの意を持つラテン語communicatio（コムニカチオ）という。認識を共有し理解し合えてこそがコミュニケーションなのだ。相当する日本語は意思疎通。疎は通ずるの意で、例えば疎水は、乾いた土地に引いた水路で英知の産物。

言語表現による意思疎通には、直接型（対人・対面）と間接型（通信）がある。一般には直接型の方が、真意が伝わる。例えば「もう死にたいくらい……」という表現は、会えばそれが悲嘆絶望なのか嬉しい悲鳴なのかすぐ分かる。また科学者や技術者が図表を示して研究成果を片言英語で訥々《とつとつ》と語るとき、むしろ好感され熱心な討論になり、信頼と尊敬の眼差《まなざ》しをかち得ることが多い。間接型では今日、メール（パソコン通信、SNSなど）が幅を利かせている。しかしその習熟（skill）は効率を上げるが優秀性を証明するものではない。時にはこの背後に謀《はかりごと》や邪《よこしま》また無知・無邪気が隠され事件・事故を招くので油断できない。技術の場でもＩＣＴ機器の使用が絶対合理と錯覚され濫用されている感がある。例えば同室の同僚に送る単純連絡メールは共助の良さを知らぬ人物の孤独癖の表れだろう。また議事録や意向調査でもないのに広範にばら撒かれる複写（ＣＣ）メールは自己顕示か責任逃れ・自己防御の表れだろう。

疎水は滔々《とうとう》と流れても居住地や農地に洪水をもたらすべきでない。自己都合だけの一方的通信を排し、心から相互理解を望むとき、職場はいっそう潤い実り多くなる。今これを失うのは勿体ない。

４ ツキの無さからの転回

なぜこんなに運がないのか……。ニュースの都度目を凝らしたが郵便受けに札束が投げ込まれたり、海岸で有価物の詰まった袋を拾ったりしたことがない。森の散歩では「熊出没注意」の朽ちた看板を見つけて怯え、庭畑で遊んだ知人の犬が知らせたのは金銀財宝より先に蛇の存在だった。

悪友が豪語するパチンコ収益は一度もなく、仲間内の麻雀ではラーメン代や茶菓子代を余計払わされる。老後のためだと勧められた投資信託などの運用もたいてい裏目に出る。ならばと鎌倉へ行って、銭洗い弁天に５００円硬貨を２個浸したが何らご利益はない。年賀はがきや商店街のガラポン抽選も辛うじて末等のみ。

昔ジャンボ宝くじを買うと連れの女性が可愛くせがむので、「当たったら教える、1億円で盛大な宴会を開き世界旅行もして……」と語ると、彼女はさも楽し気に「私なら教えない！」と返す。一瞬「人類が滅ぶとも女は死せず」かと錯乱し驚嘆した。もちろん描いていた夢も希望も無情に消える。

縁起の良い初夢も見たことがない。なぜこんなに不運なのかと九星、干支、四柱推命、星占いなどの運勢に尋ねる。じきに一卵性双生児は同じ人生を歩むか、生年日時や姓名画数は本人に責任はないのに……などと逆に苦悩が増えた。また易占い（易経）は予言でなく箴言《しんげん》だった。御神籤では吉が出ても「願い事は努力すれば叶う」などと、分かっていた条件付きだ。完璧にツキに見放されていた。

ただ悪ガキの頃、母の叱責、父の拳骨《げんこつ》、先生のビンタにはよく当たった。崖を転落して大石に当たり額を割ったとき、引力の存在などに思い至らず大目玉を食らった。そして当たらない幸運もあると悟る。大人になって自己分析したら自らの怠惰の性に気づく。もし労せずして千金に当たっていたら必ずや働くことを忘れて快楽に耽り身を持ち崩していた……と。今は安堵の溜息をつく。

一神教の信者から見れば蛮人の所業。初詣では道すがら太陽に「今年も矜持《きょうじ》を保ち努力す」と誓い、少ない賽銭で成功祈願など縋《すが》るのは図々しいから拝殿で、「縁者がみな無事であれ」

と参拝する。鎮守の神、稲荷、地蔵、道祖神、旅先での外国の神仏などにも合掌する。祈願というより人知を超えた存在を畏《おそ》れ敬《うやま》う善良な人々と共に在りたいからだった。時折、技術相談で工場敷地の一角に立つ神社や事務所の神棚を見る。鎮守、安全、成就などを誓願する人々とはいつもよい時間を共有できる。

現実世界は夢見る場ではなく苦悩が続く空間らしい。職場では大抵のものごとは予算・設備の不足や上司の無理解などで難渋する。そこで「……をしてくれない」とただ嘆いて活路を見出さないなら、自らにも組織にも黄昏が早く来る。またもどかしさのあまり、例えば国公の補助に与《あずか》ろうと走るのも考えものだ。補助金は魅力的で当たると周囲にも誇れるが、一度上手く運ぶと習い性で、また次もと頼る依存体質に陥り、遂には自助努力にバカバカしさを感じるようになる。このようなことで自壊・衰退した例をこれまで幾つも見聞きした。

他方、ツキがない耐乏忍苦のもがきの中でアイデアが浮かび自力解決に至ったり、意外な発見で新たな事業展開に至ったりもする例も多い。「人間万事塞翁が馬」で不運と幸運が交錯する嬉しさ。能楽の世阿弥も「男時《おどき》に驕らず女時《めどき》に焦らず」と上達への心構えを秘伝（『風姿花伝』）に遺していた。

よく通りかかる宮の坂の道端に立つ案内板。今月の警句は、「我、神仏を尊びて神仏を頼らず（宮本武蔵）」。神社がそう告げるのだから疑う余地はないだろう。今これを失うのは勿体ない。

5 ボースン恋しや

古木は全体的に趣きがあるが、その幹に空洞が見えるときいっそう心打たれる。次代に命を繋ぐ役割を果たし潔く消えた芯の影がある。

彼は格好よかった。20世紀半ばのものづくり工場。大学卒技術職は企画し依頼するだけで、現場作業じたいに口を出せない。そのときの職制は、総作業長（作業長）↓組長（作業長）↓伍長↓工員（作業員）。伍長とは数人単位のまとめ役（班長）。その職制外にボースンが居た。特定技能の熟練者で、管理の役割は持たないが求められると懇切に伝授し手助けする。たいていは口下手だが柔和で、職場の全員が尊敬し慕い憧れていた。死語だと思っていたら建築施工現場にまだ残っていると聞いて心が和んだ。

語源がはっきりしない呼称で、軍隊階級などにも存在しない。発音が同じ英単語boatswain（大型船の甲板《こうはん》長や水夫長）に由来するという説、昔は「し」と「す」がよく混用されたから棒芯《ぼうしん》の訛ったものとする説がある。職制に位置付けられていない、専門技能の中核的存在ということからたぶん後者の「棒芯」説のほうが当たっている。漢字「棒」は「木」偏《へん》に「奉」の旁《つくり》から成り、象形からは手に持って動かせる細長い木材の意。漢字「芯」は音読みしかなく、象形は「心」に「草」冠《かんむり》が付いて、物体の成長や活力の源になる中心部の意のようだ。

木は芽生えた双葉から出た茎（幹）が細胞分裂を繰り返して成長する。頂点の生長点で伸び樹皮の内側の形成層で太くなる。内樹皮の導管が根から吸い上げた水分や養分を、師管が葉の光合成で作った糖分を樹木全体に運ぶ役割を担う。幹の横断面《よこだんめん》には、同心円状の模様（年輪）が現れる。これは形成層の成長が春夏季は速く秋冬季に遅くなるため、それぞれ低密度で柔らかな厚い層と高密度で硬く薄い層ができることによる。

樹木構造を支える幹は繊維素（セルロース）と木質素（リグニン）の緻密な結合体。内部（芯）は徐々に死んで木質化し、シロアリに食われて空洞になる。シロアリはクロアリの餌になる。木自体は内樹皮の導管や師管が機能するかぎり生きていて、枝に葉、花や実をつける。

徒弟制度は封建的などと負のイメージも強いが、本質は若年者が弟子として入門し実務見習いをしつつ必要な座学を修め、一人前の職人から達人となる人材育成・職業訓練の研修システム（Dual System）。企業内ＯＪＴや専門学校などの職業訓練と同類で、ドイツでは実務と座学を修めて専門技能職業人になれる（マイスター制度）。日本でもそれほど明確ではないとしても先端科学（研究室）、医師（医局、インターン）、技能・芸能（内弟子）などの世界では今もほぼ必須という。

近年ものづくりを生業とする場でも実際に手を汚し額に汗をかくことを蔑視する理論家・評論家・学者もどきが増えた。ＩＣＴによる安直情報や座学知識をひけらかし攻撃的に批評や解説をして、かえって現実を複雑化し混乱させ皆の意欲を損なう。改善サイクルＰＤＣＡは話し合いＰＰＰＰに終始するのだという。現実的動きをもたらさないなら、いわば仮想世界に遊び吠える張り子の虎。学術成果などを濫用するだけ悪質かもしれない。

ものづくり技術は先人の使命感と不断の努力で少しずつ継承・改善され進歩する。実現の成否はまず濃密な師弟関係によって培われた高い現場技術による。かつてその中核に共に手を汚し汗をかく権威がいた。決して多くを語らず、ことに後進に温かく寄り添い早く芯になれよと身体で覚えさせた。あぁボースン。今これを失うのは勿体ない。

6 パーの余裕度が欲しい

ゴルフは表面がデコボコした硬質樹脂球（多層構造、直径43㎜ほど）をクラブで打ち、定点のホール（穴径108㎜）にいかに少ない打数で容れるかを競う。英国発祥のスポーツ。

標準的ホール数は18。パー5が4、4が10、3が4の合計72パー（基準打数）から成る。上手はパーよりも少ないマイナスの大きな値をとる。どのホールの道筋も真っ直ぐでなく林や斜面が迫り狭い。地面も平坦でなく池やバンカー、草叢《くさむら》などのハザード（危険）がある。グリーンにも傾斜、凹凸、意地悪な芝があり、簡単には穴に落ちてくれない。

クラブのヘッドは主に鋼やアルミニウム合金やチタン合金、軸は鋼やCFRP、握りはゴムやエラストマーで製作されている。寸法形状、打撃面の角度、材質などによって発揮される性能が異なる。最大14種を持ち運べ、飛距離や弾道などを冷静に判断してドライバー、アイアン、パターなどを使い分ける。

スコア（打数）は自己申告制。パーとの差で表し、同打数なら0で、差がマイナス1はバーディー（小鳥）、マイナス2はイーグル（鷲）、マイナス3はアルバトロス（アホウドリ）、マイナス4はコンドル、マイナス5はオーストリッチ（駝鳥）と、なぜか鳥の種類で優劣を表す。他方、差が＋1はボギーで＋2はダブルボギー。これは伝説の妖怪Bogeymanに由来するという。通常は4人1組でプレイする。1番ホールのティーショット打順は籤引きだが、次からは前ホールの成績順になり、1番打者はオナー（名誉）。

親睦ゴルフにも悲喜交交《ひきこもごも》のドラマがある。天才的素質だなどと煽《おだ》てられても、直ぐに優しくはないと分かる。静止球を打つのだが、たとえ流体力学の権威でも望む方向に球は飛ばない。それで熱くなったり、悩んだりするとかえってハザードに飛ぶ。自らの為した罪でも、あちこち走り回って何度も打つと疲れるから、徐々に近づく手法（刻む）を採る。これは合理的考えだが、仲間が面白くない。彼らは後進のコース外（OB）に飛び出す球を見たい。好調だと日頃のストレスがないからなぁなどと茶化して動揺を誘い、自らの失敗と同じ経験をさせて楽しむ。そして心構え、道具、フォームなどを得意になって講釈するのが無上の喜びなのだ。それにめげない精神力があれば強い絆を結べる。

仲間内ではこれまでの成績からスコアにハンデをつけてある。職場の上下関係などに拘らず誰もが実力差を認め受け入れている。下手でも上位入賞を狙える仕組み。ちなみに最下位から

2番目に対してブービー賞がある。最下位はブービーメーカーで打ち上げ会の宴のよき愛嬌になる。

今は往時の勢いはないようだが、昔はコース料金、道具立て、宴会代などで費用がかさむので、しがないサラリーマンの憧れだった。まぐれで1打の穴入り（ホールインワン）でもすると、縁者に贈り物をする習わしなのでその出費も大きい。さらに休日の遠出なので家庭をなだめる印《しるし》も必要だった。いっそ趣味を共にし理解し合おうとして教えたら、妻は昼間に練習を重ねて直ぐ追い抜く……。憮然としている男には同情した。

最初のティーグラウンドに立った瞬間から最終のホールアウトまで、ゴルフには自立と自律が求められる。頼りは基本的に、自らの精神と技術だけ。また自らの良心で規則や節度ある態度を順守し、得点や罰を正しく自己申告しなければならない。

いま社会は性急な収益追求に疲弊気味の感があり、技術の場でもつい安易な解決法に飛びつきたくなる。他方、業務は複雑難解になり遂行に軋《きし》みも出るので潤滑油がほしい。そんな中であればこそ、気の置けない仲間を作って、パーに対する余裕度を追求したい。今これを失うのは勿体ない。

7 ギルガメシュの罪

レバノン杉はマツ科ヒマラヤスギ属の針葉樹。巨木に育ち、材質は硬く耐食性と虫害耐性をもち木目が真っ直ぐで艶も出しやすく、そのうえ芳香を放つ。香柏《こうはく》とも呼ばれ、古代には神聖で永遠の象徴でもあった。ソロモン王は大理石構造の神殿の建材（梁や内装）に、古代エジプトではミイラ棺や太陽の舟の建材（船体やマスト）に用いた。

『ギルガメシュ叙事詩』（原題：あらゆることを見た人）は人類最古の文学作品といわれるメソポタミア神話（成立BC12世紀頃）。英雄物語なのだが愛憎劇や生死に関する悩みが描かれている。粘土板にシュメールの楔形《くさびがた》文字で刻まれていた。主人公ギルガメシュはウルクの神授の王で暴君だった。人々の訴えを聞いた大地の女神が、その悪行を抑え込む狙いで、勇猛果敢の人物エンキドゥを粘土から作って送り込む。しかし格闘の後、2人は逆に意気投合し連れ立って富裕を求めて北方遠征に赴く。香柏の森を発見したとき、ギルガメシュはその美麗に躊躇したが、親友エンキドウに促され「人間は自然の奴隷から解放され、美しい町で豊かになって幸福になるべきだ」との名目で、2人は青銅の斧で香柏を次々に伐採し始めた。

異変にフンババが駆け付け制止しようとして壮絶な戦闘になる。彼女は至高神エンリルから森を平穏に保つ使命を与えられていた。しかし敵《かな》わず降伏する。ギルガメシュはその降伏条件に同意して収めようとしたが、エンキドゥがかつて「人間」を教わった師の首を情け容赦なく刎ねた。そのとき森は雛鳥も声を潜め一切の息吹きを消した。

怪物を討伐し聖なる木材を手に入れることに成功した英雄たちは、称賛の嵐の中に凱旋した。しかし栄光の時はあまりに短く、神々は2人にフンババ殺しなどの償いをさせる。エンキドゥには冥界行きを命じ、ギルガメシュには生き残って親友を失った悲しみと犯した罪の後悔そして死への怯《おび》えを与えた。

死の恐怖に苛《さいな》まれたギルガメシュ。今度は永遠の生命を求める旅に出る。ようやく不死の人に会えて、大洪水伝説を聞き人間に死は不可避と諭される。それでも諦めず哀願して、代わりに若返り草を教えられ入手した。しかしそれを蛇に呑まれてしまい、失意のうちに帰国した……。その後は善政を敷き、人々に惜しまれて死んだ。

フンババはその咆哮が洪水を起こし、口から火炎を発し、吹く息で死滅を呼ぶ半身半獣の怪物とされた。だがそれは森を損傷する人間を抑止するためだけの仮の恐怖形態で、決して危険な魔物などではない。彼女の死を知った至高神エンリルが嘆いたように、本来は讃えらるべき存在なのだった……。

地中海に面した雨も雪も降る気候温暖なレバノン。その豊富な森林は、乾燥地帯に発祥した南方のメソポタミア文明や西方のエジプト文明を支えるための資源となる運命にあった。伐採が続けられ姿を消して数千年を経ただろう今日、世界遺産として僅か保持されているだけという。レバノン共和国の国旗中央に描かれた1本の香柏。その古代の賑わいを偲ばせる濃い緑が物悲しい。

いま地球規模で、激変気温、干ばつ、集中豪雨、暴風、森林火災、温暖化、生物種減など災害が続く。フンババの逆襲だと見えなくもない。人間は「人の幸福のため」を旗印に、文明の利器を開発せんと、大自然の征服・開発を間断なく進めてきた。その意味では、文明のエンジン・科学技術はギルガメシュやエンキドウだったのかもしれない。今日の業が決して大自然の摂理を効率的に壊すような独善でなく、真に賢明なことだと一度再確認してもよい。今これを失うのは勿体ない。

8 ペタの彼方へピコよりも近く

治療薬もワクチンもない恐怖の中、医療従事者は崇高な使命感で世界的感染症ＣＯＶＩＤ19に果敢に立ち向かう。ウイルス（virus、ヴァイラス、昔はヴィールスとも）。ラテン語の毒液や粘液を意味する語に因んで命名された。形状が王冠（ギリシャ語、corona）に似た種がコロナウイルス。２０１９年12月に中国武漢市で最初に確認された新型はその7種目。一つの有力説によると、元々コウモリの保因していたウイルスがヒトへの感染能力を獲得した。

人類は幾度も疫病（感染症）で危機に瀕した。グローバル化が進展し人や物の往来が盛んな現代では、病原菌は直ぐに国境・地域を越えて拡散し平常活動を破壊する。微生物（細菌類）

の生命活動・繁殖は、太古の地球に酸素をもたらしたし、死滅した有機物を無機物に変える自然浄化（分解）し、飲食料品を良質化（醗酵）もする。だが種によっては、人体に悪影響を与える病原ともなり、食品の劣化・有害化（腐敗）もする。

　動植物は多細胞から成り細胞核に遺伝子情報の担い手ＤＮＡが収まる真核生物。微生物は単細胞で中にＤＮＡが浮遊する原核生物。海陸を問わず地球上どこでも、さらには宇宙にさえ生息の可能性があるという。ともあれ両者とも細胞分裂で増殖する。他方、問題のウイルスは無細胞で自ら栄養を摂取しエネルギーを生産せず、他の生物細胞に侵入しその細胞分裂で複製増殖する。実に奇妙な、生物のような存在。だがその破壊力は大きい。

　国際単位系で寸法の基本単位はメートル（ｍ）。桁を表す接頭語に、10^{-12}：p（pico-）、10^{-9}：n（nano-）、10^{-6}：μ（micro-）、10^{-3}：m（milli-）、10^{-2}：c（centi-）、10^{-1}：d（deci-）、10^{1}：da（deca-）、10^{2}：h（hecto-）、10^{3}：k（kilo-）、10^{6}：M（mega-）、10^{9}：G（giga-）、10^{12}：T（tera-）、10^{15}：P（peta-）などがある。

　植物の発芽から太古の恐竜（竜脚類約50ｍ）に至るまで、動植物の大きさは㎜〜ｍ単位で記せる。微生物は光学顕微鏡下で観察され、例えば真菌（酵母、カビ、キノコなど）は約５㎛、細菌（バクテリア）は約１㎛で、金属結晶粒より小さい。他方、ウイルスは電子顕微鏡下で観察され約50㎚とさらに極微。そのうち約０・１㎚の原子級も出現し、新たな病原になるのでないかと怯える。栄華を誇る現代文明だが、未だこのような災厄さえ抑制できない。人々は準隔離状態に置かれ社会・生活環境が貧弱になったと嘆きを深くする。しかし医療業務や病因究明に直接関与できないとしても、終息をただ祈るだけでは悔しい。

ニュートン（Isaac Newton、英、物理学、１６４３－１７２７）は、内気で社交性のない学生だった。幸いにもバロー教授（Barrow、数学）が非凡の才を見抜き、20代前半にスカラー（給費学生兼雑務係）に登用し学位も授与してくれた。その頃、数度目のペストが襲いケンブリッジ大学も閉鎖されたので帰省する（１６６５年6月～１６６６年6月）。その田舎暮らしの間に思索を深め、偉大な三大業績（微分積分学の発明、プリズムでの分光実験、万有引力の発見）を挙げた。この出来事は後世に「創造的休暇」と讃えられる。

エアロゾル自体はマイクロメートル単位だが、漂流範囲や物体付着による感染経路はメートル単位に及ぶ。効率は悪くても人との物理的距離、テレワークや在宅勤務が推奨される。かりにペタメートル単位まで遠く離れても、人はピコメートル単位よりも細やかに寄り添える共感や思いやりを持てる。苦難の時こそ「一人は皆のために、皆は一人のために」の精神で、互いにHang On!（持ち堪えろ）と励まし合い、未来へ向かって創造的でありたい。今これを失うのは勿体ない。

9 遠恋のジレンマ

ヤマアラシは身体を寄せて温め合えない。針毛が邪魔をする。共同生活では距離を適切にとる。哲学者ショペンハウワー（A. Schopenhauer、独、1788―1860）の寓話。心理学用語「ヤマアラシのジレンマ」はこれに由来し、人間《じんかん》も適切な距離が要るとする。

宇宙空間で恋愛は成り立つものか。宇宙飛行士は、宇宙船外や宇宙コロニー外の空間では分厚い気密性の宇宙服を着用しなければならない。ICTで会話し心が揺れ恋愛感情が芽生えても、直接手を繋ぐことさえできない。究極のプラトニックラブ、いや真空の愛を余儀なくされる。きっと直ぐにでも地球に帰還し普通人に戻りたいと思う。永の宇宙滞在の場合、二人に何が実るのだろう。

翻って地上の遠距離恋愛。当初は情熱の逢瀬をひたすら待つが、やがて冷めてくる。そして諸々の面倒を超えてまで会わなくてもよしとなり、大方は別離に至るという。互いによい相手と思っていて誠実なほど、近くない距離による心離れに気づいて葛藤する。しかし、種子植物なら動物や風水などの媒介で前進できるが、人間の場合そこで関係は途切れる。距離や時間はやはり非情なもの。

感染症COVID19パンデミックで、営業時間の制限を要請された居酒屋でもジレンマがあった。ママが「閉店時間間際に来る常連客が一気にたくさんのジョッキを注文する……」、また別の店のマスターが「閉店したくても常連さんたちが盛り上がっていては……」と、当時の苦哀を訴える。通達は守りたし、されど馴染みの客の気持ちに応えたし……、その板挟みの心境は疑いなく善き人のものだった。

ようやく再開された学校へ通えるようになった子供の目の輝きや職場出勤が許された新人の全身にみなぎる躍動感は、共に寄り添って生命の営みができる喜びを如実に物語る。スポーツ観戦や観劇でも、悲喜を分け合える臨場感あればこそ酔える。オンライン宴会も面白いが画餅とさほどの差はなく、泣き笑いを共にした仲間が情熱の絆を高める効果に乏しい。居酒屋の客も空腹や渇きだけで暖簾をくぐるわけでない。人は群がりが醸し出す雰囲気に恋をしていて、そこに居たくなる。

ものづくり技術は、多くの要素技術群を操る多くの技術者群が協同することで成り立っている。たいていの技術者は現場技術と相思相愛。現場に立ち現物に触れ現実を認識する3現主義で、恒常的に改善・開発に取り組んでいる。科学的知識や情報は合理に大切だが、実効の上がるひらめき・第六感が体感・五感で吸収した脳内蓄積の中から生まれる。それはロボットや人工知能などにはできない。またＩＣＴによる遠隔業務遂行が、元々利用すべきだった形式的事柄の処理にだけ有用だと本能で知っている。それで誠実な技術者ほど現場技術に寄り添えない事態に狂おしいほど葛藤した。正道の技術は遠隔作業だけでは満たされない。

文明の進化論を唱えたドーキンス（C. R. Dawkins、英、１９４１－、進化生物学）によれば、文化や科学などの文明の諸相の発生消長はミーム（合成語、meme＝ギリシャ語mimeme〈模倣〉＋英語memory〈記憶〉）の再生産の適応性による、人の本能がそれを促進するという（『利己的な遺伝子』１９７６年刊）。

ものづくりでもうなずける。材料、プロセス、製品などの開発、またサービス、消費などの便利を謳う技術成果も、全局的には社会の価値観または人々の意識など社会の本能的要請に適応していたから進化できた。さらには技術者が本能で恋をした目前の技術に寄り添ってこそ結実した。これからも両者は、トゲも防具も距離もなく、情熱的逢引きを続けたい。今これを失うのは勿体ない。

⑩ 唆されざるもの

ことなかれ主義や権威主義の故か、学会誌に丁々発止の誌上討論が見られなくなり寂しい。科学・技術関係の専門誌は読者対象から、情報誌と学会誌（論文集）に分かれる。前者は一般向けに、有益な知識情報を提供し啓蒙する。後者は主に学会の所属会員向けに、新たな知見（研究成果）を競い合わせて専門分野を深めることを主眼とする。研究論文は、複数の同業者の校閲（査読）を経て掲載される。ここでは、信頼に足る新しい知見か否かが最重視される。新しさとは端的に言えば、未来に起爆力となる可能性を秘めていること。この関門を突破すると、表現法や論理展開の不備の修正を求められ掲載となる。そして論文の著者は最初の発表者と認定され、永く称えられる。

つまり研究成果が日の目を見るかどうかは覆面をした校閲者が握る。彼らも選ばれた熟練研究者だが、所詮は人間。真に斬新な知見であれば理解できず、理解すれば先を越されたと口惜しい。とくにライバル研究者側の成果には、できることなら没にしたい、ケチをつけて掲載を遅らせたい、先見性を自分のものにできないか……などと、何処からか唆《そそのか》す声が聞こえてくる。科学・技術の発展のために「最高善」で当たるべきだと頭で理解していても、つい誘惑に負けることもある。

可能性を秘めた新たな成果が恣意的校閲に遭わないかを監視するのは、編集（校閲）委員会の役目。見解が異なるなら誌上討論させる。斬新なものはたいてい型破りだから容易に多数に支持されないので、単純に多数決で処理するのも考えもの。さらに掲載論文に異を唱える読者が出たら、「権威の決定に異議は認めず」などと考えず、やはり誌上討論にした方がよい。この緊張感があればこそ、学会誌は盛り上がりその科学技術は発展する。

エデンの園（旧約聖書・創世記）。清い川が流れ果実の生《な》る樹が豊富な楽園に、最初の人間・アダム（男）とイヴ（女）が楽しく暮らす。そこに蛇（悪魔の化身）が現れ、神のような理非の判断能力をもてとイヴを唆し、禁断の果実・知恵の樹の実を食べさせる。勧められてアダムも食べた。神は、罪（原罪）を犯した罰として2人を荒野へ追放し（失楽園）、女には出産の苦痛、男には荒れ地を耕す労役を課す。さらに生命の樹の実を食べさせないようにケルビム（智天使）と炎の剣を配置し、罪を背負う人間に死ぬ運命を与えた。

『汚《けが》れなき悪戯《いたずら》』（スペイン映画、*Miracle of Marcelino*、１９５５年）。僧院前に捨てられた赤子は、12人の修道士にマルセリーノと名付けられ、慈しまれて５歳の男児に成長した。無邪気な悪戯好きの人気者だが、ふとしたことで自分には母親がいないと気付き、空想の中で甘えている。ある日、一人遊びで２階の納屋に入り、奥の小部屋の壁に十字架のキリスト像を発見する。痩せ細った姿を見て、台所から盗《と》ってきたパンを差し出す。その後も古椅子に降りたキリストにパンやワインを繰り返し運び、痛いだろうと茨の冠を外してやる……。

その夜、嵐を案じて行くと、キリストから「優しくしてくれたお礼をする」と問われ、「今直ぐに天国のお母さんに会いたい、あなたのお母さんにも」と答える。そして抱き抱《かか》えられて安らかに永遠の彼方へと旅立った……。半世紀も前に視て、信仰の立場を超えた純粋無垢の優しさや哀調の主題歌「マルセリーノの唄」が脳裏に刻まれている。

彼我ともに蛇の唆しが入り込みやすい人の営み。それに気づいて哀しいとき、あの物語と旋律を思い出す。心が清澄《せいちょう》になり、取るべき体勢を確認して立ち直れる。今これを失うのは勿体ない。

11 活性化の基本条件

地球温暖化にCO_2の増加が強く係ることは今日の常識だが、天才科学者でも最初に唱えたときには学界からほとんど相手にされなかった。アレニウス（Svante August Arrhenius、スウェーデン、物理化学、１８５９－１９２７）。３歳で独力で文字や算数を覚えた神童。８歳で5年生に飛び入学。最優等生として卒業。17歳で北欧最古の名門大学・ウプサラ大学（１４７７年創設）に進学。数学、物理、化学を学修。22歳で王立科学アカデミー物理学研究所で「電解質溶液の電気伝導度」の学際的研究。溶液中の電解質がイオンに解離するとの電離説を唱える。25歳で母校から学位を取得。

自らの電離説に対する強い支持を求めて論文を海外の科学者に送り、27～30歳にF. W. OstwaldやJ. H. van't Hoff ら著名な科学者の下で研究行脚。そして「物理化学」の共同創始者、また後に「電離説による化学の進歩への重大な貢献」でスウェーデン人初のノーベル化学賞（１９０３年）に輝く。

その後、母校で「酸によるショ糖の転化速度」を研究。また多くの化学反応事例を考究し、30歳で、化学反応は活性化エネルギーE_a以上のエネルギーをもつ分子（活性分子）だけが衝突し合い原子間の結合が組み換わって生成物分子になると着想する。そして反応速度kと絶対温度Tとの関係を$k = A \exp(-E_a/RT)$で表す（アレニウスの式、１８８９年）。Rは気体定数、

Aは頻度因子（反応分子同士の衝突確率）。単純に現象の因果を結び付けて式にしたわけではない。膨大な化学変化データから、普遍性を見出す洞察力や対数や指数関数を用いて定式化する数学力などには驚嘆する。

類《たぐ》いまれな好奇心と探究心の活動は止まない。42歳でストックホルム大学で講師、後に異論もあったが物理学教授、さらに学長に就任する。ノーベル賞の創設（1901年）、ノーベル物理化学研究所長として、物理化学だけでなく生物学、宇宙物理学などまで幅広く研究した。その中に「大気中のCO_2は温室効果を生むので地球氷期を阻止でき、温暖化効果で食料生産には好都合」との発表もある（1896年）。科学知識普及のために多数の執筆や講義もした。終生、間断なく脳を働かせている。

彼には、①何事にも好奇心で当たる、②粘り強く真理を探究する、③閃《ひらめ》きを待って論理的仮説を立てる、さらに④自説への社会的認知を求めて勇猛果敢に行動する、という一貫した科学姿勢がある。例えば、指導教官に飽き足らず伝統ある母校を離れ内外に師や場を求め、学界での論争も厭《いと》わない。そこには、現代の従順なサラリーマンに見られる追従、忖度、指示待ちなどは微塵《みじん》もない。歴史的評価を勝ち得て、今や理工系学生や科学技術者には必須のアレニウスの式。拡散、クリープ、耐熱性など経時的現象の説明や促進時効、寿命予測などの加速試験で頻繁に引用される。

ものごとを作り出す場合に置き換えてみよう。頻度因子は気づく出会い（交流機会）、温度は探究への情熱、活性化エネルギー（障壁）は消極性・抑制力ということになる。頻度因子と温度は高いほどよいが、活性化エネルギーは低いほどよい。組織の活動性についても同じことが言えそうだ。

天才は無意識のうちに自らの式で、自らの行動の正しさをも語る。彼は低活性化エネルギーの持ち主で、多くの事象を貪欲《どんよく》に吸収しそこに潜む普遍性を引き出した。少しでもあやかりたい。それには、まずは好悪利害にかかわらず遭遇する事象を絶好の機会と捉えて、多少の困難があっても軽薄と思われても、突き詰めて考え試してみて、新たな何かに気付きたい。今これを失うのは勿体ない。

⑫ 大いなる健常主義

暑苦しい夏のさ中、通いつけの病院に汗だくで行った。かつて検診の造影剤で薬疹が出て特異体質だと驚かせて以来、院長とは診察を受けながらいつも軽口をたたき合う。

「変わりなし。ただ、この暑さでは病人は来るまでに死んでしまう！」というと「重篤者は救急車で来るよ」と返す。血圧測定中に「今日は１２０くらいでしょう？」に「よし」と頷く。触診に「いまは自分の体調を感じられるようになった、そのうち残り何日で死ぬか分かりそうだ」というと大笑いし、血液検査結果を視ながら「数値に加齢の傾向があるが、危険域に達する前に寿命が来るだろう」と診立てる。しかし疲弊していた現役時代。学校健診では毎回、基準範囲外と指摘された項目が5〜10個あった。

工業製品の品質検査データをヒストグラムにすると平均値近傍に集積する釣鐘形になる（正規分布）。平均値からの偏り（標準偏差σ）は±1σ内68・27％、±2σ内95・45％、±3σ内99・73％。σが0に近いほど製造工程はよく管理されている。検診項目の基準範囲は2σ内≒95％を意味するらしい。つまり5％は必ず指摘される。急激変化や極端な数値が現れなければ直ちに慌てる必要はない。そもそも行動的また挑戦的な人ほど身体を故障しやすい。経営者の多くは決算期にうつ状態になるというし、優しい人ほど心を病みやすい。人の身体や頭脳が2σ内の大勢の中にあることに絶対価値を置き慶賀すべきではない。学力偏差値の信仰的偏重も一面的で考えものだろう。

例えば、落ちこぼれ小学生だったエジソン、ユダヤ人で相対性理論のアインシュタイン、筋萎縮性側索硬化症（ＡＬＳ）を患い宇宙理論を展開したホーキング、三重苦を克服して障害者の教育・福祉に尽くしたヘレン・ケラーなど、当時は3σ外の異端・異質だったが、人類に偉大な貢献をした。

京都でＡＬＳの女性患者の嘱託殺人容疑で医師2人が逮捕された。悲観を見たら励ますべきだった。草叢《くさむら》は猛禽《もうきん》に襲われる小鳥を隠し庇《かば》うのに、人は日頃見下す雑草にも悖《もと》るのかと暗然とする。効率や優劣を第一基準とする思考法では「劣捨優入」が合理。そして自らを有用な平均的人間だと安堵したい意識が高じ、劣等探しが正義になる。狂気の優性思想で、精神障害者さらにユダヤ人の消滅に走ったナチスの所業が典型例だろう。中世カトリック教会の異端審問、近年の児童・生徒のいじめ、ハラスメント、マウンティング（示威行動）の背後にも同根の意識があるように見える。

燃え盛る米国のBlack Lives Matter（黒人の命の問題）運動を見て、対極にある三十余年前の出来事を思い出した。東部の旧友教授宅は養子の1男2女。家族全員が出自は欧州。頼まれて無邪気な末娘ら園児7名に1時間弱、スライドを見せながら日本文化を紹介した。床に正座した子らの着衣や飾り、目、髪、肌の色は多彩。しかしその眼は一様に好奇心で輝きしばしば歓声を上げる。その多様性の共存は実に美しく、これぞ人のものと心に沁みた。

品質保証では一様性を厳しく求める顧客に対し便宜的に、例えば2σ外の物品を除いて出荷する。しかし意識の高いものづくり人は、外れものを奇貨と見て原因を究明しプロセスの高度化を図る。また少量しか産出しない希土類元素が高性能を誇るハイテク機器などに不可欠と知っている。人はしばしば今日の独善的便宜で異質を嫌い遠ざけようとする。しかしその姿勢は必ずしも未来に至る優しい正義ではない。一様性を過度に有難がらず、むしろ異端を見出し、多様性を拡げるように強く思考したい。今これを失うのは勿体ない。

【『工業材料』68－1～12（2020）】

十六、談話室　連携美技あれかし

1 惰性から目覚める学び

英国の*Times Higher Education*が発表した「世界大学ランキング2021年版」（2020年9月）で上位13校まで米英の大学が占めた。アジアでは東京大学（日本最高位36位）が中華系の複数大学の後塵を拝した。少し寂しい。

アカデミー（academy）はルネサンス期以降、高度研究教育機関を意味するようになった。古代ギリシャのアテネ郊外・アカデメイアの地に哲学者プラトン（BC427－BC347）の学園（BC387～AD529年）があったことに由来する。未来社会を導こうと決意した青年たちが集い、自然学（幾何学、算術、物理学、天文学など）と高次学（哲学、倫理、弁証術など）を学んだ。師のソクラテスもしばしば駆け付けたと伝えられ、弟子のアリストテレスは後にリュケイオン学園を作り学術を競った。

イタリア北部のボローニャ（Bologna）は当時、絹織物で名高く、欧州各国から来る人々で賑わった。商取引のルール作りのために意識の高い市民たちが自治組合を結成し、授業料を払って契約書の作成、ローマ法、教会法などを勉学する共同生活塾を作る。教授は見識、熱意のある法律の専門家を自らで選任した。この学園が後に欧州の大学の原型（母なる大学）とされ、現在のボローニャ大学（創立１０８８年）に至る。ダンテ、ガリレオ、コペルニクスなど史上に輝く卒業生も多い。

欧州では社会の発展に人々の国境を越える往来を尊び、ボローニャには現在も世界から人口の約３割に上る学生が集う。そこでは市民たちは進取・自由・自主のボローニャ精神で自治組合を作り様々の物事を展開する。近年の欧州高等教育改革は、教育学習の質的水準の統一を図り、大学を「教授する場」から「市民が生涯にわたって自らを高めるために学ぶ場」に変えようとする。この動きはボローニャ方式と呼ばれた。そこには大学を市民自らが設定し開き運営するという精神が根底にある。

日本は島国で人々の多様性が乏しい。大学は明治時代初期、国家の発展を第一にした施策に沿って先進欧米諸国を見習う形で発足した（帝国大学）。運営体制などが多様化したが今日でも、経営側にも学生側にも国家に寄りかかりつつその要請に応えるとの意識が根強い。かつての技術者大量生産を図った工学部増設が典型例になる。また高卒18歳入学と期限内全卒、知識偏重の入試、教員・学生の移動の欠如、教員・研究室依存、私語・内職が罷《まか》り通る大講義室、希薄な問題意識と義務教育化など弊害も生じた。つまり学生の自発的思いよりも、国家の必要性が重んじられる傾向が強い。この点で、欧州市民感覚と異なり、国際性や研究影響力などで高い評価を得にくいのかもしれない。

英語のstudyとstudentの語源はラテン語のstudium（熱意、情熱）とstudeo（熱中する、努力する）。つまり学生とは情熱的に勉学に努める者。またschoolの語源はギリシャ語skhole（生活に必須の時間外の余暇）を元にしてできたラテン語schola。つまり学校とはゆとり時間に物事を思考し議論し学ぶ場。ちなみに中世を支配したキリスト教的思考法・スコラ哲学の呼称は、派生語のscholasticus（学校に属するもの）に由来する。災厄は社会に深刻な影響を与えて迷惑だが、強いて良さを探すなら惰性の日常を見直せと迫ることか。COVID19奇禍による平和な学園の消失をただ嘆かず、奇貨に変えて「創造的余暇」としたい。

大学とは実は、市民が自らを確立するために自ら設定し運営する自らのものだったと再確認するのも有意義。自ら未来社会を先導せんとする気概はありや。今これを失うのは勿体ない。

2 お正月に会える心友

息災に感謝し明日の幸福を祈願して鏡餅を供える。かつて餅つきは親類縁者が集う一大行事で、子供は周りで大はしゃぎする。たいてい12月28日。29日は福とも読めるが二重苦に通じ、30日は大掃除や新年の飾りつけなどで忙《せわ》しなく、31日はすべてを終《しま》いにして穏やかに過ごしたいために避けた。

大晦日には、年取り膳（口取り）の甘いものに大喜びし、年越し蕎麦を少しだけ食べて、遊び疲れて除夜の鐘も聴けずに寝入る。目覚めると元旦。いつもと様子の違う両親と和やかに「明けましておめでとう」と挨拶を交わして、お雑煮で年齢数の餅を食べる。大人も日頃の苦労忍従を忘れて新年を寿ぐ。子供はそれを見て一層嬉しく走り回った。

お年玉は子供の最大の楽しみ。孫たちへのポチ袋に入れる金額は、年齢×百円（幼児）、学年×千円（児童）と約束してある。からくり人形のように土産を皆に運ぶ可愛い双子の2歳女児。新幹線の記念百円硬貨2個ずつを意味も分からぬままママに預けた。恐竜の好きな4歳男児。百円硬貨4個と五百円硬貨1個のどちらでもいいと言ったら後者を取った。少年野球の小3男児。試しに五百円硬貨2個を見せたら約束が違うと指摘し、千円札3枚にすると大喜びして貯金箱に入れ、中学から一万円単位にしようと逆提案してきた。人はすぐベビーカー時代を忘れ、売買の意味を察知し貨幣の価値を理解する。今年も楽しんで1歳分ずつ上乗せするが、守銭奴にはならないでほしい。

生物は植物、動物、微生物を問わず等しく本能的に生命維持活動をする。しかし邪魔者も多い。例えば野生動物は食を得るのに容易でなく、弱肉強食の世界で生き延びるのに最大注意を払わねばならない。その中で人間は自らの弱さを知り、共生社会を構成して生き永らえる術を使う。しかしホモ・サピエンス（賢い人）と自称する割には殺伐として有史以来、植民地、奴隷制、人種差別、資源問題など、ヒトの仲間内で覇を競い私利権益を争ってきた。平和や人道の尊さを知りながらも我欲の業に歯止めはかからない。その効率化に崇高な精神の産物・科学技術が悪用される始末だから腹立つ。

諍《いさか》いの多くは富（金銭）に係る。金は苦労や災厄の源にもなる。諺の「金《かね》が敵」の不幸を招かないためには知足や中庸そして仁徳が要るのだろう。かつて銀行（Citibank、新宿支店）で「28歳の野心、33歳の決意、40歳の意欲、53歳の余裕、58歳の挑戦、65歳の未来」と大書された標語を見て鼓舞された。強欲からではなく、1億円貯めると利息で優雅に野心的研究ができると、33歳を過ぎて間もなく決意した。だが壮図空しく、すぐ利率が7％から急落し今や0・01％。それ以来、自分には、耐乏下の大志が相応しいと完全に悟った。

昔ある式典で知人の著名大学の元学長が登壇し学生に訓示した。四つのお願い「お早うございます、有難う、頂きますと言おう、そして勉強しよう」と。特別な役割も無かった筆者は、後方一般席の客と共に聴いた。パーティで傍に寄り「今どきの学生には簡明で良かった」と称えると、予期しない出現に驚きながらも相好を崩す。照れながら「最後の勉強しろがいいだろ？　俺たちはあまり勉強しなかったけどなぁ」と笑い合う。恋する乙女の心情を訴えた1970年前半の歌謡曲『四つのお願い』みたいだねと共通記憶で混ぜっ返すのは慎んだ。

今は庇護される子らよ。早くやさしい大人になって、街角の雲水や寺社の賽銭箱などにも気持ちを出し、筆者にも焼き鳥を奢ってほしい。その金は必ず心友《しんゆう》になる。今これを失うのは勿体ない。

3 苦情のあとさき

顧客や仕事相手との間に付きまとう厄介なクレーム。英単語claimは権利や要求を主張する行為だが、日本では苦情、不平、文句を言う行為（英単語、complaint）の意味に転化している。苦情はない方が平穏に過ごせてよい。だが現実の物事に完璧はなく、予期せぬ過誤も生じる。事情がどうであれ、物事が対価に見合う出来栄えでなければ文句を言い、注意を喚起し改善を求めるのは正当な行為。これは技術改善を促し未来を明るくする良性（善意）の苦情になる。だが時に、金品を強請り社会に不信感・憎悪の連環を作り出す悪性（悪意）のものもある。

部品製造業者は材料供給業者に苦情を言えるが、納品先の顧客企業からは言われる立場になる。以前、同窓、学会、公設試などで交流した縁者たちが、対策に窮して相談に駆け込んで来た。筆者はたとえ忙しくても、よく聴取し参考資料を提示し、時には現場に出向いて調べ、また実験や解析を含む対応をした。報酬などの見返りは期待しない。材料加工学的に些末であっても、苦情の背景や不良原因の追究で得られる知識経験が、世知に疎い研究者には力量向上に益する。

相談事は多岐にわたり複雑だが、直接渦中にないので事態を冷静に見極め助言できる。揉め事を捏造して金品を強請るなどの悪性ではないものの、少し善くない事例も見た。ある部品製造業者に顧客が「自動車に組み込んだ部品が破損しリコールに至った、賠償せよ」との苦情。

それには大企業ならではの種々の重々しい学術的試験・シミュレーション解析が添えてあり、全面的に納品側の責だと、有無を言わせず高額賠償を要求してきた。慌てふためく泣き顔の相談者。経緯を聴くと、顧客の設計（製品図）に従って指定の鋼板を購入しプレス加工をした部品という。破断部品には確かに亀裂先端近傍に介在物がミクロ観察される。他方、破面のマクロ観察では明らかに鋭いV字形切欠きから発生した亀裂が成長した跡がある。よくある応力集中による疲労破壊だと見立てた。

そして繰り返し負荷のかかる部品に応力集中源となる切欠きを入れた設計、その危険を認識もせずに安価だからと清浄度の劣る鋼板を用いた製造、双方に非がある。必要なら筆者の名を出してもよしとして過失相殺で痛み分けを勧め、ほどなく穏便に収束し取引も継続されることになった。

優秀な学業成績を修めた若手技術者は、基礎的知識・技術経験を基に形式的に処理するだけで物事が上手く運ぶと信じて疑わない。プライドが高く、仮に不具合が生じても出世に障るから責任転嫁したくなり、優越的立場と修得知識を活用して納品業者に威嚇的に当たる。だがこのような悪性化した苦情でも、相手を思いやる心が大切だ。

経験豊かな親父（オヤジ）は、顧客の指示図面を眼光紙背に徹して視て、必要な部品性能を察する。自動組み込み性、その機械の剛性や熱影響を読んだうえで、材料を選び、仕上げる。例えば図面に指示がなくても、バリ取りや角アール付けなどをして納品する。この密かな親切は、外国製や低価格品には見られない日本の伝統美意識から来るもので、彼我の間の絆を深めることになる。声高に教えずとも、やがて取引相手の若手技術者などが己の未熟に気付く時が来て、オヤジの心遣いを嬉しく思い出し、人間社会の温かな連環が拡がる。

責任回避のために黒白をつけることも必要だが、勝って敵に回すよりも負けて味方につけた方が得だ。できれば事前予防の方がよい。そのとき苦情は善性に変わる。今これを失うのは勿体ない。

4 しなやかな矜持

応力─ひずみ線図で最初の直線部だけで直ぐ破断する材料は硬剛だが脆い。他方、直線から山なりの曲線を経て破断する材料はしなやかに変形（降伏）して抵抗する強靭さがある。

職場の理不尽・不条理の一つに上司の卑怯がある。ことに大人数の組織にありがち。例えば他部門との合同会議で不備を指摘されると苛立って、はた迷惑を顧みず部下を延々と叱る。また全ての不備を同席していない部下に擦り付けてその場をしのぎ、所属へ戻って当たり散らす。自らの指導力不足に思い至らず面子《めんつ》を潰されたと猛《たけ》り狂う。蛮行は時に無関係者にも及ぶ。自らの一統を庇うために不始末の全責任を他に負わせる。その時は言葉巧みに悪いようにはしない・後で埋め合わせるなどと取り繕うこともある。しかし嵐が過ぎると知らぬ顔を決め込み、すぐ再び権力を振りかざし威張って来る。そもそもその気があるなら初めから自ら詫び処理した筈なので信用できない。

純な部下ことに新人には分からないが、上司は世知に長け、たいてい名誉富貴出世病に罹り倫理とは無関係の強い利己心・自衛能力を持つ動物。「鶏口となるも牛後となる勿れ」は知っていても、「名将の下に弱卒なし」を考えたこともない。実はルサンチマン（劣等感からくる怨恨）の権化で、権力を振り回すのを威厳だと信じている。いまコロナ禍遠隔作業が増え責任転嫁する部下が減ったので、彼の苛立ちも募っていることだろう。

要領を旨とする部下は、彼の獣欲を怖れて靡《なび》く。例えば麻雀好きには相手をし、酒好きには共に夜な夜な飲み歩き、ゴルフ好きには万難を排して供をする。何と鼻髭自慢には自分も伸ばして媚びを競う例も見た。しかし悪徳上司は常に新鮮な餌食を探している。その一瞬だけ上手く運んでも、ほどなく降格され遠ざけられて、皆にも侮られ哀れを止《とど》めるようになる。愚かな忠節は、職場に不正義、追従、忖度を蔓延させるだけと知っておきたい。

後進が可愛くて傍らに立ち導きたい、同時に一刻も早く自身の探求課題に取り組みたい仁徳の上司に出会うとすれば、僥倖《ぎょうこう》といえる。付き従うのにためらう必要はない。だがそれは儚い願望。邪悪に遭ったらどうすべきか。人倫の祖ソクラテスは法を重んじ自ら毒杯をあおった。忠義を重んじた武家社会で憂藩の家老は藩主の愚行を正すために諫死《かんし》を選んだ。ノーベル賞候補作家・三島由紀夫は憂国の情から1970年に天皇の下での日本精神社会を再建するため憲法改正のクーデターを自衛隊に呼びかけ割腹自殺した。このような自己犠牲は美しい。しかし精神性の欠如したものが改まるはずもなく、自己犠牲に意味はない。

時には直接抗議、ストライキ、サボタージュなどで力を見せるのもよい。しかし相手はしたたかだから成否は覚束《おぼつか》ない。できれば清濁併せ呑み、心を折ることなく臥薪嘗胆で時を待つ方がよい。彼もかつて同じ目に遭い心が歪《ゆが》んだとすれば哀れだと許せる。悩みを打ち明けたいなら、傍らの実験装置、ＯＡ機器、什器、技術などと語ると不思議に落ち着く。彼らは無言で「君の味方だ、上手に使ってくれよ」と優しく語り掛ける。泣かず嘆かず自己研鑽を積んで、必ず改めるからと決意し時を待つ。忍耐こそ強靭な人間精神の証し。その姿を大いなる天も高位の人も密かに見守っている。

理不尽に際しても負けず、自らの能力を信じ自らを律し誇り高く天に恥じない行動を取りたい。大宇宙の深遠に基づいた矜持《きょうじ》を保てる部下はしなやかで強靭。必ず良い仕事をし事態を改善できる。今これを失うのは勿体ない。

5 ある落ちこぼれの思い

その意を察し直ぐ行動したいけれども、要領が悪くできない人もいる。指導的立場の人は、意のままに素早く動いてくれる部下が嬉しい。だがそのことが分かっても器用に対応できない人間もいる。許してほしい。

静かな水面は平面だと分かっていた。海は水平線の彼方まで続き地球表面にへばりついている。静かな水面は平らだと聞いていたのに……。視覚の仕組みを教わるとき、人は猫や鼠のようになぜ夜も見えないのかと気になって何も聞こえなくなった……。そして児童は落ちこぼれた。中学1年生で英語に出会ったとき、小学高学年で習ったローマ字と区別できず、Notebookはノテボケと読んだ……。2学期に異なる別物だと発音のコツを知り、ようやく1単元を音読させてもらえた。

高校でニュートンの運動方程式を教わる。質点は地球の自転公転を考え併せるとどのように動くのか全く想像できず錯乱した。ケプラーの法則「惑星は太陽を一焦点とする楕円軌道を描く」には、太陽と対をなすもう一つの焦点が不気味でそれだけに囚われた。また太陽は恒星だが、なぜ無限の宇宙の中で絶対的に動かないで浮いていられるのか信じられない。さらに公転や自転をもたらす存在は何か、地殻を動かし火山や地震を引き起こすマグマの活動とは何なのか。恐怖に陥った。

大学に入学して、原子は原子核の周りに電子群が飛び回り、いつも振動していて平均位置が金属結晶の格子点だと聴く。原子はいわば柔軟構造なのに、なぜ固い物質になるのか。そもそも物質は、分子、原子、電子＋原子核、素粒子の順に細分化されるという。物質の究極の根源には何もない「空」なのか、現実は何なのかと身が震えた。

考え込む癖は社会に出ても治らない。後輩からは「先輩には鈍重という表現が似合う」と嘲られ、恩師の一人からは「君には洞察力を感じるが議論の途中で黙り込み能面のようになる」と注意された。いつも聞いてすぐ飲み込める同級生が羨ましかった。しかし不本意だが自らを抑え込む狡賢さで、単位を取り、また物事を動かした。かなり年を経て、所詮は分からないことだらけ、疑問を解決できずとも受容するだけでよい。賢い人たちはその要領を心得ているのだと理解できた。

児童期には、田舎の自然の中で腹が減るか暗くなるまでよく遊んだ。天然の児童には通知簔の評価とコメントに光るものは何もない。親には内緒にしたが、先生からビンタやゲンコツの悪餓鬼放免儀式もしばしば受けた。ただ今日に至るまで、森羅万象に不可解が多く常に無力感と畏怖感があったので、利己主義的発想を持つことはなかった。

大学に勤務していた昔、手を焼いたが可愛い学生たちに出会った。例えば、数学が大得意なのに英語を毛嫌いして拒絶する、微積をこの世のものでないとばかりに考えない、出題が状態図に係れば直ちに放棄する、児童期に親から不器用だと言われトラウマになり機械工具に触れない……など。自らを省みると出来が悪いなどと詰《なじ》れない。

一般に教師・指導者は、自らの専門知識を深く修得し素早く行動することを望み、つい後進を厳しく評価する。しかし人はどの分野にも通暁する能力はなく、多様な個性を持つ。筆者は学生に将来熱中できそうなことを探せ、必須科目は合格点を取るだけでよいからと激励し手伝った。

メンタルヘルスに係るエリクソンのライフサイクル理論では、老年期の発達課題と危機は「自己統合」対「絶望」だという。総白髪の今、過ぎ越し方を肯定したいのかと言われそうだが、相変わらず分からないことが多い劣等生のまま。上司や指導者にお願いしたい。過酷な現実は分かるが、後進を過度に追い込み、人格を否定せず、しばし待機して未来へ麗しい夢を託したい。今これを失うのは勿体ない。

6 剛毅の陰の熱涙

オヤジと呼ばれる中小企業の社長。今日は定時に仕事を終え、若手技術者2人を労《ねぎら》うために、町一番の高級料亭の座敷を借りてある。彼らにはあらかじめ妻子に晩ご飯の準備は不要だと伝えておけと命じた。

技術者たちは一様に、創業社長のオヤジの「技術には妥協するな、常に立ち向かえ、失敗してもよい」との意思に燃えている。この2人は叱咤に応えて、数年かけて試行錯誤し、遂に新たに高い技能技術を確立した。機械部品製造の工程数を大きく削減し、コスト安になる。近い将来、ライバル会社の追随を許さない貴重なコア技術になるはずだ。

お座敷で、まずビールで乾杯をする。彼らは「よくやった!」とのオヤジの称賛の言葉に感激する。運ばれてきた船盛り鮨を見て歓声を挙げ、遠慮の気配は微塵もなくよく食べ酒杯を重ねる。「これからも頼む！」に、ことに若い方が「無理だと思っていたけど何とかできた。その気になれば何とかなるものですね。面白かったし自信がつきました」などと応じ会話も弾む。

小一時間ほどの飲食と会話の後、オヤジに促され若い方が大はしゃぎで、少し先輩の方はオヤジ独りを遺して大丈夫かと振り返りながら座敷を立ち、呼び寄せた帰りのタクシーに向かう。それぞれの手には妻子のために特別あつらえの大きな持ち帰り料理袋をぶら下げている。それは、すべて早く帰って妻子にも喜んでもらえとのオヤジの配慮。

喧騒が静まり取り残されたオヤジに、馴染みの女将が戻ってきて「2人とも立派に育ちましたねぇ」という。オヤジはこみ上げるものを抑え「熱燗もう1本」と陽気に頼む。女将は「疲れているのでしょう、少し横になったら」と座布団を並べ羽織るものを用意する。しかし、オヤジは酒を飲み干し、夕闇の中を歩くために立ち上がる。

街路樹の葉陰と街灯が前後左右に揺れる。酔いで身体が揺れているからだった。風景がおぼろに霞むのは、こみ上げる熱い涙によるもの。彼らとの深い付き合いが次々と浮かんでくる。若い方は10年ほど前に大企業が大量採用した後に残されていた高卒で、入社時はバイクをいじり、農道をヘルメットから赤く染めた髪をたなびかせて突っ走るのが好きなだけの若者だった。たわいもない雑談から始め、ものづくり技術の夢を語り、機械工具を実際に動かして見せるなど、深く付き合い何とか育てた。あの捉《とら》えようのない若者が立派に成長し自ら進んで課題を発見し挑戦するようになった……。技術成果もさりながら、嬉し涙は止まらない。

そんなオヤジの心身の揺れを、はるか彼方から月影が見守っている。歩き疲れた頃、ひときわ明るい駅前に出て、仕事で遅くなった時の定宿に入る。そして翌早朝。心地よい眠りに疲れが取れて気分よく目覚める。昨夜の祝杯の余韻も襲った激情も収束している。カーテンを開けると広く開いた窓から、緑の山々が威容を見せている。それを見て、オヤジは今日1日の剛毅を演技するために息を整える。今日も、技術者たちは強いオヤジを見て、頑張ろうと自らの仕事に邁進することになる。

新型コロナウイルスが変異を重ねながら感染症（COVID19）を拡げ、文明社会を脅かしている。連絡や打ち合わせなどは遠隔コミュニケーションで仕事を進めざるを得ない。だが、ものづくり技術の改善・開発は、現場にあって仲間と交流し物品に触れて、共に高みを目指すことで成就する。苦難の時だが十二分に注意を払いつつ新たな挑戦を果たしたい。技術の中核に熱涙を隠した剛毅があるかぎり必ず行ける。今これを失うのは勿体ない。

7 カナリアの使命

童謡『かなりあ』の詞（西條八十、1918年、『赤い鳥』11月号で発表、後に『かなりや』に改題）は忙殺の日々に優しく潤いを与えてくれる。さえずりを忘れたカナリアでも、棄てたり打ったりしてはいけない、気長に待ち、安らぐ場を与えるとき唄を思い出してくれるという。

唄を忘れた金糸雀《かなりあ》は　後の山に棄てましょか　いえいえ　それはなりませぬ
唄を忘れた金糸雀は　背戸の小藪に埋めましょか　いえいえ　それはなりませぬ
唄を忘れた金糸雀は　柳の鞭でぶちましょか　いえいえ　それはかわいそう
唄を忘れた金糸雀は　象牙の船に銀の櫂《かい》　月夜の海に浮かべれば　忘れた唄をおもひだす

若手工学者が自らの研究の進展などについて熱心に語る姿を見るのは、時に一方的で独善的見解に疲れて辟易《へきえき》することがあっても頼もしく愉しい。門外漢で詳細は分からずとも、できれば何らかの支援をしたいとの気持ちにさせる。しかし、このところ彼らの熱意にもかかわらず、以前のように気分爽快にならず満足感が得られない例が増えた。残る違和感の正体がやっと分かった。

彼らは自らの研究の正当性を主張し、結果を予測し、論文にまとめるまでの計画を巧みに語ることができる。発表論文数を稼げると自信あり気。その裏に、人に後れを取ることなく、早く教授になり、勤務校で幅を利かし、学界でも重鎮になりたいとの野心が隠れている。

その願望はあながち否定さるべきではないが、ただ現世で偉くなりたい、地位を得たい……など自らの栄達のためだけとするなら、研究の名が泣き寂しい。論文も得られる声価や地位も一つのゴール（Goal）に過ぎない。よく研鑽を重ね、それを目指すのは必要だが、ゴールを人生の目的とし安住するだけでは物足りなくはないだろうか。

もう一つ社会貢献への決意、つまり使命感がほしい。使命（Mission）とは世のため人のために自らを捧げようとする決意。ことに工学では、工業界などに解決すべき課題が無尽蔵にあり、新鮮な貢献を待っている。多少夢想ぎみでも、それへの意気込みを語る時、聞く人々を浮き立たせ引き込む。

大学大衆化による学生レベルの低下、交付金の削減、スタッフの減少などで教育雑務が増え、容易に研究に専念できないとの嘆きも聞こえる。ただでさえ殺伐とした競争社会で、若手研究者は辛い。しかし古来、余裕をもって遂行した研究などほとんどなく、多くの先達は使命感だけを支えに辛苦に耐えて当たってきた。

使命は哀しいものでほぼ現実的利益と無縁。むしろ自己満足に近いかもしれない。しかし目を輝かせて自らの研究のもたらす果実が社会をどれほど豊かにするか……使命感に裏打ちされた野心や夢の部分も語ってほしい。それを聞くと、閉塞感のある社会で物憂い人々を晴れやかにする。

カナリアは炭鉱などで、メタン、一酸化炭素などの有毒ガスの発生に一時的にさえずりを止め沈黙するという。それは唄を忘れたのではなく、人々に危険を知らせる合図。使命感を忘れた研究者は唄を忘れたカナリアのようなもので、人に和みも合図も与えない。心優しい詩人は、忘れた唄を思い出させる結末を用意したが、そのような解決を忙殺の日々を送る誰かが与えてくれるなどを期待できまい。ならば自ら唄を忘れたカナリアになるまいと叶わぬまでも努めてみたい。今これを失うのは勿体ない。

8 連携美技あれかし

草野球の最終回の裏。2死三塁で打者が猛ゴロを三遊間に放ち、皆がサヨナラゲームを確信した瞬間、その美技に球場は敵味方なく喝采に包まれた。遊撃手（守備番号6）が深い位置で横っ飛びして打球を捉え転倒しながらトスした。受けた三塁手（5）が直ちに反応。精一杯身体を伸ばした一塁手（3）に送球し間一髪アウトにした。試合は延長戦になり最終的に勝利した。

三者とも持てる力を全力で発揮し仲間を信頼して連係し捕殺を完遂した。誰一人自らの巧技を誇らない。技術の場に限らず、職場や地域など一般社会で称えられる静かな連携の美技。ちなみにこの捕殺のボックススコアは「65－3」で、嬉しいことに3人全員が記録される。

地球上に「誰一人取り残さない」を基本理念とする持続可能な開発目標（ＳＤＧｓ、国連、２０１５年）。２０３０年までに人類が勝ち取る17目標・１６９標的を謳《うた》う。よき人間社会を築くために、現在の営み全般の点検そして変革を促している。

いま新型コロナウイルス感染症の蔓延により経済や文化などの活動が制限され、成長路線を容易にとれない閉塞状態にある。人々の心はますます荒《すさ》み、目前の私利のために社会を敵視し歪《ひず》ませている。この災厄の克服に協働すべきなのに、耳目を塞《ふさ》ぎたくなるような諍《いさか》い、犯罪、組織内紛、国家間紛争などが増してきたように見える。ＳＤＧｓの理念とは対極にある。その愚かさが哀しい。

そこには人の善き縁《えん》が見られない。縁は俗にめぐり合わせや繋がりを意味するが、仏教ではもう少し奥深い。科学技術では要因（条件）と結果を直接結合して物事を因果関係で整理する。しかし因果の成立自体に人智を超えた間接的な条件や事情があると教える。現実は善かれ悪しかれ、そのような不可思議に導かれた……。善行があれば善き縁だし、悪行は悪しき縁で生まれる。ならば人は善行を重ねて善き縁を持ちたい。

例えば企業の沿革を模式図で表してみる。起点（原点）は創業者の夢（創業精神）だけの極小円。それが時代の要請に伴う事業の改廃など風雪を経て、大きな円に成長する。原点から時系列で並べた円群は2本の接線で結びつけられる。接戦が囲む範囲は有形無形の社会貢献の拡がりを意味する。広げた扇がよい風を作るように、時代に沿った活動が社会に認められてきた証明といえる。

成功した起業家は実に謙虚。自分は時代や従業員などに恵まれたと善き縁に触れる。傑出した社長であっても協力者や従業員との協働なくして決して大きな円を作ることはできない。同様に従業員も組織の要請によく応え、円を大きくするために貢献しなければならない。どんなに優秀だと自惚れても一人では物事は進展しない。技術は高度複雑化しているから、自らの役割を認識し技量を高め仲間と連携しなければならない。

野手の離れ業的守備も人を酔わせるが、程なく静まる。これに対して複数の人が係るファインプレー・連係美技は永く心に温もりを残す。人間社会はかくありたいとの郷愁の思いなのか。決して諦めず挑戦しつつも限界を知るや共に研鑽した同志に後事を託し、仲間も損得なく信頼に全力で応える。そこには善き縁で結ばれた麗しい人間関係がある。これでゲームセットによる挽歌の悲しみは避けられ、むしろ相聞歌の悦《よろこ》びを味わえる。

善き連携は持続の基《もとい》。何事であれ、皆が個人的願望のみに走らず心豊かに支え合うとき、人としての夢はいつも果てしなく広がり、輝かしい未来が約束される。今これを失うのは勿体ない。

【『工業材料』69－1～10（2021）】

町田　輝史（まちだ　てるふみ）

1940年北海道生まれ、1963年室蘭工業大学卒業、富士製鐵㈱（現日本製鐵㈱）技術員、東京大学生産技術研究所研究嘱託、U-Mass Lowell客員准教授、玉川大学工学部教授（材料加工学、材料強さ学）を経て2006年葉月温心・材料加工ミッション主宰、国/私立大学客員教授・顧問、JZK中小規模材料加工・実践技術経営研究会代表。この間、都道県の技術アドバイザー、学会運営、調査研究委員会などで主に技術者の養育成に係る。工学博士（東京大学、1977年）。学会賞、論文、エッセイ等多数。主著に、『わかりやすい材料強さ学』オーム社(1999)、『技術リポート上達法』大河出版（1992)、『材料強さ学』日本技能教育開発センター（2011)、『モノづくりに役立つ工業材料の基礎』日刊工業（2011)、『接合 ── 技術の全容と可能性』(共著）コロナ社（1990)、『絵とき塑性加工　基礎のきそ』(共著）日刊工業（2008)。

技術人たちとの語らい

2023年11月10日　初版第１刷発行

著　　者　町田輝史

発 行 者　中田典昭

発 行 所　東京図書出版

発行発売　株式会社 リフレ出版

〒112-0001　東京都文京区白山 5-4-1-2F

電話 (03)6772-7906　FAX 0120-41-8080

印　　刷　株式会社 ブレイン

ISBN978-4-86641-674-8 C0095

Printed in Japan 2023

日本音楽著作権協会（出）許諾第2306841-301号